10|18

12, avenue d'Italie — Paris XIIIe

Dans la même collection

KRISTINA BORJESSON

BLACK LIST
*Quinze grands journalistes américains
brisent la loi du silence*

Traduit de l'américain par
Isabelle TAUDIÈRE et Raymond CLARINARD

10 | 18

*« Fait et cause »
dirigé par Hugues Jallon*

LES ARÈNES

Traduction révisée par Jean-Bernard Dahmoune
Adaptation française par Mehdi Ba

Titre original :
*Into the Buzzsaw: Leading Journalists Expose
The Myth of a Free Press*

Cet ouvrage est dédié à ceux qui se battent, quel qu'en soit le prix, pour sauvegarder la presse libre.

Sommaire

Journaliste d'enquête pendant dix-neuf ans, Gary Webb s'est surtout intéressé aux affaires de corruption. Ses articles lui ont valu plus de trente prix de journalisme. En 1980, il remporte le prix des Journalistes d'enquête et des rédacteurs de presse pour une série d'articles, publiée par le *Kentucky Post*, sur le crime organisé dans l'industrie charbonnière. En 1990, il figure parmi les six reporters du *San Jose Mercury News* lauréats du prix Pulitzer d'information générale pour une série de reportages sur le tremblement de terre de 1989 en Californie. En 1994, l'Association pour la presse libre lui décerne le prix H. L. Mencken pour une enquête (pour le *San Jose Mercury News*) sur les abus commis en Californie dans le cadre du programme de confiscation des biens aux narcotrafiquants. En 1996, il est nommé journaliste de l'année par l'Association des journalistes professionnels de la Baie de San Francisco. L'année suivante, il reçoit le prix des Héros des médias…

Contraint de démissionner du *San Jose Mercury News* après avoir publié une enquête explosive sur les liens entre la CIA et les trafiquants de cocaïne sud-américains, il est désormais consultant pour la commission d'enquête interparlementaire de l'État de Californie.

Jane Akre a commencé sa carrière comme directrice de l'information dans une station de radio d'Albuquerque. Elle a ensuite été présentatrice du JT puis reporter pour des chaînes de Tucson, Saint Louis, Atlanta, San José et Miami. Pendant plus de vingt ans, elle a couvert l'actualité américaine pour des chaînes locales et nationales et réalisé des reportages et de grandes enquêtes sur les questions de santé, de justice et de consommation.

3 *Ces livres d'enquête que l'on enterre* p. 83

INTRODUCTION À LA SABORD'ÉDITION

Gerard COLBY

Gerard Colby a collaboré à plusieurs périodiques américains à diffusion locale et nationale. Il est coprésident de la division nationale du livre du syndicat national des auteurs, le National Writers Union. Avec son épouse, Charlotte Dennett, il prépare actuellement un ouvrage sur les origines de la présence américaine au Moyen-Orient qui met l'accent sur certains enjeux pétroliers méconnus.

4 *Un métier de rêve* p. 115

QUAND L'AMÉRIQUE GAZAIT SES DÉSERTEURS

April OLIVER

Diplômée de l'école des affaires internationales Woodrow Wilson de l'université de Princeton, April Oliver a été pendant cinq ans productrice pour un magazine d'informations télévisées. Elle a couvert l'actualité internationale pour le *MacNeil / Lehrer NewsHour*, notamment le Nicaragua, l'Afrique du Sud ou la Chine. Son travail pour la télévision lui a valu de nombreuses récompenses. Son documentaire *Assignment Africa* (*Envoyée spéciale en Afrique*) a été couronné par le Cine Golden Eagle et nominé aux Emmy, tout comme sa couverture du processus de paix au Proche-Orient. Finaliste du Livingston Award pour son documentaire *Women in China* (*Femmes de*

Chine), elle s'est vu décerner le prestigieux Joan Shorenstein Barone Award pour sa couverture du scandale des collectes de fonds orchestrées par la Maison Blanche sous la présidence de Bill Clinton.

En 1998, elle est renvoyée de CNN après avoir réalisé un reportage sur l'opération Tailwind. Elle abandonne alors la télévision pour s'inscrire à la faculté de droit de l'université George Mason, dont elle sortira diplômée en mai 2002.

5 *Faites-leur confiance, mais vérifiez tout de même* p. 125

L'AFFAIRE DU VOL TWA 800

Kristina Borjesson

Diplômée de l'école de journalisme de l'université de Columbia, Kristina Borjesson est journaliste et productrice audiovisuelle indépendante depuis près de vingt ans. Elle a notamment réalisé, pour l'émission *Frontline*, sur PBS, une enquête intitulée *Showdown in Haiti*, qui a été nominée aux Emmy. Elle a également produit *Living with Crocodiles* pour le *National Geographic Explorer*, tout en étant chargée du développement, de l'achat et de la distribution des émissions pour les anciens diffuseurs de la *National Geographic Society*, *International Media Associates*. Elle a par ailleurs occupé les fonctions de coproductrice de séries pour *On Television*, sur PBS, un documentaire en treize épisodes consacré à la télévision aux Etats-Unis. Elle a en outre été directrice de recherche et de production sur une biographie de Thomas Merton, un moine trappiste célèbre pour sa critique sociale.

Par la suite, elle a pris part à la production du magazine d'information *NewsStand*, pour CNN, et entamé une collaboration avec CBS. Son enquête pour *CBS Reports*, *Legacy of Shame* (avec Dan Rather et Randall Pinkston), lui a valu un Emmy et un Murrow Award. L'année suivante, toujours pour *CBS Reports*, elle a participé au documentaire *The Last Revolutionary*, une biographie de Fidel Castro qui a été nominée aux

Emmy. Coordonnatrice de *Black List*, Kristina Borjesson produit et anime actuellement l'*Expert Witness Radio Show*, sur WBAI, à New York.

6 *L'histoire que personne ne voulait entendre*

LE PONT DE NO GUN RI

J. Robert PORT

J. Robert Port a travaillé pendant douze ans au *St. Petersburg Times*, en Floride, où il était responsable des « projets spéciaux ». Il est un des quatre journalistes de ce quotidien à avoir reçu, en 1991, le National Distinguished Service Award de la Society of Professional Journalists pour ses enquêtes sur les clauses abusives de restriction d'accès aux casiers judiciaires en Floride. En 1995, il est engagé au bureau new-yorkais de l'Associated Press, qu'il quittera quatre ans plus tard.

En 1999, il est nommé rédacteur en chef d'APBNews.com (*All Points Bulletin News*), un site Web d'information couvrant les affaires de délinquance, de sécurité et de justice. Son travail lui vaut une citation spéciale de l'Association des journalistes d'enquête et un prix de la Fondation Scripps-Howard pour le journalisme en ligne. En juillet 2000, Bob Port entre au *New York Daily News*. Il y publie diverses enquêtes, notamment sur le système de protection de l'enfance ou encore les excès du financement de la campagne sénatoriale d'Hillary Clinton…

7 *La fracture de l'information*

MEURTRES SUR LA VOIE FERRÉE

Philip WEISS

Philip Weiss est journaliste et romancier. Éditorialiste, il publie deux fois par semaine un billet sur des sujets politiques ou culturels dans le *New York Observer*. Il a collaboré à plusieurs grands magazines nationaux, tels que le *New York Times Magazine*, *Harper's* et *Esquire*. Il a effectué des reportages pour le *Philadelphia Daily News* et deux hebdomadaires de Minneapolis. Son premier roman, *Cock-a-Doodle-Doo*, est paru en 1995 chez Farrar, Straus & Giroux.

RETOUR SUR UNE ÉLECTION TRUQUÉE

Greg PALAST

Greg Palast collabore aux quotidiens londoniens *The Guardian* et *The Observer*. Il est également reporter pour *Newsnight*, le magazine politique de la BBC. En 2002, il a réuni plusieurs de ses enquêtes dans un recueil paru sous le titre *The Best Democracy Money Can Buy : Incendiary Writings of an Investigative Reporter* (Pluto Press, Londres).

L'AFFAIRE BOBBY GARWOOD

Monika JENSEN-STEVENSON

Monika Jensen-Stevenson est l'auteur de *Spite House : The Last Secret of the War in Vietnam*, et coauteur de *Kiss the Boys Goodbye*. Productrice de l'émission *60 Minutes*, elle a parcouru l'Asie du Sud-Est pour la presse écrite et la télévision. Ses travaux ont été couronnés par plusieurs Emmy. Appelée à témoigner devant la commission d'enquête du Sénat sur les prisonniers de guerre américains au Vietnam, elle a également fait des conférences pour les élèves officiers de West Point, pour des associations d'anciens combattants ou encore des organismes publics. L'Association des vétérans du Vietnam lui a décerné sa médaille nationale.

L'AFFAIRE O. J. SIMPSON ET LES HÔPITAUX CHARTER

Helen Malmgren

Helen Malmgren est productrice pour Ed Bradley sur *CBS News*, où elle travaille sur des reportages destinés à l'émission *60 Minutes* et aussi sur des documentaires. Au cours des cinq dernières années, elle a réalisé des enquêtes sur les déchets toxiques, les brutalités policières, les hôpitaux à risque ou encore la pandémie de sida en Afrique. Son travail lui a valu plusieurs récompenses, dont le Peabody Award, l'Academy of Arts and Sciences Ribbon of Hope Award et le Sciences Ribbon of Hope Award de la Société des professionnels du journalisme.

LES DANGERS DU GRÉGARISME

Maurice Murad

Maurice Murad a débuté sa carrière en 1962 à *CBS News*, comme monteur dans le magazine de Walter Cronkite, *The Twentieth Century*. Il y a fait ses premières armes aux côtés des pionniers des actualités télévisées. Devenu producteur adjoint en 1974, puis producteur en 1977, il consacre l'essentiel des vingt années suivantes à concevoir des longs métrages documentaires et des magazines d'information. Il collabore à *CBS Reports, Our Times Crossroads* (avec Bill Moyers) ou encore à l'*American Parade* (avec Charles Kuralt)… Il a par ailleurs été producteur général du magazine *West 57th* et producteur à *60 Minutes*. Son travail lui a valu de nombreuses récompenses, parmi lesquelles les Emmy du montage, du scénario, de la réalisation, de la production et du journalisme d'enquête. Il a également reçu par deux fois le prix de journalisme de Du Pont / Columbia, ainsi que le prix du journalisme Edward R. Murrow et le prix Peabody.

12 *Que sont nos bons vieux fouille-merdes devenus ?*

ENQUÊTES INTERDITES

Carl JENSEN

Carl Jensen a été journaliste, attaché de presse, responsable de la publicité, formateur, écrivain… Il est surtout le fondateur et le directeur honoraire de l'association Project Censored, le plus ancien centre de recherche américain sur la censure dans les médias, auquel il se consacre depuis plus d'un demi-siècle. De 1990 à 1996, il a réalisé les rapports de Project Censored parus sous le titre *Censored : the News That Didn't Make the News… And Why*. Il a également publié plusieurs ouvrages, dont *20 Years of Censored News* et, plus récemment, *Stories That Changed America : Muckrakers of the 20ᵗʰ Century*. Son travail lui a valu de nombreuses récompenses professionnelles, parmi lesquelles le Media Alliance Meritorious Award, le prix de la liberté de l'information de la Société des journalistes professionnels et le prix de la liberté de l'information James Madison.

13 *Pendant les massacres, le spectacle continue*

LA CIA HORS LA LOI

John KELLY

John Kelly a écrit, en collaboration avec Phillip Wearne, *Tainting Evidence : Inside the Scandals at the FBI Crime Lab*, nominé pour le prix Pulitzer, qui reste à ce jour l'unique ouvrage critique sur le FBI publié par un grand éditeur. Il est aussi producteur indépendant d'enquêtes journalistiques. Ancien journaliste au *National Reporter*, une revue spécialisée dans les activités de la CIA, il a été producteur associé et chef enquêteur dans de nombreux documentaires, tels que *CIA*, une série en six épisodes produite par la BBC, et *The Bureau*, un documentaire de la chaîne anglaise Channel 4 et de WETA-TV (PBS) sur le FBI. John Kelly est aussi le président du Groupe d'étude sur le renseignement de l'Association des sciences politiques américaines.

14 *Qu'est-ce qui te dit qu'ils publieront ton histoire ?* p. 375

L'ARNAQUE DE LA GUERRE CONTRE LA DROGUE

Michael LEVINE

Michael Levine a travaillé pendant vingt-cinq ans à l'office américain de répression du trafic des stupéfiants (*Drug Enforcement Administration,* DEA) avant de se consacrer à l'enquête journalistique. Il a déjà publié deux ouvrages sur son expérience en tant qu'agent de la lutte antidrogue qui sont devenus des best-sellers : *Deep Cover* et *The Big White Lie*. Ses articles, interviews et reportages sont parus dans de nombreuses publications américaines dont le *New York Times,* le *Los Angeles Times, USA Today*, *Esquire* et le *Journal of Crime*. Il intervient également, en qualité de consultant, dans plusieurs grandes émissions d'information diffusées sur des chaînes nationales anglophones et hispanophones : *60 Minutes*, *Crossfire, MacNeil / Lehrer NewsHour*, *Good Morning America* et *Contrapunto*. Michael Levine anime actuellement l'émission *Expert Witness*, sur une grande radio new-yorkaise.

15 *Allez creuser où je vous le dirai* p. 417

GRANDEUR ET DÉCADENCE DU JOURNALISME AMÉRICAIN

Robert MCCHESNEY

Anciennement commentateur sportif à l'UPI, Robert McChesney a fondé le *Rocket*, un magazine de rock de Seattle. Il est aujourd'hui professeur et directeur d'études à l'Institut des recherches en communications de l'université d'Illinois. Devenu un spécialiste réputé de la presse et des médias, il a donné plus de cinq cents interviews à la radio et à la télévision et a fait l'objet d'une cinquantaine de portraits ou d'articles dans la presse depuis qu'il a entamé sa carrière universitaire, au début des années 1980,

Robert McChesney a écrit ou dirigé sept essais critiques sur les médias, dont cinq ont été distingués par des prix littéraires : *Telecommunications, Mass Media and Democracy : The Battle for the Control of US Broadcasting, 1928-1935 ; Corporate Media and the Threat to Democracy ; The Global Media : the New Missionaries of Corporate Capitalism ; Rich Media, Poor Democracy ; et It's the Media, Stupid! (en collaboration avec John Nicholas).* Son huitième ouvrage, *The Big Picture : Understanding the Media through Political Economy* (en collaboration avec John Bellamy Foster) a paru en 2003.

Avant-propos

Kristina Borjesson

N ous autres journalistes-enquêteurs n'avons pas vraiment l'esprit de corps. Tournés vers notre prochain scoop, nous répugnons généralement à collaborer, ce qui rend la concurrence entre nous farouche, parfois féroce. C'est la raison pour laquelle le livre que vous tenez entre les mains a quelques chose d'exceptionnel. Pour la première fois aux Etats-Unis, quinze journalistes de la presse écrite et audiovisuelle nous font pénétrer, par le biais d'un ouvrage commun, dans les coulisses de la profession telle qu'elle s'exerce aujourd'hui.

Les journalistes préfèrent habituellement travailler dans l'ombre. Ils ne souhaitent pas faire l'actualité mais la raconter. Ceci est d'autant plus vrai lorsque ce qu'ils ont à dire risque de courroucer les notables de l'information. Car les rédactions aussi ont leurs secrets, des petits et des gros, des pas vraiment reluisants que ces ténors des grandes rédactions préféreraient ne jamais voir éventés

17

– surtout par d'anciens collaborateurs. Un journaliste qui se hasarde à briser la loi du silence risque de perdre aussitôt sa place et de se retrouver inscrit sur la liste noire. Pestiféré. Parmi les auteurs de *Black List*, certains ont connu ce genre de traversée du désert. Tous, en tout cas, ont eu le courage de braver d'éventuelles représailles. Ils ont pris le risque, en me confiant leurs récits, de figurer sur la liste noire.

Bien qu'il se montre très critique envers les médias américains, ce livre n'a rien d'un jeu de massacre autodestructeur ni d'un exercice de délation. Certes, nous ne prenons pas de gants pour exposer ce que nous avons vécu et nous citons nommément des confrères, mais l'objectif ultime de *Black List* n'est pas de régler des comptes. Nous aimerions provoquer un sursaut de lucidité et engager les professionnels comme les lecteurs à regarder en face les problèmes auxquels sont aujourd'hui confrontés les journalistes, afin de les régler au plus vite. Le temps presse.

Ce projet est né d'une expérience fort désagréable que j'ai traversée lorsque CBS m'a chargée d'enquêter sur l'explosion du vol TWA 800 au large de Long Island. Cette chaîne me licenciera quelques mois plus tard, après que des agents du FBI auront perquisitionné nos bureaux pour y saisir une pièce à conviction qui était en ma possession. Cet épisode a débouché sur d'autres incidents, aussi étranges que déstabilisants, qui ont abouti à me jeter sous la « broyeuse » : un système impitoyable, fait d'autocensure et de collusions contre-nature entre les médias et le pouvoir, qui réduit au silence les importuns. Tous les journalistes qui en sont venus à enquêter sur des sujets sensibles, mettant en jeu les agissements occultes de l'Etat ou des grandes entreprises, finissent un jour ou l'autre par l'expérimenter. Malheureusement, leur carrière n'y survit pas toujours. D'un journaliste qui est passé dans la broyeuse, on dit souvent qu'il « sent le soufre » ou qu'il est « radioactif ». Peu importe la métaphore, le résultat est le même : plus personne ne fait appel à ses services.

Il m'a fallu plusieurs années pour me remettre de cette expérience traumatisante et envisager de me lancer dans la réalisation de ce livre. Je me doutais bien que je n'étais pas la seule victime de la broyeuse, mais j'ignorais dans quelle proportion. Je sais désormais que nos rangs ne cessent de s'étoffer.

Lorsque j'ai reçu les premiers chapitres écrits par mes confrères, la passion, le courage et l'amour du journalisme que révèlent leur contribution m'ont impressionnée. J'ai été émue aux larmes par le récit de J. Robert Port, qui raconte les efforts qu'il a déployés au sein de l'Associated Press pour rendre public le massacre de quatre cents civils sud-coréens par l'armée américaine, pendant la guerre de Corée. Je suis restée sans voix en prenant connaissance du combat inlassable mené pendant près de vingt ans par Monika Jensen-Stevenson, une ancienne journaliste de *60 Minutes*, pour faire éclater la vérité sur le calvaire de Bobby Garwood, un prisonnier de guerre retenu au Vietnam.

Et que dire de la « sabord'édition » ? J'ai découvert, avec ce néologisme qui désigne l'édition confidentielle, ou plutôt l'édition sabotée, un rouage essentiel de la broyeuse. Enquêteur chevronné, Gerard Colby la définit comme l'ensemble des méthodes utilisées par les éditeurs pour saborder des livres sensibles à l'insu des auteurs. Lui-même a été victime de cette pratique au moment de publier un ouvrage très documenté sur la société Du Pont : la puissante dynastie industrielle a tant et si bien fait pression sur l'éditeur que celui-ci a discrètement et efficacement torpillé le livre.

Certains témoignages, comme celui de Michael Levine, un ancien des services américains de répression du trafic international de stupéfiants, reconverti dans le journalisme, se lisent comme des récits d'aventure à la *Indiana Jones*. Michael raconte les dessous de la guerre contre la drogue à laquelle il a pris part en pourchassant les cartels sud-américains et asiatiques. Gary Webb, lui, s'est intéressé aux ravages de la drogue en Californie. Il revient sur l'enquête qui lui a permis de découvrir que les services secrets américains étaient impliqués dans l'épidémie de crack qui a touché les quartiers noirs de Los Angeles. A l'époque, journaliste au *San Jose Mercury News*, il a réalisé une série de reportages intitulée *Dark Alliance*, qui a sonné la fin de sa carrière journalistique. Enfin, John Kelly, l'auteur de *Tainted Evidence* (un rapport sans concession sur les activités illégales du FBI) lève ici le voile sur les agissements criminels de la CIA aux quatre coins de la planète et s'indigne du silence complice de la presse.

Ce recueil de témoignages est exceptionnel en ceci que ces journalistes se sont farouchement battus, parfois pendant de longues années, pour porter des sujets importants à la connaissance du grand public. C'est le cas, par exemple, d'Helen Malmgren, la productrice d'Ed Bradley, qui évoque certaines des enquêtes magistrales qu'elle a eu l'occasion de réaliser pour CBS. Mais aussi de Maurice Murad, Philip Weiss, Greg Palast ou April Oliver.

Il n'en reste pas moins que l'enquête journalistique est un genre qui a tendance à s'étioler de nos jours, comme l'analysent dans ces pages Carl Jensen et Robert McChesney. D'abord parce qu'elle revient cher. Et aussi parce que, face à un système de plus en plus procédurier, elle expose les entreprises de presse à des poursuites judiciaires dont elles peuvent ressortir lessivées. Enfin, parce qu'elle compromet souvent les intérêts commerciaux de la maison mère et/ou les liens que celle-ci entretient avec les pouvoirs publics. Or, le mot d'ordre des groupes de presse, dorénavant, est d'éviter les ennuis. Lorsque des scandales deviennent trop flagrants pour être passés sous silence, la presse a l'habitude d'en livrer une version aseptisée, répercutant scrupuleusement ce que les porte-parole officiels ou les conseillers en communication ont bien voulu en dire. Jamais davantage.

Cette frilosité affichée, qui tient lieu de boussole, contribue à faire passer à la trappe certains sujets. Jane Akre nous en fournit un exemple tristement représentatif avec le récit de ses mésaventures avec la chaîne Fox de Tampa, qui s'est évertuée à étouffer son reportage sur les dangers inhérents à l'hormone de croissance bovine commercialisée par la société Monsanto. L'autocensure n'est-elle pas la forme moderne de la censure ?

J'espère que ce livre permettra à chacun de prendre la mesure des dures réalités que traverse aujourd'hui le journalisme d'enquête. Nous abordons la question avec sincérité, dans l'intérêt de nos concitoyens mais aussi dans l'intérêt de l'Etat et des grandes entreprises. Après tout, une fois qu'ils quittent leur bureau et retirent leur cravate, les hauts fonctionnaires et les administrateurs de multinationales redeviennent des citoyens à part entière. A l'instar du commun des mortels, ils ont tout à perdre si la presse est bâillonnée.

Si nous souhaitons préserver le mode de vie dont nous bénéficions, il nous est indispensable de disposer d'une information digne de ce nom et d'être véritablement éclairés sur les activités que mène notre gouvernement, nos entreprises ou notre armée, chez nous comme à l'étranger. Pour notre part, nous tenons pour acquis que la liberté de la presse, totale et sans entraves, est l'ultime garde-fou d'une nation qui se veut démocratique.

Si c'est aussi votre avis, alors tournez cette page...

Info, intox et toxicos

LA CIA, LE CRACK ET LA CONTRA

J'étais, il y a encore cinq ans, l'un des défenseurs les plus ardents de la presse écrite. Pendant dix-sept ans, j'ai travaillé pour des quotidiens dans lesquels j'ai enchaîné les enquêtes sensibles et dénoncé les agissements illicites de toutes sortes d'institutions et de personnalités publiques. Mes rédacteurs en chef, loin de me dissuader de frapper trop haut et trop fort, en éprouvaient le plus souvent une certaine jubilation. Notre travail contribuait à assainir, si l'on peut dire, la vie publique : les politiciens véreux perdaient les élections ou étaient démis de leurs fonctions, les entreprises corrompues étaient condamnées à des amendes, les marchés publics truqués étaient résiliés, les inculpations tombaient, les chevaliers de l'industrie coupables de malversation finissaient derrière les barreaux... Bref, nous jouions le rôle dévolu au quatrième pouvoir.

Tout se passait exactement comme me l'avaient fait

miroiter mes professeurs à l'école de journalisme. Nous étions à l'époque du Watergate. Même les universitaires, qui n'entretenaient qu'un rapport lointain avec le monde de la presse, chantaient à pleine poitrine les louanges du journalisme d'enquête.

Si quelqu'un a cru dur comme fer à la mission sacrée du journaliste, c'est bien moi. Mes premiers patrons, qui s'en amusaient, m'avaient surnommé Woodstein, en référence aux deux journalistes du *Washington Post* qui ont révélé l'affaire du Watergate[1]. J'ai été accusé plus d'une fois de négliger le traitement quotidien de l'actualité au profit d'enquêtes à la Philip Marlowe. Mais généralement, mon entêtement payait. J'ai notamment livré un reportage en dix-sept volets dénonçant les pratiques mafieuses ayant cours dans l'industrie charbonnière américaine, ce qui a valu à mon journal son premier prix de journalisme en un demi-siècle d'existence. Dès lors, ma rédaction et tous les journaux pour lesquels j'ai travaillé par la suite m'ont autorisé à me consacrer presque exclusivement à l'enquête journalistique.

Durant toute ma carrière, on ne m'a refusé qu'un seul article. Avec le recul, je dois d'ailleurs reconnaître que ce n'était pas une contribution majeure. Mes patrons m'ont toujours laissé entière latitude pour choisir mes sujets – d'autant que cela les dispensait de trop se creuser la tête. J'ai pu travailler comme je l'entendais, sans que jamais personne ne cherche à orienter mes écrits. Lorsque mes rédacteurs en chef et les avocats du journal s'étaient assurés que tout ce que j'avançais était suffisamment étayé pour dissuader toute poursuite judiciaire, ils le publiaient – le plus souvent en première page de l'édition dominicale,

---

1. Bob Woodward et Carl Bernstein.

celle qui touchait le plus grand nombre de lecteurs.

En dix-sept ans, je n'ai pas essuyé le moindre revers. On ne m'a jamais renvoyé d'un journal – ni même menacé de le faire – pour avoir fureté dans tel ou tel recoin. J'ai collectionné les prix de journalisme pour mes enquêtes. Comment aurais-je pu souscrire à l'époque aux analyses d'un Noam Chomsky ou d'un Ben Bagdikian, qui prétendent que le système médiatique serait pourri de l'intérieur, manipulé par de grandes entreprises et de puissants groupes de pression, dédié à la préservation des intérêts de l'élite gouvernante ? Je trouvais pour ma part que le système fonctionnait à merveille. Il encourageait l'initiative et savait récompenser les fouille-merdes. A mes yeux, il n'existait pas, aux Etats-Unis, de sujet tabou.

Jusqu'à ce jour où j'ai publié, dans le *San Jose Mercury News*, le premier article d'une série intitulée *Dark Alliance* (« L'Alliance des ténèbres »). C'est alors que j'ai compris à quel point mon bonheur était illusoire. Si tout m'avait réussi depuis mes débuts, ce n'était pas, comme je le pensais jusqu'alors, parce que j'étais un bon journaliste, sérieux et appliqué. Non, mes compétences n'avaient rien à y voir : c'était tout bonnement parce que, durant toutes ces années, je ne m'étais jamais attaqué à un sujet suffisamment sulfureux pour m'exposer à la loi du silence.

Août 1996. L'introduction de la série annonce la couleur : « *Une enquête du* Mercury News *établit que, depuis près de dix ans, un réseau de trafic de drogue basé dans la région de la baie de San Francisco vend des tonnes de cocaïne aux gangs des Crips et des Bloods, qui sévissent dans les rues de Los Angeles. Elle reverse en outre des*

millions de dollars d'argent sale à une guérilla latino-amé-
ricaine soutenue par la CIA.

Ce réseau de trafic de drogue est à l'origine du premier
pipeline entre les cartels colombiens de la cocaïne et les
quartiers noirs de Los Angeles, une ville qui est devenue la
capitale mondiale du crack. L'afflux de cocaïne a contribué
à disséminer le crack dans les villes des Etats-Unis. L'ar-
gent généré par ce trafic, ainsi que les relations nouées par
les dealers, ont également favorisé l'approvisionnement des
gangs de Los Angeles en armes automatiques.

C'est l'histoire d'une alliance des plus étranges : celle
entre une guérilla soutenue par les Etats-Unis, qui tente de
renverser un gouvernement socialiste, et de petits gangsters
armés d'Uzis qui font la loi dans les quartiers de Compton
et de South Central, à Los Angeles... »

En trois épisodes, mon enquête retrace l'avènement,
puis la chute d'un réseau de trafic de drogue et détaille son
impact sur certains quartiers noirs de Los Angeles. Elle
s'efforce également de montrer comment le quartier de
South Central s'est retrouvé au cœur d'une affaire d'Etat
qui implique certaines officines liées aux services de renseignements, des trafiquants notoires d'armes et de
drogue, mais aussi l'inévitable Contra nicaraguayenne...
Bilan de ce scandale : une effroyable épidémie de crack qui
se diffusera bientôt à tout le pays.

Mon enquête bat en brèche le lieu commun qui voudrait que la consommation de crack soit apparue soudai-
nement dans les quartiers noirs des grandes villes
américaines, sans raison particulière autre que l'irresponsabilité des gens qui y résident. *« Personne ne les oblige à*
fumer du crack, ils ne peuvent s'en prendre qu'à eux-
mêmes », ressassent les bien-pensants. Cet argument m'a

toujours paru spécieux : les drogues ne se mettent pas à affluer dans certaines villes par l'opération du Saint-Esprit. Même la pire crapule du ghetto ne peut pas dealer ce qu'on ne lui a pas fourni en amont. Selon moi, si quelqu'un porte la responsabilité des ravages produits par la drogue dans un quartier, ce sont ceux qui l'y introduisent.

Aussi, c'est à eux que s'intéresse *Dark Alliance*. En l'occurrence, aux trois fournisseurs qui ont, pendant les années 1980, littéralement inondé le marché de South Central sous des tonnes de cocaïne pure. Les articles promettent de faire grincer des dents, puisque deux des trafiquants dont je livre le nom sont étroitement liés à la Contra : un groupe armé composé d'anciens militaires nicaraguayens, d'exilés cubains et de mercenaires, financé par la CIA pour déstabiliser le gouvernement sandiniste au pouvoir à Managua. Or nous sommes en mesure de démontrer que les trafiquants de drogue qui déversent leur cocaïne à South Central sont en contact étroit avec deux agents nicaraguayens de la CIA, spécialement chargés d'encadrer les activités de la Contra en Amérique centrale.

Entre autres preuves, je dispose du témoignage sous serment d'un trafiquant – devenu depuis un précieux informateur du gouvernement américain – qui affirme qu'un agent de la CIA lui a expressément ordonné de collecter des fonds en Californie au profit de la Contra. Je détiens encore une photographie montrant un agent de la CIA en grande conversation avec l'un des trafiquants, dans la cuisine d'une maison de San Francisco. J'ai rencontré le photographe qui a pris le cliché, qui l'a authentifié. Comme on dit dans les rédactions, nous avons « du biscuit ».

A travers les trois épisodes de *Dark Alliance,* nous avançons cinq arguments massue.

1. La Contra, un mouvement de lutte armée créé de toutes pièces par la CIA, a bel et bien vendu de la cocaïne pour financer ses activités, contrairement à ce que l'Agence et les grands médias essaient de faire croire au public depuis que, aux alentours de 1985, une poignée de journalistes ont commencé à creuser la question.

2. La Contra a vendu de la cocaïne dans les ghettos noirs de Los Angeles, où son principal client était le plus gros dealer de crack de la ville.

3. Des agents du gouvernement américain, qui ont été tenus au courant des activités de ce réseau au moment des faits, n'ont rien fait pour y mettre un terme.

4. A l'époque, ledit réseau joue un rôle déterminant dans l'approvisionnement du premier marché de masse du crack aux Etats-Unis.

5. Les bénéfices de ce nouveau marché ont permis aux Crips et aux Bloods d'étendre l'usage du crack aux quartiers noirs des grandes villes américaines, contribuant à faire de cette drogue un fléau d'ampleur nationale. Or l'Etat fédéral se contente de lois antidrogue votées à la va-vite qui aboutissent à l'arrestation de milliers de petits dealers – tous des Noirs – mais ne portent aucun coup sérieux au commerce du crack.

Ce que j'ai mis au jour n'est pas tant une conspiration qu'une réaction en chaîne. Des initiatives déplorables ont été aggravées par des décisions politiques ineptes. Bien entendu, ce genre d'enquête ne se boucle pas en un après-midi. Avec un collègue nicaraguayen, nous avons consacré une année entière à étudier le dossier. Un travail de bénédictin, puisque nous avons dû traduire de l'espagnol des enregistrements clandestins, des centaines de cotes judiciaires, ainsi que de nombreux articles de presse. Nous avons réalisé des interviews dans des prisons à l'étranger, extorqué des documents à des agences fédérales plutôt réticentes, obtenu des autorisations spéciales de déclassification auprès des archives nationales, retrouvé la trace d'anciens trafiquants de drogue et d'anciens flics qu'il a encore fallu convaincre de témoigner à visage découvert...

En décembre 1995, je remets un long synopsis à ma rédactrice en chef. Ce document doit lui permettre de présenter le projet à ses propres supérieurs, lesquels n'y ont pas encore donné leur aval, et pour cause : la plupart d'entre eux ignorent tout de mon enquête.

Deux mois plus tôt, dans toutes les prisons du pays, les détenus noirs ont organisé une mutinerie simultanée pour protester contre le refus du Congrès d'aligner les peines encourues par les dealers de crack sur celles des dealers de cocaïne. Avant et après ces émeutes, certains leaders de la communauté noire ont ouvertement insinué que la diffusion du crack en Amérique s'inscrivait dans le cadre d'une vaste conspiration, orchestrée par l'Etat, qui s'est soldée par la mort ou l'incarcération d'une génération entière de jeunes Noirs. Etaient-ils si loin que ça de la vérité ?

A partir de documents déclassifiés depuis peu, de rapports émanant du FBI, d'enregistrements secrets réalisés par la CIA, de transcriptions de débats tenus devant des grands jurys fédéraux, d'archives américaines ou étrangères ainsi que d'entretiens avec certains acteurs clés, nous mettons en évidence qu'un réseau de trafic de drogue et de voitures volées lié à la CIA – installé dans la très chic péninsule de la Baie – a fourni des armes et des tonnes de cocaïne au principal dealer de crack de Los Angeles et, de là, au reste du pays. Une cocaïne très pure, en grande quantité, à des prix défiant toute concurrence...

Nous décrivons le lien étrange, presque filial, qui unit un voleur de voitures – illettré mais brillant –, issu des ghettos de Los Angeles et un insaisissable agent de la CIA, et la façon dont ce tandem a déclenché un cyclone social qui a durablement modifié de nombreux aspects de notre quotidien, en favorisant la pénétration du crack et l'accroissement de l'influence des gangs. La rencontre entre ces deux hommes représente en effet le point de départ de la flambée du crack en Californie et des innombrables catastrophes sociales qui en ont découlé (l'extension du sida, l'augmentation du nombre de sans-abri, etc.).

Nous avons par ailleurs réuni des preuves indéniables attestant que les chevilles ouvrières de ce réseau de trafic de cocaïne – des individus proches de l'ancien dictateur nicaraguayen Anastasio Somoza et de sa garde nationale de sinistre réputation – entretiennent avec les plus hautes sphères du pouvoir américain des rapports privilégiés.

Nous dévoilons surtout les dessous d'une aventure de politique étrangère totalement irrationnelle : la guerre « secrète » (elle ne l'était en fait pas tant que ça) menée par la CIA au Nicaragua entre 1980 et 1986. Une entreprise hasardeuse qui s'est retournée contre ses auteurs, causant à la population américaine un préjudice bien plus grave que n'auraient pu le faire nos prétendus « ennemis », les sandinistes nicaraguayens. Jugez-en : des quantités faramineuses de cocaïne ont été écoulées à Los Angeles dans le cadre d'une opération clandestine organisée par une agence de renseignements américaine, tout ça pour armer une guérilla antimarxiste en Amérique centrale !

Des preuves irréfutables établissaient depuis longtemps les liens étroits existant entre la CIA, la Contra et les « narcos », mais personne ne s'était jamais demandé où finissait la cocaïne une fois qu'elle pénétrait dans notre pays. Dans *Dark Alliance*, nous apportons une réponse à cette question.

Bien avant la publication, lors d'une conférence de rédaction organisée pour discuter du projet, j'avertis mes collaborateurs que les liens entre la Contra et le trafic de cocaïne ont déjà été révélés dans les années 1980. A l'époque, l'affaire a été tournée en ridicule par la petite coterie des journalistes de Washington. Mon enquête suscitera-t-elle la même défiance ? J'indique à mes rédacteurs en chef que s'ils préfèrent jeter l'éponge, autant qu'ils le décident tout de suite car j'ai prévu de retourner prochainement en Amérique centrale, où je dois interviewer d'autres narcotrafiquants. Si, en revanche, ils décident de me laisser mener l'enquête à son terme, il sera nécessaire d'y consacrer du temps et des moyens. J'ai également besoin de disposer de suffisamment de pages dans le journal pour raconter correctement cette histoire. La rédaction en chef est d'accord. Mon synopsis a fait le tour de différents services et, pour autant que je sache, personne ne s'est opposé à mon projet. Aussi, mets-je le cap sur le Nicaragua pour y compléter mon enquête, pendant que les maquettistes du Mercury Center (l'édition en ligne du journal) commencent à concevoir un traitement multimédia de mes travaux.

Dans mon avant-projet, effectivement, je suggère d'utiliser Internet pour asseoir le sérieux et la crédibilité du dossier. Je sais qu'en nous attaquant à la CIA, nous allons à coup sûr déclencher un feu nourri de démentis et de critiques. Aussi proposé-je à Bob Ryan, le directeur du Mercury Center, de réaliser une édition spéciale de ma série pour le Web. L'idée est de permettre aux internautes

de télécharger sur leur ordinateur les documents origi-
naux mentionnés dans l'enquête. Lorsque, par exemple,
nous citons un témoignage devant le grand jury, le lecteur
pourra, d'un simple clic, en consulter ou en télécharger la
transcription originale. Dans la mesure où notre sujet est
extrêmement glissant et où certaines de nos révélations
sont difficiles à croire, nous devons permettre à nos lecteurs – et, grâce à Internet, aux internautes du monde
entier – de vérifier par eux-mêmes la fiabilité de nos informations en se reportant aux sources originales. L'expérience mérite d'être tentée. Elle constituera un excellent
moyen d'offrir une vitrine au Mercury Center et, dans le
même temps, d'établir, grâce au multimédia, de nouveaux
standards en matière d'enquête journalistique.

La rédaction saute sur cette idée. Grand quotidien de
la Silicon Valley, nous imaginons déjà l'usage judicieux que
nous pouvons tirer d'Internet, à l'heure où tous les journaux cherchent désespérément à redéfinir leur place face
au Web. L'équipe du *Mercury* compte parmi les premières
à avoir innové en la matière. La version en ligne de *Dark
Alliance* doit confirmer la présence du quotidien en ligne et
consolider son image de marque : il s'agit de la première
enquête interactive dans l'histoire du journalisme américain.

Le jour où, avec les journalistes et les maquettistes du
Mercury Center, nous nous attelons au tri de notre pile de
documents – lesquels sortent tout juste d'archives jusque-
là classées « secret défense » – pour les livrer au monde
entier, j'éprouve une profonde sensation de vertige. Nous
disposons de photos, d'enregistrements audio top secrets,
mais aussi d'un témoignage recueilli devant un grand jury
fédéral. Nous nous sommes entretenus avec les chefs de la
Contra. Nous détenons des archives émanant aussi bien de

la Cour suprême du Nicaragua que du Congrès américain, ainsi que des documents confidentiels exhumés à l'occasion de l'enquête sur l'Iran-Contragate. N'importe quel individu à travers le monde, à condition bien sûr d'être équipé d'un ordinateur et d'une carte son, pourra prendre connaissance de l'ensemble de nos découvertes. Il sera en mesure de voir et d'entendre les acteurs de cette affaire comploter... et avouer.

Au terme de quatre mois d'écriture, de réécriture, de révision par des lecteurs divers et variés, mes rédacteurs en chef s'estiment satisfaits et donnent leur aval à la publication de la série. Le 18 août 1996, le premier volet de *Dark Alliance* sort simultanément dans les colonnes du *San Jose Mercury News* et sur le site Internet du journal. Curieusement, il ne provoque pas la moindre réaction. Personne ne monte au créneau pour démentir nos informations. Aucun média ne répercute nos révélations. Nous anticipions un ouragan et nous voilà sur une mer d'huile.

Je me dis que cet accueil mitigé s'explique sans doute par le profil atypique de *Dark Alliance*, qui n'est pas à proprement parler un reportage d'actualité puisque les événements auxquels je fais référence remontent à plus de dix ans. De plus, du fait de mes accrochages répétés avec mes rédacteurs en chef pendant la phase d'édition du dossier, l'article est un savant compromis mêlant rappels historiques, analyses et enquête proprement dite. Et puis, il faut bien l'avouer, l'histoire a de quoi démoraliser les lecteurs : les méchants s'en sont tirés sans une égratignure et, dix ans après, le mal est fait. Pour toutes ces raisons, je me persuade que l'accueil pour le moins mitigé réservé par mes confrères à *Dark Alliance* tient à l'étrangeté de cet ovni journalistique.

Si un scoop n'est pas repris par les principales rédactions du pays, il sèche sur pied et meurt aussi sûrement qu'une plante privée de lumière. C'est ce qui attend mon enquête, qui ne soulève strictement aucun commentaire, à l'exception de quelques reprises à Seattle, Albuquerque et dans quelques petites villes de Californie du Nord. C'était compter sans la version en ligne de *Dark Alliance*. Dès que notre dossier, enrichi de multiples liens hypertextes, paraît sur le Web, le site est pris d'assaut par les internautes du monde entier. Des e-mails affluent de Croatie, du Japon, de Colombie... Au Danemark, des étudiants font la queue devant les ordinateurs de leur université pour le lire. Jour après jour, des centaines d'e-mails nous parviennent. Le site enregistrera jusqu'à 1,3 million de visiteurs en une seule journée.

Dès lors que *Dark Alliance* devient un événement sur Internet (en partie grâce à l'excellente qualité technique et graphique du site [1]), les radios commencent à s'y intéresser. Pendant les deux mois qui suivent, je donne plus de deux cents interviews. La tâche est ardue : il me faut résumer en quelques phrases les dizaines d'informations contenues dans cette enquête en trois volets. La plupart des questions portent sur le rôle que j'attribue à la CIA. Insinuerais-je que l'Agence a fomenté une gigantesque conspiration ? Je m'en tiens aux faits que nous avons publiés : nous ne connaissons pas encore le degré d'implication de la CIA, mais nous détenons des documents et de

---

1. La version en ligne se verra décerner différents prix par des revues informatiques.

solides témoignages qui tendent à prouver que des agents de ce service ont rencontré des trafiquants de drogue avec lesquels ils ont discuté... cocaïne et trafic d'armes ! Voilà les faits. La CIA, était-elle informée de ce manège ? A mes interlocuteurs de trancher. Mais l'intervieweur revient aussitôt à la charge : « *Si je vous comprends bien, vous prétendez que la* CIA *a ciblé les quartiers noirs pour écouler du crack ? Quelles preuves possédez-vous à l'appui de ce que vous avancez ?* » Sans fin, je dois redresser le tir. Préciser. Nuancer.

A l'apathie des débuts succède une frénétique ébullition. Des agents cinématographiques et littéraires commencent à se signaler. Un jour, ce sont les studios de la Paramount qui m'invitent à déjeuner avec deux de leurs plus gros producteurs – ayant financé l'adaptation à l'écran de certains romans de Tom Clancy. Ils souhaitent discuter des « possibilités cinématographiques » de cette histoire. Peu à peu, je prends la mesure du séisme que nous avons déclenché. Ce n'est pourtant qu'un début.

La communauté noire américaine gronde. A Washington, des étudiants manifestent pour exiger qu'une enquête officielle soit ouverte avec diligence. Les habitants de South Central se massent devant la mairie et manifestent silencieusement en brandissant des bougies. Bientôt, le conseil municipal de Los Angeles emboîte le pas aux mécontents, très vite rejoint par les deux sénateurs de Californie, le conseil municipal d'Oakland, le maire de Denver, l'association des parlementaires noirs, le pasteur Jesse Jackson, le NAACP (mouvement de défense des droits civiques des Noirs) et une bonne demi-douzaine de parlementaires – essentiellement des femmes afro-américaines dont la circonscription couvre des quartiers contaminés par le crack.

Mon enquête a donné naissance à un vaste mouvement politique, et ce malgré le black-out presque total des médias institutionnels.

A Washington, certains journalistes vitupèrent. *« Comment se fait-il que personne n'apporte de démenti ? Pourquoi les médias ne s'élèvent-ils pas contre cette affaire ? »*, s'exaspère Bernard Kalb, ancien présentateur de JT et attaché de presse officieux du gouvernement, qui anime désormais l'émission *Reliable Sources*, sur CNN. Celui-ci ne supporte pas que mes découvertes soulèvent une telle passion dans le pays, malgré le zèle déployé par la presse et la télévision pour les occulter. *« Cette histoire aurait dû faire un flop,* déplore-t-il à l'antenne. *Or, au contraire, elle suscite un écho considérable. La vraie question est de savoir ce qu'attendent les médias pour couper court à cette situation. »*

L'anathème jeté par Bernard Kalb annonce la curée médiatique. Jusque-là silencieuse, la presse dominante tombe soudain à bras raccourcis sur *Dark Alliance*. Les plus grands quotidiens du pays déclenchent ce que le chroniqueur Alexander Cockburn décrira, dans son livre *White Out*, comme *« l'une des offensives les plus venimeuses et les moins fondées de mémoire d'Américain »*. CNN se risque à m'inviter pour défendre mon enquête mais l'affaire tourne au vinaigre : juste avant mon passage à l'antenne, j'ai un différend avec le présentateur. Je refuse par avance de me justifier à propos de ce qu'il qualifie d'*« allégations »*. Je suis un journaliste qui rend compte d'événements qui se sont effectivement passés. Les faits que j'expose sont étayés, documentés.

« Essayez de vous mettre à ma place, gémit mon interlo-

cuteur. *Puisque la* CIA *ne reconnaît pas les faits, nous sommes bien obligés d'appeler cela des allégations. Vous pouvez tout de même comprendre ça, non ?* » Je suis outré : « *Vous voulez dire que tant que la* CIA *n'aura pas avoué qu'elle a bien fait du trafic de cocaïne,* CNN *continuera de dire que ces événements n'ont peut-être pas eu lieu malgré les éléments accablants qui prouvent le contraire ?* »

Quand la CIA sort de son mutisme, près d'un mois plus tard, c'est pour tout nier en bloc. Il est impensable que ses agents se soient prêtés au trafic de stupéfiants, elle s'en dit convaincue. Cependant, face à la suspicion née de ma série d'articles, l'Agence demande à son bureau d'inspection générale de se pencher sur l'affaire. La décision suscite une levée de boucliers parmi la communauté noire. En novembre 1996, le directeur de la CIA en personne, John Deutch, doit se rendre à Compton, où il promet à la municipalité de diligenter une enquête approfondie. A cette occasion, une femme le prend violemment à partie : « *Vous espérez nous faire croire que cette enquête apportera quelque chose si elle est confiée à la* CIA *? Vous nous prenez vraiment pour des imbéciles !* »

Paradoxalement, la presse conservatrice et les hommes politiques les plus marqués à droite sont tout aussi hostiles à l'idée d'une enquête de la CIA sur le crack. Leurs raisons, il est vrai, sont très différentes. Eux craignent qu'une telle initiative ne légitime mes reportages et aboutisse à lever le voile sur certains petits secrets des administrations Reagan et Bush. Le *Washington Post* se déchaîne avec d'autant plus de violence que ce quotidien a largement contribué, par le passé, au financement de la Contra en organisant des collectes de fonds et des conférences en faveur de ce mouvement dont il défendait ouvertement la cause dans ses colonnes. Le *Post* tire à boulets rouges sur John Deutch, qu'il dépeint comme un dangereux « libéral » qui ternit l'image de la CIA en laissant entendre qu'il pourrait y avoir un fond de vérité dans mes articles.

L'opinion publique presse les grands journaux nationaux de descendre dans l'arène. A Los Angeles, des associations et des citoyens indignés par l'attitude du *Los Angeles Times*, qui s'obstine à traiter par le mépris une affaire dont les répercussions sur les quartiers noirs de la ville sont considérables, manifestent devant le siège du quotidien. A Washington, les médias noirs brocardent le mutisme du *Post* sur cette histoire qui concerne pourtant de manière évidente la plupart des habitants de la capitale fédérale.

Lorsqu'ils s'expriment enfin, les journaux de référence parlent d'une même voix. Entre octobre et novembre 1996, le *Washington Post*, le *New York Times* et le *Los Angeles Times* publient de longs articles de fond sur les rapports entre la CIA et les narcotrafiquants. Ils évitent toutefois soigneusement de s'étendre sur les activités occultes de l'Agence, préférant concentrer le tir sur moi. Après avoir décortiqué mes méthodes d'enquête pendant plusieurs semaines, les trois grands quotidiens en arrivent à la même conclusion : il n'y a pas, dans cette affaire, de quoi fouetter un chat. Aucune info digne d'intérêt. Rien qui vaille la peine d'être creusé. Mes articles, accusent-ils, « *ne tiennent pas la route* ». Me serais-je fourvoyé ?

A en croire un représentant officiel de la CIA sollicité par ces quotidiens, rien ne prouverait que son service ait été informé de quoi que ce soit. Un autre agent, Adolfo

Calero, certifie que les trafiquants de drogue que nous avons identifiés comme appartenant à la Contra n'occupaient en réalité aucune fonction « officielle » à la CIA à qui, d'ailleurs, ils n'avaient pas reversé tant d'argent sale que cela. Ce qu'aucun des trois journaux ne précise, en revanche, c'est que ce même Adolfo Calero est un ancien chef de la Contra impliqué de manière évidente dans le trafic international de cocaïne. C'est lui qui figure sur la photo que nous avons diffusée sur Internet, négociant avec un « narco » dans une cuisine.

Ce réseau associé plus ou moins intimement à la Contra ne serait, à en croire les grands médias, unanimes, que du menu fretin. N'hésitant pas à déformer un rapport de la DEA figurant sur notre site, le *Washington Post* souligne avec dédain que l'un des trafiquants de la Contra n'a vendu *que* cinq tonnes de cocaïne durant toute sa carrière. L'analyse de Walter Pincus, un ancien informateur de la CIA désormais chargé de tous les articles sur l'Agence au sein du quotidien, affirme que ce réseau n'était pas en mesure d'influencer à lui seul le marché du crack. Avec cinq tonnes, il pouvait à peine prétendre entrer dans la danse[1].

Au titre du droit de réponse, Jerry Ceppos, le rédacteur en chef du *Mercury News*, adressera une réaction au *Washington Post*. « *Je suis très déçu par le ton désinvolte des critiques du* Post, *écrit-il. Si la* CIA *savait que ses partenaires menaient des activités illégales, la loi fédérale et la déontologie la plus élémentaire lui commandaient d'en informer les autorités. Il me semble qu'un journal se doit de mettre en lumière ce genre d'affaire.* » Le *Washington Post* refusera de publier cette mise au point.

---

1. Ces affirmations sont réfutées par des notes internes de la CIA et du ministère de la Justice qui seront rendues publiques ultérieurement.

Dans la salle de rédaction, Jerry affiche une circulaire qui proclame que le *Mercury News* maintient ses informations. Les quatre journalistes du *Post* chargés de descendre en flammes notre enquête *« n'ont pas relevé une seule erreur significative dans l'exposé des faits »*, pointe le texte.

Malgré ce soutien revendiqué, en coulisse ma rédaction en chef commence à paniquer sérieusement. Jamais les trois grands quotidiens nationaux n'ont déployé autant d'énergie pour dénigrer un article paru chez un confrère. Cela n'est pas dans les usages, et c'est justement ce qui inquiète le *Mercury*. Mon journal adopte alors profil bas. Cinq mille exemplaires du dossier passent ainsi au pilon, sous prétexte que le logo de la CIA apparaît en illustration. De plus, dans tous les articles que je consacre au suivi de l'affaire, je dois désormais faire figurer la formule consacrée précisant que nous n'accusons pas la CIA d'avoir été directement au courant des faits, bien qu'un faisceau de présomptions suggère avec insistance sa complicité. Des astuces grossières qui ne font qu'alimenter la controverse en donnant l'impression que nous nous rétractons sans le reconnaître tout à fait.

Dans le même temps, nous réunissons chaque jour de nouvelles informations montrant que l'affaire est probablement encore plus grave qu'il n'y paraît. Des rapports de police qui s'étaient évanouis dans la nature remontent à la surface. Des policiers qui avaient tenté d'enquêter sur le narcotrafic de la Contra et s'étaient fait rabrouer sortent de l'ombre. Des éléments issus du dossier de l'Iran-Contragate sont déclassifiés : ils montrent qu'à l'époque, les plus hauts responsables des opérations clandestines de la CIA étaient informés, tout comme leurs collègues de la DEA et du FBI d'ailleurs. Nous avons même retrouvé un ancien guérillero qui a remis en main propre de l'argent liquide provenant de ce trafic à des agents de la CIA qu'il identifie nommément, micro ouvert. Il confirme en outre que les sommes qu'il a brassées, de Miami au Costa-Rica, sont de l'ordre de plusieurs millions de dollars.

Ces récentes trouvailles ne suffisent pas à regonfler ma rédaction en chef. La campagne de dénigrement conduite par les grands journaux a largement refroidi les ardeurs. Plus nous étayons nos précédents écrits, plus les critiques se font âpres. On nous taxe d'irresponsabilité pour avoir suggéré la culpabilité institutionnelle de la CIA – ce que nous n'avons jamais prétendu, faute d'avoir disposé de preuves irréfutables. Souvent, on présente notre dossier comme une enquête « *discréditée* », bien que personne n'ait apporté de démenti prouvant que les faits évoqués seraient erronés. A la demande de ma rédactrice en chef, je me lance dans la rédaction d'une nouvelle série d'articles destinée à compléter nos trois premiers volets. Le *Mercury News* ne les publiera jamais.

Au sein de la rédaction, le vent a tourné. Nos discussions frisent parfois le surréalisme :

« *Comment pouvons-nous être sûrs que ces trafiquants de drogue ont été les premiers à vendre du crack à South Central ?* me demande un jour mon collègue Jonathan Krim. *Se pourrait-il qu'il y en ait eu d'autres avant eux ?*

– *Beaucoup de choses sont possibles, Jon. Mais nous sommes censés travailler à partir de ce que nous savons, n'est-ce pas ? Les dealers de crack que j'ai interviewés me disent qu'ils étaient les premiers. La police de South Central dit qu'ils étaient les premiers et qu'ils contrôlaient tout le marché. Elle l'a écrit dans des rapports que nous détenons. Je n'ai rien trouvé qui pourrait contredire cette* donnée. *Le* New York Times, *le* Washington Post *et le* Los Angeles Times *non plus. Alors, où est le problème ?*

– Mais comment pouvons-nous certifier qu'ils étaient vraiment les premiers ? insiste-t-il. *Est-il possible qu'il y ait eu quelqu'un d'autre qui ne se soit jamais fait pincer et dont personne n'ait jamais entendu parler ? Dans ce cas, ton histoire serait fausse... »*

Je dois inspirer profondément pour ne pas laisser exploser ma colère :

« Si ta question est : as-tu tenu compte des gens qui n'ont probablement jamais existé dans ton enquête ? Ma réponse est non. Je ne me suis occupé que de ceux sur lesquels je pouvais mettre un nom et un visage. J'avoue n'avoir pas tenu compte des dealers virtuels... »

Quelques mois plus tard, dans un long éditorial signé de Jerry Ceppos, le *Mercury News* désavoue *Dark Alliance.* Notre rédacteur en chef présente des excuses officielles pour les « *insuffisances* » caractérisant ces articles. Tout en assurant nos lecteurs que le journal défend résolument les « *révélations fondamentales* » du reportage, il admet qu'aucune preuve ne nous permet d'évoquer l'implication directe de hauts responsables de la CIA (nous en possédons pourtant que nous ne publions pas). Certaines formulations, poursuit Jerry Ceppos, pouvaient prêter à confusion et nous avions « *par trop simplifié* » le phénomène de l'irruption du crack à South Central.

Le *New York Times*, qui n'a pas consacré une traître ligne à nos révélations, publie en une les excuses du *Mercury News*, saluant au passage le courage de Jerry : en reconnaissant ses « *erreurs monumentales* », estime le quotidien, ce dernier établirait une nouvelle règle déontologique.

Désormais, ma démission du *Mercury News* n'est plus qu'une question de semaines.

Deux ans plus tard, la CIA et le ministère de la Justice bouclent leurs enquêtes internes. Les documents qu'ils rendent publics à cette occasion représentent une gifle magistrale envers mes détracteurs. Que nous disent-ils ? Que la CIA était davantage au fait du trafic que je ne le pensais. Que le réseau de narcotrafic était bien plus tentaculaire que je ne l'avais soupçonné. Que les agents de la CIA chargés de soutenir la Contra entretenaient avec les trafiquants de drogue des relations bien plus étroites que je ne l'avais écrit. Que des agents ainsi que des responsables de la DEA avaient protégé les trafiquants des représailles de la justice américaine – ce que l'on m'avait interdit de publier. Que la CIA reconnaît avoir été en rapport direct avec une bonne quarantaine de narcotrafiquants, ce qu'ont approuvé les grands patrons de l'Agence... Au début de la guerre civile au Nicaragua, le ministère de la Justice et la CIA ont conclu un pacte sans précédent qui dispensait cette dernière de signaler l'implication de certains de ses agents dans le trafic de drogue. Une zone de non-droit propice à toutes les dérives...

Ce n'est toujours pas assez pour les médias dominants. La presse estime que ces enquêtes internes n'apportent aucune preuve de l'implication formelle de la CIA dans le trafic international de stupéfiants et qu'elles ne corroborent pas le moins du monde l'hypothèse d'une conspiration destinée à noyer sous le crack les quartiers noirs. Je n'ai jamais prétendu que des preuves existaient qui confirmeraient ce second point. J'ai en revanche écrit que certains agents de la CIA liés à la Contra collaboraient activement avec les réseaux de narcotrafic concernés – ce qui a été expurgé des rapports définitifs de ce service. Ainsi, les rapports déclassifiés ne mentionnent nulle part que deux commandants de la Contra – le colonel Enrique Bermudez et Adolfo Calero – émargent depuis des décennies à la CIA. Il s'agit là d'une omission déterminante puisque, dans mes articles, j'identifie ces deux hommes comme les agents de la CIA ayant directement contribué à ouvrir le pipeline de la cocaïne estampillée « Contra ». Leurs liens avec l'Agence ont beau être de notoriété publique, aucun journal ne se donne la peine de relever cette lacune béante dans la version officielle. Les grands rédacteurs en chef sont trop occupés à se féliciter de l'autoabsolution de la CIA. Celle-ci, à la fois juge et partie, s'est autodédouanée sans qu'ils n'y trouvent à redire. Aucune enquête indépendante n'a jamais été menée.

Les faits sont passés au second plan, devancés par la perception que la population en a eue. Dès que l'histoire a été présentée comme discréditée, tous les médias s'en sont détournés. *Dark Alliance* reste dans les mémoires comme une théorie du complot colportée par Internet, formellement réfutée par les journaux « sérieux ». Pourquoi cette enquête a-t-elle subi un tel destin ? Parce que la thèse qu'elle soutient est dangereuse. Si l'histoire que je rapporte est exacte, cela signifie que le gouvernement fédéral a une part de responsabilité dans l'épidémie de crack qui a foudroyé les quartiers noirs des grandes villes américaines dans les années 1980. C'est là quelque chose qu'aucun gouvernement ne serait prêt à admettre. *A fortiori* quand ce gouvernement a lancé une « guerre » contre la drogue dont le budget s'élève chaque année à plusieurs milliards de dollars.

Pourquoi nos médias, libres et indépendants, ont-il fait défection, relayant avec enthousiasme une campagne de désinformation ? Sans doute parce qu'ils ont autant de raisons que la CIA de garder le silence sur cette affaire. Quelques années plus tôt, les plus grands journaux du pays avaient déjà qualifié de *« fantaisistes »* les rumeurs dénonçant une collusion entre la Contra et les « narcos ». Ils s'étaient trompés. Et leur erreur a eu des répercussions considérables, puisqu'elle a fortement contribué à enrayer les initiatives des associations, des journalistes ou même des parlementaires désireux de faire éclater cette affaire au grand jour à une époque où il était encore temps d'enrayer la machine. Les mêmes journalistes qui avaient fermé les yeux dans les années 1980 ont remis ça dix ans plus tard.

Un autre point mérite d'être signalé : le *San Jose Mercury News* n'appartient pas au club très sélect qui définit l'orientation des informations nationales, à ce cénacle très fermé des journaux qui comptent, dont les membres arbitrent entre les informations dignes d'être livrées au public et celles qu'il est superflu de porter à sa connaissance. Les petits journaux régionaux n'ont pas leur place dans ce saint des saints médiatique. En utilisant Internet, en contournant le pouvoir de vie ou de mort sur l'info détenu par ce club omnipotent, le *San Jose Mercury News* a enfreint les règles. Il a placé les *majors* dans l'embarras, en les contraignant à revenir sur une affaire qu'elles préféraient oublier. Les journaux de référence lui ont rappelé qu'ils ne laisseraient personne empiéter sur leur chasse gardée, Internet ou pas, et qu'ils ne reculeraient devant rien pour le faire rentrer dans le rang.

Au cours des recherches effectuées pour rédiger le livre que j'ai consacré à cette affaire [1], je me suis rendu compte que les grands médias nationaux courtisent depuis longtemps la CIA. Ils publient des fuites qui arrangent l'Agence, ou bien pourfendent des articles ou des idées qui lui sont préjudiciables. Si cette connivence entre la presse et le pouvoir est si inquiétante, c'est parce qu'elle est devenue la règle.

Dans l'affaire qui m'intéresse, *a contrario*, les démentis du gouvernement américain et ses promesses de mettre au jour la vérité n'ont pas suffi. L'opinion publique ne s'est pas laissé rouler dans la farine : elle a continué à réclamer une commission d'enquête indépendante. Cependant, l'intervention partiale de la presse, véritable chien de garde de la CIA, a divisé l'opinion. Le mouvement citoyen né de nos révélations s'est essoufflé et, lorsque suffisamment de gens ont été convaincus que nos articles étaient, sinon faux, au moins exagérés, l'affaire a pu enfin passer à la trappe.

La presse est-elle libre ? Évidemment. Elle est libre de dénoncer autant de scandales conjugaux qu'il lui sied. Libre de diffuser autant d'informations boursières que nous pouvons en absorber. Libre de vanter le dernier régime miracle. Libre de nous faire partager les derniers potins mondains... En revanche, dès qu'il s'agit d'évoquer une affaire un tant soit peu sensible – l'opération Tailwind (lire le chapitre d'April Oliver), *October Surprise*[2] ou, plus

---

1. *Dark Alliance : the CIA, the Contras and the Crack Cocaine Explosion*, Seven Stories Press, 1998.
2. A la veille de l'élection présidentielle de 1980, Ronald Reagan et son futur vice-président, George Bush, se sont entendus avec les mollahs au pouvoir à Téhéran pour retarder la libération, par l'administration Carter, des otages américains retenus en Iran.

largement, les détournements de fonds par les politiques ou l'implication des agences fédérales dans le trafic de drogue –, les limites de cette liberté apparaissent. Aujourd'hui, le verrouillage est complet.

En 1938, tandis que le fascisme déferlait sur l'Europe, le légendaire journaliste George Seldes s'inquiétait des risques que pouvaient entraîner, pour les citoyens, les collusions entre le pouvoir et la presse. Nous aurions dû nous souvenir de son avertissement.

Gary Webb

Un journaliste, ça ferme sa gueule ou ça démissionne

L'AFFAIRE DU LAIT CONTAMINÉ

C'est un mois de novembre exceptionnellement froid pour la Floride. Enveloppés dans nos imperméables, blottis l'un contre l'autre, nous arpentons les rues d'Ybor City, un quartier du vieux Tampa où les premiers immigrés cubains roulaient les cigares qui ont fait la réputation de la ville. Avec mes talons hauts, je risque à chaque pas de me tordre les chevilles sur les trottoirs pavés. Derrière nous, un puissant faisceau de lumière projette nos ombres, tandis que nous avançons du pas décidé des détectives lancés sur une piste. La mise en scène est efficace. WTVT Channel 13, la chaîne de télévision de Tampa – qui sera bientôt rachetée par la Fox de *Rupert Murdoch* – a eu l'idée de cette excursion nocturne pour lancer sa nouvelle émission choc, *Les Enquêteurs*. « *Ils dévoilent la vérité ! Ils obtiennent des résultats ! Ils vous protègent !* », tonne un baryton en voix off.

Avec mon mari, Steve Wilson, nous avons été recrutés par WTVT pour nos quarante-cinq années cumulées d'expérience en tant que journalistes de télévision. La chaîne nous a appâtés en nous promettant de nous laisser toute latitude pour gérer notre temps et choisir nos sujets. Nous aurions dû nous douter que la proposition était trop belle pour être vraie...

Ce matin de janvier 1997, je suis partie de bonne heure avec le cameraman, Joel. Nous voulons vérifier par nous-mêmes ce que nous ont confié des sources internes à l'industrie laitière, à savoir que la majorité des éleveurs de Floride et du pays administreraient à leurs vaches une hormone de croissance, aussi puissante que controversée, stimulant la production de lait. Bien qu'il ait été homologué par la Food and Drug Administration (FDA)[1], la communauté scientifique est partagée quant aux risques que présente ce lait modifié pour la santé humaine.

Nous nous engageons dans l'allée de graviers d'une ferme laitière que nous avons repérée depuis la route. Le directeur de la laiterie, Ken Deaton, nous reçoit chaleureusement. Avec quelques employés, il commence tout juste à transférer ses Holstein dans une étable sombre où se déroulent les injections d'hormone. Nous arrivons à point nommé.

Sans hésiter, il nous autorise à filmer la scène qui marquera le point central de notre reportage. L'une après l'autre, les vaches sursautent tandis que l'aiguille de neuf centimètres pénètre dans leur flanc. Joel filme scrupuleu-

---

1. Entre autres attributions, l'Office de contrôle pharmaceutique et alimentaire délivre les autorisations de mise sur le marché des nouvelles molécules pharmaceutiques, à l'issue d'une procédure d'homologation réputée très sévère.

sement les boîtes d'ampoules et la seringue, où le nom du produit et celui de son fabricant apparaissent clairement : Posilac, de chez Monsanto.

Devant la caméra, Ken Deaton se prête de bonne grâce à une longue interview. Après quoi, accroupis dans un champ, dans la froidure de janvier, nous assistons à la naissance de deux veaux Holstein. L'œil rivé à la caméra, Joel enregistre la scène. Alors que le nouveau-né – qu'il a déjà baptisé Beta –, chancelle sur ses pattes frêles, cherchant le pis de sa mère pour sa première tétée, je me dis que ces images feront une très bonne séquence d'introduction pour le reportage.

Ce début de tournage est prometteur. J'ignore cependant qu'une mort prématurée attend Beta à l'abattoir tout proche et je me doute encore moins que Steve et moi sommes sur le point de compromettre définitivement notre carrière de reporters.

Tout en se refusant catégoriquement à diffuser ses chiffres de ventes, Monsanto affirme que l'hormone de croissance bovine recombinante (rbGH)[1] est le produit pharmaceutique pour bovins qui se vend le mieux aux Etats-Unis. Pendant une douzaine d'années, des tests sur cette hormone ont été réalisés en laboratoire afin d'en évaluer les effets sur les animaux. L'action lactogène de la rbGH est telle qu'elle transforme les vaches traitées en véritables usines à lait. Toutefois, les spécimens les plus prolifiques rencontrent presque systématiquement de sérieux problèmes de santé. Certaines études établissent que les vaches traitées boitent plus souvent que les autres,

---

1. Egalement appelée somatotrophine bovine recombinante (rbST).

présentent des troubles de la reproduction et sont davantage sujettes aux mammites (inflammations du pis). Pour les soigner, il est fréquent que les vétérinaires utilisent les mêmes antibiotiques que les médecins nous prescrivent, ainsi qu'à nos enfants. D'autres études, réalisées par l'industrie laitière, démontrent que le lait produit par ces vaches diffère, dans sa composition, du lait naturel. Il présente notamment de plus fortes concentrations en IGF-1[1], une hormone protéique agissant comme un facteur de croissance.

La grande majorité des scientifiques s'accordent à considérer l'IGF-1, présent dans tous les organismes naturels, comme l'un des plus puissants facteurs de croissance cellulaire. On le trouve à très forte concentration, par exemple, dans le lait maternel. Mais différents chercheurs à travers le monde soulignent que l'IGF-1, qui ne distingue pas les cellules saines des cellules malades, peut également stimuler la réplication des cellules cancéreuses. Ils s'interrogent, par conséquent, sur le potentiel cancérigène du lait enrichi en IGF-1.

Durant mon enquête, je reçois des informations qui ont de quoi inquiéter les consommateurs de lait provenant de vaches traitées à la rbGH. Les seuls tests de toxicité à long terme pour l'homme qui ont été effectués n'ont duré, au maximum, que quatre-vingt-dix jours et portaient sur un échantillon de trente rats !

Mais il y a plus préoccupant. Alors que Monsanto affirme que son produit ne comporte aucun effet secondaire

---

1. Contrairement à la somatotrophine, hormone protéique spécifique qui ne peut entraîner de réaction biologique chez l'homme au cas où elle passerait dans le sang, l'IGF-1 (*Insulin Growth-like Factor-1*) est susceptible de produire une réaction dans le métabolisme humain.

sur les rats, je découvre qu'un tiers des cobayes ont, en réalité, développé des kystes et des lésions de la thyroïde et de la prostate. Alertées par ces résultats, les autorités sanitaires canadiennes se sont empressées d'interdire la rbGH sur leur territoire en attendant que des études plus poussées démontrent l'innocuité du produit pour l'homme.

Aux Etats-Unis, *a contrario*, Monsanto a su convaincre les autorités fédérales que son hormone de synthèse était inoffensive. L'évaluation de la rbGH a été confiée au Centre de médecine vétérinaire (CVM), une branche de la FDA chargée d'homologuer les produits destinés aux animaux. Dès les premières phases de la procédure, le Dr Richard Burroughs, chercheur au CVM, s'étonne du manque de rigueur caractérisant les études de sécurité qui concernent Monsanto. *« La procédure d'évaluation d'un médicament s'apparente de plus en plus à une procédure d'approbation »*, déplore-t-il avant d'être subitement nommé à un autre poste, puis démis de ses fonctions de membre du conseil de surveillance de la FDA.

Au mépris des réserves formulées par le Dr Burroughs et plusieurs de ses collègues, la FDA donne son feu vert à la mise sur le marché du Posilac. Le produit est officiellement homologué en novembre 1993. Il n'a fait l'objet d'aucune étude d'impact environnemental et, à ce jour, aucun test sur ses éventuels effets à long terme sur la santé des consommateurs n'a été exigé.

En février 1997, notre enquête est prête à être diffusée. Dans ce sujet, nous tentons de répondre à quelques questions troublantes : pourquoi Monsanto a-t-il poursuivi en justice deux petites laiteries pour les empêcher d'indiquer sur leurs étiquettes que leur lait provient de vaches non traitées ? Pourquoi deux responsables sanitaires canadiens prétendent-ils qu'ils ont vu leur emploi menacé et que Monsanto leur a proposé des pots-de-vin pour accélérer la procédure d'homologation de son médicament ? Pourquoi les supermarchés de Floride placent-ils dans leurs rayons du lait issu de vaches traitées à l'hormone de croissance, alors qu'ils ont annoncé à grand renfort de publicité qu'ils s'engageaient vis-à-vis de leurs clients à ne pas vendre ce lait *« tant qu'il ne serait pas unanimement accepté »* par les consommateurs réticents ? Enfin, comment se fait-il que les Etats-Unis soient le seul grand pays industrialisé à ne pas appliquer le principe de précaution et à approuver l'utilisation de cette hormone génétiquement modifiée tant contestée ?

Pour préparer les quatre épisodes de notre reportage, Joel et moi avons sillonné cinq Etats américains et tourné cinquante cassettes dont nous avons tiré plus de seize heures de film. Steve est intervenu pour nous aider à produire l'émission, dont le premier volet doit être diffusé le 24 février, en pleine période d'audimétrie[1]. Dans la mesure où ces périodes permettent de fixer les tarifs publicitaires, la plupart des chaînes s'efforcent de présenter à cette époque de l'année leurs meilleures émissions, afin d'attirer les téléspectateurs – et, par ricochet, les annonceurs.

Les directeurs de la chaîne sont tellement satisfaits de notre travail qu'ils consacrent plusieurs milliers de dollars à une campagne publicitaire radiophonique autour de notre enquête. Les annonces sont explicites : nous allons

---

1. Aux Etats-Unis, des instituts indépendants d'audimétrie mesurent simultanément les taux d'audience de toutes les grandes chaînes d'une région lors de périodes s'étalant sur plusieurs semaines.

révéler aux téléspectateurs ce que contient véritablement le lait que boivent leurs enfants.

Mais la satisfaction cède bientôt le pas devant une franche panique. Le vendredi soir précédant la date de diffusion, Steve et moi sommes convoqués dans le bureau de Daniel Webster, le directeur de l'information. *« Lisez ça »*, nous dit-il en nous tendant un fax. Il s'agit d'un courrier adressé par le cabinet d'avocats new-yorkais Cadwalader, Wickerham & Taft à Roger Ailes, le président de Fox News à New York. Il est signé de John Walsh, qui représente les intérêts du laboratoire Monsanto. Dans cette lettre, l'avocat affirme que Steve et moi n'avons *« aucune compétence scientifique »* pour enquêter sur un tel sujet. Sans avoir jamais vu nos reportages, il les qualifie de tissu *« d'accusations infondées visant à faire croire que Monsanto se serait prêté à des agissements frauduleux, aurait publié des informations mensongères sur la sécurité alimentaire ou encore tenté de corrompre les fonctionnaires d'un pays voisin ainsi que des scientifiques réputés pour qu'ils donnent un avis favorable sur le produit et ses propriétés »*.

John Walsh nous accuse encore d'avoir manqué aux règles déontologiques de notre profession. Et, pour bien enfoncer le clou, il rappelle au président de Fox News que le comportement de ses journalistes est d'autant plus regrettable qu'il survient *« au lendemain du jugement de l'affaire Food Lion[1] »*. L'avocat fait allusion au procès que vient de perdre ABC News, dont l'issue – un jugement

---

1. Dans un reportage diffusé en 1992 dans l'émission *Prime Time*, on voit des employés de Food Lion mélanger de la viande hachée périmée avec de la viande fraîche ou « rafraîchir » des morceaux de poulet en les plongeant dans de la sauce barbecue. A la suite de la diffusion, le cours en Bourse de Food Lion s'effondre et près d'une centaine de magasins doivent être fermés. La firme attaque ABC News en justice et obtient, en première instance, des dommages et intérêts d'un montant record : cinq millions et demi de dollars.

rendu en faveur de Food Lion – a glacé toutes les salles de rédaction du pays. Cette affaire montre que dorénavant, même si elle produit des preuves irréfutables, obtenues en caméra cachée, démontrant que des aliments potentiellement dangereux sont vendus aux consommateurs, une chaîne de télé qui se risque à dénoncer une puissante entreprise a beaucoup à perdre devant les tribunaux.

Face à cette tentative d'intimidation, la Fox décide de reporter la diffusion de notre reportage. Officiellement, il s'agit de valider l'exactitude des informations que nous rapportons. Au moment de quitter le bureau de Daniel Webster, je m'arrête sur le seuil de la porte. Une question me tient à cœur :

« *Est-ce à cause de cette lettre que vous déprogrammez notre sujet ?*

– *Oui* », répond-il avec une rare franchise.

Une semaine plus tard, le directeur général de la chaîne, Bob Franklin, un ancien journaliste, visionne les reportages. Il n'y trouve rien à redire, et nous décidons d'un commun accord de limiter les risques de poursuites en proposant à Monsanto une nouvelle interview. Après quoi nous fixons une nouvelle date de diffusion. Mais les dirigeants de la firme refusent et chargent John Walsh de nous adresser une nouvelle mise en demeure. Dans ce courrier, daté du 28 février 1997, l'avocat ne laisse plus planer aucun doute sur les intentions de Monsanto. Notre enquête, écrit-il, « *contient manifestement des éléments diffamatoires qui, s'ils étaient diffusés à l'antenne, seraient susceptibles de causer un grave préjudice à [ses] clients et d'avoir de sérieuses conséquences pour Fox News* ».

Je fournis une caisse entière de documents pour appuyer chaque mot de notre commentaire. Mais j'ai beau réfuter méthodiquement les allégations portées par Monsanto, le sujet est à nouveau déprogrammé. Officiellement, l'émission n'est toujours pas menacée...

La donne change peu après le rachat de WTVT et de plusieurs autres chaînes par le groupe de Rupert Murdoch, pour trois milliards de dollars, au début 1997. L'Australien naturalisé américain devient le patron du plus important groupe de télévision aux Etats-Unis.

A la suite de nos premières démarches visant à préserver l'intégrité de notre reportage, la Fox a congédié le directeur de l'information et le directeur général de la chaîne de Tampa. Une nouvelle recrue, Sue Kawalevski, est nommée à la tête de la rédaction. A l'époque où celle-ci était directrice adjointe de l'information sur une chaîne concurrente, elle s'était distinguée en déclarant à l'un de ses journalistes : *« Nous ne faisons pas de l'information télévisée, nous faisons du divertissement ! »* Pour preuve, à peine arrivée à WTVT, elle propose de garer une camionnette Ryder vide devant le tribunal fédéral de Tampa pour commémorer l'anniversaire de l'attentat à la bombe d'Oklahoma City[1]. Et ce n'est qu'un début. Sue Kawalevski décide ensuite de s'intéresser aux salles de sport de Tampa, après s'être mis en tête que leurs clients n'y feraient pas que de la musculation. Elle réunit donc les enquêteurs de la chaîne et suggère que l'un d'entre nous aille faire un tour dans les clubs les plus en vue afin

---

1. Le 19 avril 1995, un attentat à la bombe est perpétré contre un bâtiment fédéral à Oklahoma City, faisant cent soixante-huit morts. L'acte terroriste est attribué à Timothy McVeigh, un ancien militaire désireux de venger l'assaut donné par les Forces fédérales contre la secte des Davidiens à Wacko (Texas). La bombe était placée dans une camionnette, préalablement louée à une agence de la société Ryder, garée devant le bâtiment.

d'y gratter les murs et de prélever des échantillons d'eau dans les jacuzzis. Notre directrice de la rédaction espère ainsi découvrir des traces de sperme qui confirmeraient son audacieuse intuition, selon laquelle les adhérents se livreraient à des pratiques sexuelles clandestines. Révélant à une clientèle confiante les conditions sanitaires pour le moins douteuses de leur salle de sport favorite, elle tiendrait là un scoop à sa mesure.

Pour encadrer ce journalisme particulièrement ambitieux, la Fox fait appel à Dave Boylan. Il arrive de High Point, en Caroline du Nord, où il a occupé son premier poste de directeur général dans une chaîne locale du groupe. Là, en l'espace de quelques années à peine, il a obtenu des bénéfices records. Impressionnée par ces résultats, la direction nationale de Los Angeles l'a gratifié d'une promotion à la direction générale de WTVT à Tampa.

Les journalistes se méfient avec raison de ce genre de patron dont l'énergie est tout entière tournée vers l'amélioration des résultats financiers. Ces derniers considèrent l'information comme une marchandise et font bien peu de cas de l'intérêt général : ils vendent de l'info comme ils vendraient des chaussettes. Et lorsqu'une enquête sensible entraîne des risques de poursuites ou met en cause un annonceur susceptible d'annuler ses contrats publicitaires au profit d'un média concurrent, ils privilégient la prudence, oubliant opportunément que leur cahier des charges[1] les contraint théoriquement, en priorité, à remplir une mission de service public.

Peu après l'entrée en fonction de Dave Boylan, en mars 1997, Steve et moi lui demandons un rendez-vous,

---

1. Ensemble des obligations souscrites par une chaîne en échange de sa licence de diffusion.

dans l'espoir qu'il nous aidera à ressortir nos reportages du placard. Nous ne sommes pas vraiment surpris de découvrir un pur gestionnaire. Dans son bureau de verre, qui surplombe la magnifique fontaine de WTVT, notre échange se limite à un bavardage poli. Tout sourire, Dave semble sincère lorsque, nous regardant droit dans les yeux, il nous promet de se renseigner sur les difficultés que nous rencontrons pour faire diffuser notre reportage sur la rbGH. Mais lorsque nous revenons le voir, quelques jours plus tard, sa stratégie se fait plus nette.

« *Que feriez-vous si je supprimais votre sujet ?* commence-t-il. *Iriez-vous le raconter à quelqu'un ?*

– *Si quelqu'un nous le demandait, certainement* », répond Steve.

Dave est mal à l'aise. Des gouttes de sueur perlent sur son front. Les deux journalistes qui lui font face, de toute évidence, n'acceptent pas les règles du jeu. Il sait que tous les journalistes de la ville attendent la diffusion de ce reportage sur le lait, annoncé à grand renfort publicitaire, et que l'image de la chaîne en pâtirait s'ils se doutaient que de puissants annonceurs ont le pouvoir de départager les informations dignes du journal de 18 heures de celles qui passeront à la trappe. La carrière de Dave, probablement, n'y survivrait pas.

Peu après, lors d'une nouvelle discussion, notre interlocuteur se montre plus déterminé. Si nous n'acceptons pas de procéder aux modifications que les avocats de Monsanto et de la Fox demandent avec insistance, nous serons licenciés dans les quarante-huit heures pour insubordination, menace-t-il. Steve refuse d'abdiquer : accepter ces changements reviendrait à diffuser des informations dont nous savons pertinemment qu'elles induiront les consommateurs en erreur. Nous demandons à Dave de juger par lui-même des éléments que nous avons mis au jour et qui, pour la plupart, invalident catégoriquement les allégations de Monsanto. Nous lui rappelons au passage que l'enjeu de cette enquête concerne les risques sanitaires induits par une denrée alimentaire de base que la plupart de nos téléspectateurs consomment et donnent quotidiennement à leurs enfants. Il s'agit d'une information incontournable. « *Ecoutez, ces chaînes de télé nous ont coûté trois milliards de dollars,* nous répond-il avec morgue. *Alors, désormais, c'est nous qui vous dirons ce qui constitue une information incontournable !* » Fin de la discussion.

La déception et la colère se lisent sur notre visage. « *Vous avez vraiment envie de mourir sacrifiés sur l'autel de l'information ?* », lance Dave tandis que nous prenons congé. Steve lui met fermement les points sur les *i* : nous n'avons aucune intention de déformer quoi que ce soit dans notre reportage et si notre intégrité doit nous coûter notre place, nous serons contraints de dénoncer ces mesures de rétorsion à la Commission fédérale des communications (FCC)[1].

Une semaine plus tard, Dave nous propose un marché : nous continuerons à percevoir 100 % de notre salaire, avantages compris, jusqu'à la fin de l'année. En échange de quoi nous renonçons à nos objections déontologiques et

---

1. Agence fédérale chargée du contrôle des communications, la FCC a deux attributions principales : elle alloue les fréquences hertziennes aux opérateurs de radiodiffusion et de téléphonie mobile ; elle définit la réglementation régissant les médias audiovisuels (droits de réponse, égalité de temps de parole pour les candidats en campagne électorale, utilisation d'un langage châtié sur les ondes publiques, traque à la pornographie, etc.), veille à leur respect et peut, en outre, prendre des mesures disciplinaires à l'encontre des contrevenants. Ce rôle de gendarme s'apparente à celui du Conseil supérieur de l'audiovisuel (CSA) français.

acceptons de diffuser le reportage sur la rbGH sous une forme qui ne contrarie pas Monsanto.

Dave souhaite que nos reportages reçoivent l'imprimatur de Carolyn Forrest, l'avocate de la Fox. C'est elle qui doit avoir le dernier mot sur leur formulation exacte. Après la diffusion d'une version méticuleusement expurgée, nous serons libres de faire ce que nous voulons – à condition toutefois de nous engager à ne jamais raconter ce malheureux épisode, de ne jamais rien dévoiler des pressions exercées par Monsanto et des suites qu'y a données la Fox, et de ne jamais évoquer publiquement ce que nous avons appris sur l'hormone de croissance.

Dave précise bien que nous n'aurons, en aucun cas, le droit de vendre le reportage à une autre entreprise de presse écrite ou audiovisuelle, même s'il ne s'agit pas d'une entreprise concurrente. Jamais, nulle part, pas même au conseil des parents d'élèves de l'école de notre fille, nous ne pourrons expliquer comment le lait vendu à l'épicerie du coin est devenu, de l'avis de beaucoup de spécialistes, un produit dangereux.

Nous refusons de céder à ce marchandage, même s'il pourrait nous rapporter gros. Ni l'un ni l'autre, nous ne pouvons envisager de nous laisser acheter – *a fortiori* pour taire une question de santé publique qui mérite à tous égards d'être divulguée. Nous demandons à Dave un exemplaire écrit de son « protocole d'accord » avant de décliner poliment la proposition.

En coulisse, les mises en demeure de Monsanto continuent. En janvier, j'ai interviewé Roger Natzke, professeur de « science laitière » à l'université de Floride. Celui-ci m'a fait visiter la ferme de Monsanto à l'école laitière de Gainesville, où le Posilac a été testé au milieu des années 1980. Roger Natzke a rédigé un rapport très favorable au produit. Devant moi, il a reconnu en avoir également vanté les mérites auprès des éleveurs par le biais des chambres d'agriculture de Floride – qui sont des institutions publiques. Après m'avoir consacré quelques heures, le scientifique a poussé l'amabilité jusqu'à nous conseiller un bon restaurant.

Roger Natzke a probablement oublié cette agréable rencontre lorsque, quelques semaines après l'entretien, il contacte ma chaîne pour se plaindre de mes techniques d'enquête. « *Ce n'est pas une journaliste* », puis-je lire sur le message qu'une secrétaire a pris en note à l'intention de Sue Kawalevski. Celle-ci a également griffonné quatre mots au bas du message : « *Ile de Saint-Simon.* » Je demande des explications à Sue, qui fait mine de ne pas comprendre. Pourtant, en précisant qu'il rentrait tout juste d'un week-end sur l'Ile de Saint-Simon, où il avait été invité par Monsanto, Roger Natzke mettait en lumière un conflit d'intérêt patent.

Au même moment, la chaîne reçoit une autre mise en demeure émanant d'un certain Joe Wright, un producteur laitier local. Un mois auparavant, nous avons eu une courte conversation téléphonique. Dans son courrier, se prévalant de cet échange anodin sur l'industrie laitière, Joe Wright parle de moi en termes peu amènes : « *Dans le milieu de la production laitière, tout le monde connaît désormais le travail de Mme Akre. De l'avis unanime, les nombreuses interviews qu'elle a déjà réalisées démontrent qu'elle orchestre une campagne de dénigrement...* »

Joe Wright en est arrivé à cette conclusion après avoir assisté au XXIIe congrès annuel des producteurs laitiers du Sud, qui rassemblait à Atlanta le gratin de l'industrie laitière. A peine rentré de cette grand-messe où, apparemment, il a été beaucoup question de notre reportage, il a contacté le Dairy Farmers Incorporated, un organisme de promotion des produits laitiers, qui l'a aidé à rédiger sa lettre de protestation – dont la Fox, à l'époque, ne nous signale pas l'existence.

Toujours en coulisse, la Dairy Coalition lance une offensive de grande envergure contre notre reportage. Cet organisme est en fait l'émanation d'une commission *ad hoc* créée en 1993 par des laiteries et des laboratoires pharmaceutiques, à l'époque où la FDA a homologué le Posilac. Cette coalition devait contribuer à promouvoir l'hormone de synthèse et répondre aux critiques des chercheurs et des mouvements de consommateurs qui s'obstinaient à réclamer des tests plus poussés.

Quelques mois plus tard, Steve contactera le directeur de la Dairy Coalition, Steve Weiss, en se faisant passer pour un journaliste qui s'intéresse à la rbGH. Il lui demandera s'il est exact qu'une télévision de Tampa a menacé d'alerter l'opinion sur les dangers de l'hormone de croissance. Steve Weiss lui répondra, tout faraud, que son organisme a « *bombardé la chaîne de paperasseries* » et multiplié les pressions pour faire déprogrammer le reportage...

Nous consacrons les huit derniers mois de 1997 à notre enquête. A l'époque, personne ne nous informe que Mitchell Stern, le directeur des programmes de la Fox, a ordonné à Carolyn Forrest de « *ne prendre aucun risque* » pour ce reportage, en d'autres termes de censurer tout ce qui serait de nature à contrarier Monsanto, les producteurs laitiers ou même les détaillants. Pas question de fâcher les annonceurs ou de prêter le flanc au moindre procès. L'avocate de la Fox a pour mission d'édulcorer notre reportage. Si nous évoquons un *« risque de cancer »*, elle rectifie : *« Parlez plutôt de "conséquences sur la santé humaine". »* Quand nous énumérons les références professionnelles d'un chercheur qui dénonce les produits Monsanto, elle nous conseille d'abréger ces précisions superflues : *« Dites simplement qu'il s'agit d'un chercheur du Wisconsin... »*

Pour notre directrice de l'information, le sujet n'est jamais assez favorable à la firme. *« Surtout,* nous enjoint-elle, *indiquez bien aux téléspectateurs que la* FDA *a étudié tous les risques d'effets secondaires sur la santé humaine avant d'homologuer la molécule. »* Nous lui rétorquons que ces études ont, pour la plupart, été réalisées après le feu vert de la FDA, mais elle balaye nos arguments et réitère son ordre. Dès que nous contestons les reformulations qui nous sont imposées, la Fox menace de nous renvoyer *« pour insubordination »* – selon l'expression de Dave Boylan. En plus de vingt ans, Steve et moi n'avons jamais assisté à des procédés de contrôle de l'information aussi éhontés.

Cette affaire montre plus clairement qu'aucune autre pourquoi il ne faut jamais laisser aux avocats la haute main sur le contenu éditorial de l'information. Mandatée pour prémunir la chaîne contre toute poursuite judiciaire, Carolyn Forrest préconise une prudence qui n'a rien de journalistique. Notre entêtement la dépasse. Sa conception de l'information tient en une formule : *« Bien que certains disent ceci, Monsanto dit cela. »* Thèse, antithèse, pas de synthèse : aux téléspectateurs de faire la part des choses.

Ce n'est qu'en mai 1997, à l'occasion d'une relecture téléphonique de la dernière version du script, que Carolyn Forrest finit par tomber le masque : *« Vous ne comprenez pas ? Ce n'est pas la véracité des faits qui importe ! Ce*

reportage ne vaut pas que nous risquions de dépenser plu-
sieurs centaines de milliers de dollars dans un procès face
à Monsanto... »

Nous lui proposons d'abandonner purement et simplement le reportage. Nous admettons qu'un patron de chaîne
est libre de fixer comme bon lui semble le niveau de risque
judiciaire qu'il estime devoir prendre, mais nous n'envisa-
geons pas de cautionner une information biaisée. Les avocats et la direction de la Fox ne l'entendent pas ainsi. Ils
savent que la déprogrammation pure et simple de notre
enquête leur poserait *« un gros problème de relations*
publiques » – comme l'écrira un des juristes de la chaîne
dans une note interne. La presse locale attend l'émission
avec impatience. Comment la Fox justifierait-elle sa
suppression ?

Une nouvelle fois, nous nous attelons à la réécriture
du script. En quelques mois, nous ne soumettons pas
moins de quatre-vingt-trois versions du sujet sur la rbGH.
Mais aucune ne satisfait les avocats de la Fox. Alors, en
désespoir de cause, Dave Boylan nous présente un nouveau marché. Il nous garantit un an de salaire intégral,
avantages compris (soit 200 000 dollars), avec des postes
fictifs de « consultants ». En échange de ce placard doré,
nous devons nous engager à ne jamais raconter comment
la Fox a censuré notre sujet. Nous sommes encore censés
renoncer à dénoncer les faits que la chaîne a refusé de
révéler. Derechef, nous déclinons l'offre de Dave. Au
comble de l'exaspération et de l'incrédulité, celui-ci nous
lance : *« Je ne vous comprends pas, tous les deux... Moi, ce*
dont j'ai besoin, c'est de gens qui ne demandent qu'à passer
à la télé ! »

Le 2 décembre 1997, notre contrat n'est pas renouvelé.
Nous sommes licenciés sans motif officiel. Seule Carolyn

Forrest croit bon de préciser, dans un courrier, que notre mise à pied tient à notre refus de diffuser un reportage dénaturé, ce qu'elle qualifie de « *comportement non professionnel et irresponsable* ».

En nous adressant cette lettre, l'avocate de la Fox a commis une grave erreur. C'est sur cette base que nous demanderons réparation en justice à notre ancien employeur.

Le 2 avril 1998, invoquant la loi de Floride sur la protection des divulgateurs[1], nous portons plainte contre Fox Television. C'est la première plainte du genre jamais déposée par des journalistes. Nous faisons valoir que les divers mensonges et déformations que notre employeur a voulu nous contraindre à intégrer à notre reportage vont à l'encontre de l'intérêt général. Ils violent par conséquent la réglementation de la FCC.

Par deux fois, les services juridiques de la Fox tentent de faire rejeter notre plainte, en vain. La direction de la chaîne décide alors de s'entourer d'avocats plus retors. Elle fait appel à Bill McDaniels et au cabinet Williams & Connolly, celui qu'a choisi Bill Clinton pour assurer sa défense dans le procès Whitewater, l'affaire Monica Lewinsky et la procédure de destitution – c'est à ces avocats qu'il doit, notamment, sa fameuse redéfinition du concept de « rapport sexuel ».

Quelques semaines avant le début du procès, le cabinet Williams & Connolly établit son quartier général dans l'un

---

1. Aux termes de cette loi, un « divulgateur » est un employé qui, quelle que soit sa profession, est victime de mesures de rétorsion pour avoir refusé de se prêter à une activité illégale commise par son entreprise ou avoir menacé de dénoncer ladite activité aux autorités.

des hôtels les plus luxueux de Tampa, le Hyatt Regency, dont il occupe les deux derniers étages. Les conseillers juridiques de la Fox font encore appel à plus d'une douzaine d'avocats appartenant à certains des plus grands cabinets du pays pour les aider à préparer leur dossier.

Dans le même temps, Steve et moi prenons nos quartiers dans une vieille maison du centre-ville où nos propres avocats, John Chamblee et Tom Johnson, ont leurs bureaux. Spécialistes reconnus du droit du travail et des droits civiques, ces derniers se retroussent les manches, prêts à en découdre. Fidèles à leur promesse, ils nous soutiendront jusqu'au bout sans jamais se laisser déstabiliser par les coups bas de la partie adverse. Grâce à leurs brillantes plaidoiries, et à leur mémoire parfaitement ciselé, nous aurons raison des requêtes en nullité soumises par la Fox, laquelle tente désespérément de s'éviter l'humiliation d'un procès public.

Au terme de deux longues années de procédure, nous sommes lessivés financièrement. Nos économies ont fondu et nous avons dû vendre notre maison. Mais nous obtenons une première victoire : l'affaire sera jugée par un tribunal de Tampa.

Les avocats de la Fox ont défini une stratégie de défense cohérente, renforcée par un travail d'équipe bien coordonné. Ils soutiennent que nous avons nous-mêmes renoncé à diffuser notre sujet et que nous n'invoquons la loi sur la protection des divulgateurs que pour des raisons tactiques : selon eux, nous avions dépassé les délais qui nous étaient impartis. Surtout, nous aurions confié à notre direction et au service juridique, dès le début de notre enquête, que *« nous étions bien décidés à avoir la peau de Monsanto »*.

Pour astucieuse qu'elle soit, la ligne de défense de la Fox n'est pas infaillible. Ainsi, témoignant devant les six jurés, Phil Metlin, le directeur de l'information, se dit « *révulsé* » à l'idée qu'un groupe de presse préconise d'aseptiser un reportage au premier courrier d'intimidation. Mais, quelques jours plus tard, il manque de s'étouffer en entendant l'un des juristes de sa propre chaîne clamer haut et fort, à la barre, qu'il revendique la prérogative de « *supprimer tous les passages potentiellement litigieux d'un reportage* » en se fondant sur les mises en demeure préventives des personnes qui ont des raisons de penser qu'elles seront mises en cause (ici Monsanto). De tels coups de semonce permettent, selon lui, d'identifier les points susceptibles de heurter les intéressés, et ainsi de prendre les précautions qui s'imposent pour éviter tout contentieux judiciaire. Seulement voilà, c'est le plus souvent sur ces points sensibles que le journaliste choisit d'enquêter, que cela plaise ou non.

Phil Metlin est un personnage attachant dans son genre. Un peu à la façon d'un Woody Allen, il a le chic pour s'empêtrer dans ses explications. Dès qu'il prend la parole ou presque, il marque contre son propre camp. Lorsqu'il reconnaît, par exemple, qu'il n'a jamais relevé la moindre erreur dans notre reportage sur la rbGH et que rien ne justifiait sa déprogrammation, ses collègues présents dans la salle le fusillent du regard.

Dave Boylan, lui aussi, est cité comme témoin. A la veille du procès, la Fox lui a offert une magnifique promotion en le nommant directeur général de la chaîne à Los Angeles – l'un des fleurons du groupe. A la barre cependant, Dave perd de sa superbe. A chaque réponse, secoué de petits rires nerveux, il jette un regard inquiet vers ses avocats.

Durant l'interrogatoire serré que Steve lui fait subir,

Dave Boylan reconnaît qu'un conflit avec Monsanto aurait pu coûter bien plus cher à la Fox que les 50 000 dollars de recettes publicitaires évoqués par la chaîne au début du procès (correspondant à son manque à gagner si Monsanto avait retiré ses annonces pour Roundup et Nutrasweet). Une somme dérisoire, j'en conviens, pour un groupe de son envergure.

« Vous avez bien déclaré que la Fox possédait vingt-trois chaînes ? interroge Steve.

– C'est exact, répond Dave.

– Monsanto pourrait-il retirer ses budgets publicitaires aux vingt-trois chaînes ?

– Oui.

– Et à la Fox News Channel aussi ?

– Oui.

– Et à la chaîne européenne Sky Channel ?

– Oui

– Les pertes publicitaires pourraient donc largement dépasser 50 000 dollars, n'est-ce pas, Monsieur Boylan ?

– Cela se pourrait », admet Dave.

Notre équipe a surnommé Bill McDaniels Pan-Pan car, dès qu'il est en proie au stress, il tape bruyamment du pied. Tout au long de notre exposé, Pan-Pan se montre très nerveux. Ses bruits de claquettes redoublent même lorsque Ralph Nader vient témoigner en qualité d'expert[1] – malgré les multiples tentatives de nos adversaires pour le faire récuser.

Ralph Nader rappelle aux jurés que la FCC a déclaré à plusieurs reprises qu'il est *« absolument odieux »* d'utiliser

---

1. Diplômé de Princeton et Harvard, Ralph Nader est un avocat spécialisé dans la défense des droits des consommateurs. Auteur de divers ouvrages, à l'origine de la création de plusieurs organisations de consommateurs, il a été candidat à l'élection présidentielle américaine en 2000.

les ondes publiques pour présenter des informations partiales, déformées et/ou falsifiées. « *Tout journaliste est tenu de respecter les dispositions de la loi de 1934 sur les communications,* précise-t-il. *Il est de sa responsabilité professionnelle, non seulement d'être précis mais aussi de veiller à ne pas être manipulé dans le but d'induire le public en erreur.* »

Nous faisons également citer comme expert Walter Cronkite. Aujourd'hui octogénaire, ce dernier a été pendant trente ans le rédacteur en chef de CBS *Evening News*, le grand journal télévisé de la chaîne CBS. En apprenant cela, Bill McDaniels s'insurge vigoureusement contre notre demande. Il fait valoir, le plus sérieusement du monde, que « *M. Cronkite n'est pas un expert en matière de prédiffusion d'un reportage* ». Walter devra rappeler, dans son témoignage, que tout journaliste possédant une once de déontologie se doit de refuser d'obéir à des consignes visant à diffuser un reportage mensonger ou partial. « *Il ne doit en aucun cas faire le moindre compromis,* tranche-t-il. *Il s'agirait là d'une violation de tous les principes du bon journalisme !* »

Au terme de cinq semaines de procès, le jury m'accorde des dommages et intérêts d'un montant de 425 000 dollars. Steve, quant à lui, n'obtient aucune indemnité. Dans ses conclusions, il avait demandé aux jurés, dans le cas où ils auraient trouvé ses contre-interrogatoires trop agressifs – il avait effectivement étrillé les témoins de la Fox avec autant d'efficacité qu'un avocat chevronné –, de ne pas m'en tenir rigueur. Il a apparemment été entendu. En choisissant d'assurer lui-même sa défense, Steve savait qu'il prenait des risques mais que le jeu en valait la chandelle. Au bout du compte, il est parvenu à mettre en évidence que la plupart des torts incombaient à la Fox. Il en a payé le prix. Le jury n'a pas vu en cet avocat pugnace une victime.

Nous considérons tout de même ce jugement comme une victoire commune. Nous n'avons jamais fait de l'argent l'enjeu de ce procès. Nous voulions faire reconnaître que le devoir d'un journaliste est de résister aux pressions dont il fait l'objet pour le contraindre à déformer certaines informations. Tout comme il est de son devoir de dénoncer de tels agissements.

De son côté, soucieuse de *« retrouver [sa] bonne réputation »*, la Fox annonce aussitôt son intention de faire appel. Bill McDaniels se raccroche à un argument d'un cynisme consommé : *« Aucune loi ni aucun règlement n'interdit de présenter l'information de façon tendancieuse... »* La procédure d'appel promet de s'éterniser. L'affaire doit d'abord aller devant la cour d'appel du deuxième district de Floride, puis devant la Cour suprême de Floride et enfin, en dernière instance, devant la Cour suprême des Etats-Unis – si celle-ci estime que ce litige relève de sa compétence.

Nous ne sommes pas encore au bout de nos surprises. Le comble sera atteint lorsque la Fox, qui vient tout juste d'être déclarée coupable d'avoir tenté de désinformer ses téléspectateurs, déformera consciencieusement les informations relatives à sa propre condamnation.

Vendredi 18 août 2000, le jugement est rendu peu après 17 heures. Sur la chaîne Fox de Tampa, qui a installé une caméra dans la salle d'audience et couvert le procès de loin en loin, la nouvelle fait l'un des premiers titres du journal de 18 heures. Le reportage, relativement factuel, rapporte que le jury m'a accordé des dommages et intérêts *« parce que la chaîne a violé la loi de Floride sur la protection des divulgateurs »*. La présentatrice, Kelly Ring, pousse même le zèle jusqu'à préciser que j'ai eu gain de cause *« pour avoir refusé de mentir dans ce reportage et menacé d'alerter la FCC »*. Mais, dans l'édition de 22 heures, l'histoire est entièrement réécrite par les stratèges en communication de la chaîne. Le camouflet judiciaire que la Fox vient de subir est désormais présenté comme une *« bonne nouvelle »* ! *« Aujourd'hui est un grand jour pour Fox 13, car nous sommes totalement innocentés par la conclusion de ce jury qui affirme que nous ne déformons pas l'information, que nous ne la présentons pas de façon mensongère ou tendancieuse et que nous sommes des professionnels »*, fanfaronne Phil Metlin à l'antenne, sans oser regarder la caméra en face.

La déclaration du directeur de l'information est contraire en tous points aux attendus du jugement rendu le 18 août 2000 en ma faveur. Rappelons que les jurés devaient trancher la question suivante : *« Estimez-vous que la plaignante, Jane Akre, a démontré, en apportant des preuves suffisantes et convaincantes, que le défendeur, par l'intermédiaire de ses employés ou de ses représentants, a mis fin à son contrat de travail ou pris d'autres mesures de rétorsion à son encontre parce qu'elle a menacé de révéler sous serment et par écrit à la Federal Communications Commission la diffusion d'un reportage d'information falsifié, déformé ou tendancieux dont elle avait motif raisonnable de penser que, s'il passait à l'antenne, il violerait l'interdiction de falsifier ou de déformer l'information à la télévision ? »*

A quoi le jury avait répondu : *« Oui. »*

Si la Fox considère réellement avoir été *« totalement innocentée »*, eh bien, qu'elle renonce à ses recours en appel, qu'elle accepte ce jugement et qu'elle verse les dommages et intérêts dont elle doit s'acquitter. Mais cela n'arrivera probablement jamais. Car la Fox doit montrer à tous ses employés ce qu'il en coûte de jouer au plus fin avec la direction dans la maison Murdoch.

Le jugement est accueilli par le silence absolu des médias. Quelques mois avant le procès, un journaliste renommé de l'émission *60 Minutes*[1] a envoyé un membre de son équipe passer près d'une semaine avec nous. Celui-ci recueille une pile de documents qu'il rapporte à New York. Mais, en fin de compte, CBS décide de ne pas diffuser le sujet, sous prétexte qu'il serait « *trop corporatiste* ». Traduction : entre médias, on ne se tire pas dans les pattes.

Pendant le procès, un autre journaliste, du *New York Times* celui-là, nous a téléphoné à plusieurs reprises pour savoir quelle serait la meilleure semaine pour couvrir l'affaire. Il n'est jamais venu. Lorsque nous avons voulu savoir pourquoi, il nous a expliqué qu'il était accaparé par la préparation d'un reportage sur *Survivor*, le reality show de CBS[2].

On aurait pu attendre un traitement diligent de la part du *St. Petersburg Times*, qui se veut « *le meilleur journal de Floride* ». Sa journaliste nous a paru intelligente et honnête lorsqu'elle nous a interviewés à l'issue du procès. Pourtant, au détour de son article, une phrase nous fait tomber à la renverse : « *Le jury n'a pas cru aux allégations du couple, qui prétendait que la chaîne avait cédé aux pressions de Monsanto pour falsifier un reportage...* » Steve la rappelle aussitôt, en quête d'explications. Comment

---

1. L'un des plus prestigieux magazines télévisés, diffusé sur CBS, qui propose des reportages sur des thèmes d'actualité brûlants et aborde les scandales qui émaillent la vie politique américaine.
2. Equivalent américain de *Koh-Lanta*.

a-t-elle pu émettre une telle contrevérité ? *« Je n'ai jamais écrit cela ! »*, se défend-elle : cette phrase a été ajoutée après coup par un rédacteur en chef qui n'a jamais mis les pieds au tribunal – et qui refusera par la suite de nous accorder un *erratum* ou un droit de réponse.

Rien de tel qu'une fausse information pour se répandre comme une traînée de poudre. Le samedi suivant le jugement, CNN consacre une brève au procès dans son émission sur les médias, *Reliable Sources*. Mais le présentateur reprend l'interprétation du *St. Petersburg Times* et indique que la Fox n'a pas cédé aux pressions de Monsanto. Nous adressons à la productrice de l'émission le texte du jugement. Celle-ci laisse passer quelques semaines avant de nous rappeler. Elle ne compte pas revoir sa copie mais nous laisse toutefois espérer une mise au point... *« un jour au l'autre »*. Nous attendons toujours.

Notre procès est considéré comme un non-événement par toutes les autres chaînes de télévision de Tampa. Aucun diffuseur n'y a envoyé le moindre journaliste – exception faite d'un représentant de la radio locale WMNF et d'un journaliste de l'université de Floride du Sud. Après le jugement, Dan Bradley, le directeur de l'information de WFLA Channel 8, une chaîne très regardée, n'hésitera pas à proposer au *St. Petersburg Times* une analyse digne du café du commerce, dans un article intitulé *« Le jugement ne devrait avoir aucune incidence sur les informations télévisées »*. Tout en reconnaissant qu'il n'a *« aucune information de première main sur le dossier »*, l'approximatif éditorialiste résume l'affaire à une simple histoire d'insubordination de la part de deux journalistes. Or il est lui-même bien placé pour savoir que, dans n'importe quelle chaîne de télévision, une telle faute est un motif de renvoi immédiat.

La Fox, elle, a attendu un an avant de nous mettre à la porte. Dan Bradley ne s'appesantit guère sur ce détail.

Après la parution de son article, nous lui proposons un déjeuner. Nous voulons éviter les désagréments que pourraient entraîner, pour nous comme pour lui, d'autres commentaires inconsidérés. Pour toute réponse, il nous adresse par e-mail une fin de non-recevoir : *« Merci de m'avoir fait part de vos réflexions et de vos commentaires sur mon analyse citée dans l'article du* St. Petersburg Times. *Je ne tiens pas à poursuivre cette discussion et ne vois aucun besoin de vous rencontrer. »*

C'est également à St. Petersburg, en Floride, que se trouve le siège du Poynter Institute for Media Studies. Ce prestigieux centre de formation des journalistes est également un laboratoire d'idées considéré comme une référence pour tout ce qui a trait aux médias. Au tout début de notre bataille juridique, en 1997, nous avions une assez haute idée de l'institut pour solliciter un de ses spécialistes en déontologie. Nous espérions quelques conseils et aurions également aimé que lui ou son institution nous aide à résoudre à l'amiable notre différend avec la Fox. On nous a répondu que l'organisme avait pour principe de ne jamais s'immiscer dans ce genre d'affaire, *a fortiori* lorsqu'elles impliquent un groupe de presse de la région de la baie de Tampa. Au lendemain du jugement, je suis extrêmement déçue de constater que, malgré la volonté de neutralité affichée à l'époque par un de ses « experts », un autre membre de l'institut, Al Tompkins, commente le procès dans la presse. Sans en avoir lui-même étudié les enjeux, il conclut hâtivement que notre affaire *« ne crée absolument aucun précédent important »*. Au *St. Petersburg Times,* qui lui demande comment doivent réagir les journalistes lorsqu'on leur force la main pour dénaturer l'information, il répond qu'il faut « *démissionner* » et « *partir* ». C'est bien connu : un journaliste, ça ferme sa gueule ou ça démissionne !

Lorsque Steve lui propose de le rencontrer pour lui expliquer comment les choses se sont réellement passées, Al Tompkins se montre enthousiaste. Il promet de le rappeler dès son retour de voyage. Nous n'aurons plus jamais de ses nouvelles...

Accepter un pot-de-vin en échange de son silence, laisser un groupe de presse aseptiser ses reportages pour éviter les ennuis ou s'attirer des faveurs, un journaliste ne peut se laisser aller à de telles dérives sans trahir irrémédiablement le contrat de confiance qui le lie au public. Steve et moi avons fait le choix de raconter aux consommateurs de Floride ce que s'évertuent à leur cacher une gigantesque entreprise de produits chimiques et le puissant lobby de l'industrie laitière. Il fut un temps où ce genre de travail valait aux journalistes la reconnaissance de leurs pairs. Nous avons appris à nos dépens que, désormais, cette démarche peut leur coûter leur carrière dès lors qu'un groupe de communication fait passer sa sécurité financière avant son devoir d'informer le public avec honnêteté.

En avril 1998, notre procédure contre la Fox tout juste engagée, nous avons l'agréable surprise de nous voir décerner le prestigieux Prix de la déontologie de la Society for Professional Journalism (SPJ), la plus grande association professionnelle du pays[1]. Lors de la conférence annuelle du

---

1. Forte de quelque neuf mille membres, répartis dans deux cent cinquante sections locales à travers le pays, la SPJ défend la liberté de la presse, encourage l'amélioration de la pratique journalistique et propose une aide juridictionnelle à ses adhérents. Son code de déontologie, dont la première édition a été publiée en 1926, est la bible des journalistes outre-Atlantique.

SPJ, Paul Brown, qui en est alors le président, explique que nous avons mérité ce prix « *pour avoir refusé d'intégrer de fausses informations à une enquête sur l'hormone de croissance bovine, puis pour avoir lancé une campagne d'information, après notre licenciement, afin qu'aucune ombre ne subsiste sur cette affaire* ».

Nous recevons également le prix Joe A. Callaway du courage civique, décerné par le Shafeek Nader Trust for the Community Interest[1], une fondation qui doit son nom au frère – aujourd'hui décédé – de Ralph et Claire Nader. En nous remettant le prix, cette dernière précisera que cette distinction est réservée « *à ceux qui prennent publiquement position pour promouvoir la vérité et la justice et qui s'élèvent contre le* statu quo *pour défendre l'intérêt commun* ».

En 1999, l'Alliance pour la démocratie[2] nous remet le Prix de l'héroïsme en journalisme. En 2001, c'est le prestigieux Goldman Environmental Prize pour l'Amérique du Nord qui récompense notre lutte obstinée pour faire éclater la vérité sur la rbGH. Autant de marques de reconnaissance qui nous aident à franchir les caps difficiles. Nous sommes particulièrement sensibles à la distinction du SPJ, qui semble manifester le soutien de la profession tout entière. Nous sommes loin du compte.

A peine recevons-nous ce prix qu'un employé de la Fox, ainsi que des adhérents de la section locale du SPJ,

---

1. Fondation défiscalisée instituée et financée par le mécène Joe A. Callaway pour perpétuer les valeurs civiques de Shafeek Nader, défenseur de la cause publique, et encourager les citoyens à prendre part à la vie démocratique. Le prix Callaway distingue chaque année les citoyens qui ont pris des risques pour s'élever contre les injustices et défendre le bien commun.
2. Mouvement populaire libéral, créé en 1996. Se démarquant résolument des partis politiques, *Alliance for Democracy* lutte contre la mainmise des multinationales sur l'Etat, la culture, les médias et l'environnement.

bombardent de courriers Steve Greimann, le président de la commission de déontologie. Tous s'étonnent que nous ayons été distingués avant même que les tribunaux n'aient rendu leur décision définitive dans le contentieux qui nous oppose à la Fox. Steve Greimann défendra fermement le choix de sa commission, invoquant le code de déontologie du SPJ, qui impose de « *refuser de privilégier les annonceurs publicitaires et les intérêts particuliers et de résister à leurs pressions visant à influencer le traitement de l'information* ». Il rappellera au passage à ses détracteurs que, comme tout journaliste devrait le savoir, ce n'est pas toujours dans les tribunaux que se niche la vérité.

Le président de la commission de déontologie balaye les réticences exprimées par certains responsables de son organisation, qui craignent de froisser les adhérents de la section de Tampa. Cependant, à notre grand étonnement, le fonds d'aide juridictionnelle du SPJ refuse de nous accorder la subvention que nous lui demandons pour payer le million et quelques de dollars que nous devons à nos avocats. Le SPJ motive son refus en expliquant que notre litige peut être interprété comme un conflit relevant du droit du travail et que, au demeurant, nos griefs ne sont pas prouvés. Pourtant, il ne nous proposera aucun soutien après que le tribunal nous aura donné raison.

Steve fera le voyage jusqu'à Colombus, dans l'Ohio, pour défendre notre cause devant le conseil d'administration de l'association, lors de sa conférence nationale. Là-bas, la présidente du fonds d'aide, Christine Tatum, du *Chicago Tribune*, scelle notre sort : « *Je ne pense pas que nous devions chercher querelle à de grands groupes de presse concernant leur politique d'embauche ou de licenciement.* »

Un vote a lieu, qui désavoue notre requête. Parmi ceux

qui votent contre nous, certains administrateurs invoquent le fait que notre affaire ne relèverait pas du premier amendement[1] mais du droit du travail. Il est vrai que le premier amendement ne protège pas les journalistes vis-à-vis de l'entreprise qui les emploie : il vise à empêcher l'Etat de limiter la liberté de la presse. Aussi, leur constat est-il une manière habile d'éluder le débat : tant qu'il se trouvera une presse pour trahir sans états d'âme la confiance de son public, et des journalistes pour dénoncer leur employeur peu scrupuleux, il s'agira toujours d'un *« conflit du travail »*.

Refuser de désinformer selon les vœux de sa hiérarchie est une décision plus facile à prendre qu'à assumer. C'était, pour ma part, l'unique option que m'autorisait ma conscience professionnelle. Cette décision appartient à chaque journaliste, en fonction de l'idée qu'il se fait de la relation de confiance qui le lie au public qu'il est censé servir. Mon expérience m'amène à revendiquer, lorsque les circonstances l'exigent, un devoir d'insoumission.

Le 13 septembre 2001, quelques puissants groupes de presse viennent prêter main forte à la Fox. Sans être parties à notre procès, les représentants des chaînes de télévision de la Belo Corporation, de Cox Television, du groupe Gannett, de Media General et de Post-Newsweek font chorus pour soutenir la défense – le groupe Rupert Murdoch News Corporation – et déposent des mémoires en tant qu'*amicus curiae*[2].

---

1. Le premier amendement de la Constitution américaine, adopté en 1791, interdit la limitation de la liberté d'expression ou de la presse.
2. Les « amis de la cour » sont des tiers intervenant dans la procédure pour prêter leur assistance au tribunal sur une question particulière. Ni experts ni témoins, ils sont cités par l'une ou l'autre des parties.

Que cherchent-ils au juste, en passant cette alliance avec la Fox ? Ces chaînes n'ont envoyé aucun journaliste couvrir le procès. Pas un seul de leurs représentants ne s'est donné la peine de nous interroger, pas plus nous que nos avocats... En substance, les « amis de la cour » viennent demander à la justice de ne pas fourrer son nez dans les rédactions. Car c'est à eux que le premier amendement délègue le contrôle de ce qui se passe derrière leurs portes.

En se ralliant à l'étendard de la Fox, ses pairs œuvrent en sous-main pour venir à bout de toutes les dispositions officielles qui leur déplaisent : la loi limitant le nombre de chaînes de télévision pouvant être concentrées entre les mains d'un seul et même propriétaire, les dispositions régissant le principe d'égalité de temps de parole alloué aux hommes politiques briguant un mandat électif ou encore les réglementations fixant les critères d'impartialité et de bienséance morale... Comme ils le disent eux-mêmes dans leur déposition, cette affaire pourrait encourager d'autres journalistes à porter devant les tribunaux leurs griefs contre leurs employeurs, ce qui serait déplorable pour leurs affaires.

Depuis des lustres, la FCC n'a plus sanctionné un diffuseur pour avoir failli à l'intérêt général. Désormais, l'agence fédérale passe le plus clair de son temps à allouer, au compte-gouttes, des fréquences aux entreprises privées qui avancent les arguments les plus convaincants. Plus grand monde ne veille à l'intérêt public.

Stuart Markman et Michael Finch, les avocats qui nous assistent dans la procédure d'appel, sont persuadés que notre affaire débouchera sur l'application au secteur privé de la loi sur la dénonciation des employeurs, et qu'elle a toutes les chances d'être entendue par la Cour suprême de Floride. Pour l'heure, Steve et moi sommes au chômage depuis notre licenciement. Et je n'ai toujours pas vu la couleur de mes dommages et intérêts[1]...

Jane Akre

---

1. Le 14 février 2003, la cour d'appel de Floride jugera qu'aucune loi n'interdit à une chaîne de télé ou à un groupe de presse de mentir au public (les règles fixées par le FCC le proscrivent, mais celles-ci n'ont pas force de loi). En conséquence, la cour estime que les dispositions légales en vigueur en Floride, protégeant les employés qui dénoncent les pratiques illicites de leur employeur, ne peuvent s'appliquer en l'espèce. Au terme d'un arrêt très technique, qui s'efforce de contourner la question de fond – la malhonnêteté de la Fox vis-à-vis de ses téléspectateurs –, elle condamnera Jane Akre et Steve Wilson à rembourser à la chaîne ses frais d'avocats, qui s'élèvent aujourd'hui à plusieurs millions de dollars. Ceux-ci demanderont à la cour de reconsidérer sa décision.

Ces livres d'enquête que l'on enterre

INTRODUCTION A LA SABORD'EDITION

Journaliste indépendant depuis trois décennies, j'ai vu des livres d'enquête enterrés de bien des façons. Certains, en raison de leur sujet trop confidentiel. D'autres, tués dans l'œuf par leur auteur qui, à la réflexion, a préféré s'autocensurer. D'autres encore, parce que leur éditeur a préféré les sacrifier... Dans les années 1970, le jargon des journalistes américains s'est enrichi d'un néologisme : le *privishing*, que l'on peut traduire par « sabord'édition » – autrement dit, l'édition confidentielle, ou plutôt sacrificielle. Cette expression désigne les moyens mis en œuvre par un éditeur dans le but de saborder un livre à l'insu de son auteur, par opposition à la véritable édition dont la vocation est de porter une œuvre à la connaissance du public. On l'entend généralement dans le contexte suivant : *« Nous avons sabord'édité ce livre pour qu'il sombre sans laisser de trace. »* Avec cette méthode, l'honneur du système est sauf : le livre existe, certes, mais personne ou presque ne le lira.

La procédure est d'une simplicité enfantine : il suffit de saper les fondements de ce qui permet traditionnellement à un livre de réussir sa sortie : sa mise en place[1] et la promotion dont il bénéficie. Chez les sabord'éditeurs, on réduit le tirage initial – et les réimpressions – à la portion congrue, afin que le livre ne puisse en aucun cas être rentable. On restreint au maximum le budget publicitaire. On refuse de prendre en charge les déplacements promotionnels de l'auteur... Bref, on s'efforce de tuer dans l'œuf un livre qui, pour une raison ou pour une autre, est devenu gênant ou risque de le devenir.

Bien que très courante, cette pratique s'effectue dans la plus grande discrétion. Elle constitue en effet une entorse au contrat passé entre l'auteur et l'éditeur qui, si elle s'éventait, engagerait la responsabilité de ce dernier, l'obligeant à réparer les dommages causés. Dans un contrat standard, en échange des droits qui lui sont concédés, l'éditeur s'engage à consacrer au livre des moyens correspondants, qu'il s'agisse du nombre d'exemplaires imprimés ou des opérations de promotion. Ces engagements sont très souvent méconnus.

Autrefois, la sabord'édition s'exerçait surtout à l'encontre d'ouvrages à caractère politique, sur les pressions discrètes de personnages haut placés. Mais aujourd'hui, le phénomène dépasse largement ce cadre. De nombreuses raisons sont susceptibles de pousser un éditeur à sacrifier un livre pour des considérations étrangères à ses qualités. Une des origines de cette dérive tient à la mutation des maisons d'édition américaines vers des pôles tentaculaires.

---

1. Ce terme désigne le nombre total d'exemplaires qui seront disponibles en librairie.

Les grands groupes de communication ont désormais pris le relais des petites structures indépendantes qui entretenaient l'émulation. La grande distribution a évincé les petits libraires. Au lieu de donner au livre le temps de trouver son lectorat à travers les critiques et le bouche à oreille, les groupes d'édition et les chaînes de librairies cherchent à vendre vite et beaucoup, réduisant d'autant la durée de vie d'un ouvrage.

J'ai découvert la sabord'édition au moment de publier mon premier ouvrage sur l'entreprise Du Pont[1] : *Du Pont Behind the Nylon Curtain*[2] (*Du Pont. Derrière le rideau de nylon*), en 1974. Tout a commencé pendant que j'effectuais mes recherches préliminaires, dans le Delaware. Les Du Pont sont si bien implantés dans cet Etat que Ralph Nader l'a surnommé « l'Etat cartel » de la famille Du Pont. J'ai adressé des courriers sollicitant un entretien à plusieurs de ses membres. Quelques jours plus tard, un barbu du nom de Mark Duke frappe à ma porte. Recommandé par un ami journaliste, il prépare un article sur les ambitions présidentielles du député Pierre (Pete) Du Pont IV. En confiance, je l'autorise à consulter mes archives. Mark Duke est en fait – je le découvrirai bien plus tard – un informateur recruté par les services de Richmond Williams, le directeur de l'Eleutherian Mills-Hagley Foundation Historical Library, qui gère les archives de la famille Du Pont. Ce dernier, qui a été spécialement chargé de renseigner les hiérarques de la dynastie sur mon compte, a

---

1. Avec un chiffre d'affaires de 25,2 milliards d'euros en 2000, Du Pont est l'un des quatre principaux groupes de chimie au monde.
2. Prentice Hall, 1974.

embauché mon visiteur pour être en mesure de préparer une riposte au livre que je prépare. Comble de l'ironie, il n'a pas hésité a faire appel aux services de mon propre agent littéraire, Oscar Collier ! Malgré un évident conflit d'intérêt, Oscar a choisi de ne rien m'en dire (et pour cause : après que mon éditeur, Prentice Hall, aura brillamment réussi à sabord'éditer mon livre, congédiant du même coup mon responsable éditorial, Bram Cavin, pour « non-rentabilité », Oscar se verra offrir le poste ainsi libéré).

Par la suite, Prentice Hall entre dans la combine. Un de ses représentants transmet clandestinement les épreuves non corrigées de mon manuscrit aux Du Pont. Particulièrement zélé, il prend soin d'y joindre un index – rédigé pour l'occasion par un employé – comportant le nom de chaque membre de la famille cité dans l'ouvrage. Il dépose ensuite l'enveloppe dans une librairie de Wilmington (Delaware) ayant appartenu à un Du Pont. J. Bruce Bredin, qui leur est lui aussi apparenté, vient la récupérer et la transmet au service des relations publiques de la société Du Pont, où l'on s'empresse d'en faire parvenir un exemplaire au vice-président et directeur, Irénée Du Pont Jr (le beau-frère de J. Bruce Bredin), qui fait figure à l'époque de chef du clan.

Une série de coups de téléphone s'ensuit. Le premier est pour le *Book Of the Month Club* (BOMC), dont la filiale *Fortune Book Club* a signé avec Prentice Hall un contrat de coédition. La direction de Du Pont informe ses responsables qu'après en avoir discuté avec ses avocats, la famille estime l'ouvrage *« diffamatoire et passible de poursuites »*. Dûment mis en garde par l'un des plus puissants groupes industriels au monde, BOMC ne se le fait pas répéter et raye le titre de son programme en l'espace de vingt-quatre heures – une décision sans précédent dans son histoire, comme l'éditeur le reconnaîtra ultérieurement. Dès que Prentice Hall est informé de la situation, son avocat, William Daly, entre en relation avec Du Pont. Il veut s'entendre confirmer ce que la direction a dit à BOMC. Mais l'état-major de la firme ne tient nullement à engager sa responsabilité et nie avoir jamais brandi la moindre menace de procès.

La destinée de mon livre est aussitôt reprise en main par les services commerciaux : Peter Grenquist, le président, et John Kirk, le directeur, réduisent d'un tiers le tirage de dix mille exemplaires initialement prévu, si bien que, d'après leurs propres estimations du « point mort » de l'ouvrage[1], la rentabilité du projet ne peut être garantie *« selon aucune formule concevable »*. Plus tard, ils prétendront avoir réduit le tirage pour compenser le retrait de BOMC. En fait, il n'en est rien : le coéditeur devait imprimer lui-même son propre stock, indépendamment des dix mille exemplaires de Prentice Hall.

Les faux-semblants ne s'arrêtent pas là. Plutôt que de convoquer une conférence de presse et de dénoncer publiquement l'intervention de la société Du Pont, Peter Grenquist et John Kirk réduisent de moitié le budget publicitaire du livre, limitant le plan médias à quelques rares interviews sur les chaînes de télévision et les stations de radio de New York et Philadelphie – deux villes qui constituent un marché tout trouvé pour un ouvrage sur les Du Pont. Ces aménagements s'effectuent dans la plus grande discrétion. Mon responsable éditorial

---

1. Le « point mort » correspond au nombre d'exemplaires nécessaires pour amortir les frais d'édition, de fabrication et de diffusion.

lui-même, Bram Cavin, reçoit la consigne de me maintenir dans l'ignorance.

Deux mois plus tard, alors que les précommandes pleuvent, Bram n'y tient plus. Il évoque devant moi l'ingérence des Du Pont et m'annonce par la même occasion que John Thompkins, réputé comme l'un des meilleurs enquêteurs du magazine *Time*, s'intéresse à l'affaire. Ce dernier a interviewé des responsables de Du Pont, de Prentice Hall et de BOMC, et ses découvertes confirment les pressions exercées contre mon livre par la dynastie. L'affaire sera bientôt rendue publique.

Encore raté. Pour des raisons inconnues, *Time* ne publiera pas l'article. Des documents divulgués par la suite révéleront qu'un membre de la rédaction en chef de l'hebdomadaire, Robert Lubar, était en rapport avec des représentants de Du Pont.

Ecœuré par l'enterrement de première classe réservé au livre, le responsable du service juridique de Prentice Hall prend sur lui de confier discrètement le dossier au *New York Times*, qui a déjà consacré deux pages – louangeuses – de son supplément littéraire dominical à mon ouvrage (le qualifiant de « *véritable miracle* »). Deux semaines plus tard, le journaliste Alden Whitman publie un article sur les manigances des Du Pont. Entre-temps, le *New York Times* a subi des pressions de la part de la dynastie, qui lui reproche sa critique élogieuse du livre. Max Frankel, le rédacteur en chef du prestigieux quotidien, ne se laisse pas impressionner. Il soutient l'enquête d'Alden Whitman, qui paraît le même jour – et sur la même page – qu'un article révélant comment des membres de la famille Du Pont se sont déjà opposés à la publication d'un reportage dans le plus grand quotidien du Delaware, le *Wilmington News Journal* – qu'ils détiennent –, allant jusqu'à provoquer un remaniement de l'équipe éditoriale.

Pas plus que les critiques enthousiastes l'article du *New York Times* ne suffit à éviter notre débâcle. Du fait de la réduction du tirage, il n'y a pas suffisamment de livres dans les librairies en pleine saison des fêtes – la principale période de ventes. Déjà à l'époque, l'achat d'un livre relève de plus en plus d'un comportement impulsif. Depuis, la publicité a largement pris le pas sur le bouche à oreille. Auparavant, les éditeurs savaient qu'ils devaient laisser à un ouvrage le temps de trouver son lectorat. Mais à partir des années 1970, la durée de vie d'un livre commence à décliner. Les rayonnages des librairies laissent la place à une avalanche d'ouvrages signés par des célébrités, autant de *best-sellers* obligés qui sont annoncés à grand renfort de publicité et bénéficient de tirages et de budgets promotionnels faramineux.

Aujourd'hui, un auteur inconnu ou méconnu n'a quasiment aucune chance d'imposer son ouvrage. Et si, de surcroît, il ne dispose pas d'un nombre suffisant d'exemplaires mis en place à Noël, pendant la grande saison des librairies, son livre sombre inexorablement dans l'oubli… même si toute la presse en parle. C'est exactement ce qui est arrivé à *Derrière le rideau de nylon*.

D'autant que, pour me nuire, Du Pont ne lésine pas. La famille convoque un « conseil de guerre » – je l'apprendrai ultérieurement par l'un de ses membres – dont l'ordre du jour porte sur les risques que mon livre représente. Une contre-offensive est décidée, dont certains volets méritent d'être racontés. Par exemple, un jour où je dois participer à une séance de signatures à Philadelphie et être interviewé par la radio et la télévision locales, Du Pont envoie des émissaires, à bord de camionnettes de location, acheter tous les exemplaires disponibles dans les librairies de la ville. Ils se doutent bien que Prentice Hall ne pourra jamais réimprimer à temps pour satisfaire la demande qui suivra cette tournée promotionnelle.

Las de ces diverses pressions, et échaudé par les manigances de mon éditeur, je manifeste l'intention de reprendre les droits du livre et me tourne, naïvement, vers Oscar Collier, mon agent, pour qu'il m'aide à convaincre Prentice Hall. *« Allons, Jerry… Sois réaliste,* me dissuade-t-il. *Ton livre a fait son temps. »* Combien d'auteurs sabordés-édités sans le savoir ont-ils entendu cet amer verdict ? Combien s'en sont voulu, persuadés d'avoir écrit un mauvais livre ?

En 1981, j'assigne Prentice Hall et la société Du Pont devant un tribunal fédéral – l'un pour rupture de contrat, l'autre pour avoir provoqué cette rupture. La veille des dépositions de témoins, mon épouse, la journaliste Charlotte Dennett, et moi-même passons la nuit à revoir en détail les pièces communiquées par Du Pont, Prentice Hall et BOMC. Notre avocat, William Standard, nous a privés de la possibilité de défendre notre dossier devant un jury en oubliant de cocher la case correspondante sur le dépôt de plainte, mais notre affaire semble plutôt bien engagée.

Nous allons vite déchanter en apprenant que Peter Grenquist, de chez Prentice Hall, et le directeur des relations publiques de Du Pont, qui affirmaient jusqu'alors ne pas se connaître, ont en fait siégé ensemble, sous Eisenhower, dans une petite commission de la Maison Blanche parrainée par le *think-tank* American Assembly. Nous découvrons également qu'avant de rejoindre Prentice Hall,

John Kirk a travaillé au sein de deux maisons d'édition entretenant des liens étroits avec la CIA : les éditions Samuel Walker et la Free Europe Press[1].

Or nous détenons des preuves attestant les liens de la famille Du Pont avec le monde du renseignement. Nous sommes notamment en mesure d'établir qu'un beau-frère d'Irénée Du Pont Jr est lié à la CIA. Nous avons même mis au jour les étroites relations professionnelles unissant Prentice Hall et William Casey[2]. Tout cela nous laisse entrevoir l'existence, dans le milieu de l'édition, d'un réseau de vieux amis issus de l'univers du renseignement qui, en cas de besoin, sont toujours prêts à se manifester leur solidarité mutuelle. Notre avocat renoncera néanmoins à approfondir les contours de ce réseau lorsque, pendant la déposition de John Kirk, la partie adverse menacera de déposer plainte contre lui auprès du juge fédéral chargé du dossier.

A la veille du jour prévu pour la déposition de Pete Du Pont – alors gouverneur du Delaware –, un nouveau rebondissement survient. Vers 3 heures du matin, dans une chambre d'hôtel de Wilmington, nous sommes réveillés en sursaut par notre avocat. William Standard nous montre des extraits de l'agenda de Pete Du Pont que vient de lui communiquer l'avocat du gouverneur, Edmund Carpenter – ténor du barreau du Delaware et parent par

---

1. Branche éditoriale de Radio Free Europe, dirigée par la CIA.
2. Ancien officier de l'Office of Strategic Services (OSS, qui sera remplacé en 1947 par la CIA), William Casey est actif dans plusieurs organisations qui bénéficient du financement de la CIA. Sous Richard Nixon, il est nommé secrétaire d'Etat aux Affaires économiques. Pendant le mandat de Gerald Ford, il siège au Conseil consultatif du renseignement étranger. Il devient par la suite directeur de campagne de Ronald Reagan qui, une fois à la Maison Blanche, le nomme directeur de la CIA.

alliance du clan Du Pont. Ces documents montrent qu'en 1974, Pierre Du Pont, alors simple parlementaire, a rencontré un journaliste local qui a porté plainte peu après devant le Conseil de la presse du Delaware. Il tentait d'empêcher le *Delaware State News* – unique quotidien de l'Etat échappant à l'empire Du Pont – de publier les bonnes feuilles de mon livre. Finalement, le quotidien en a publié des extraits... mais il l'a payé cher ! Ce journal s'est vu réclamer le remboursement immédiat de ses prêts bancaires et son rédacteur en chef a été muté en Arizona dans un autre titre du groupe.

A l'époque où sont survenues ces péripéties, le député Du Pont clamait haut et fort que mon livre ne l'inquiétait aucunement. Or les extraits de son agenda, désormais en notre possession, prouvent le contraire. Notre avocat, pourtant, n'y voit rien de bien palpitant. Imperturbable, il se borne à nous présenter ses honoraires : 40 000 dollars. Nous sommes d'autant plus sidérés que nous lui avons déjà réglé une somme d'un montant équivalent quelques semaines plus tôt. Il ne nous a tout de même pas fait venir dans sa chambre d'hôtel au milieu de la nuit pour nous réclamer cette somme !

Non, le problème est ailleurs. William Standard reconnaît finalement qu'il n'a aucune envie de poser au gouverneur les questions que nous voulons joindre aux extraits de l'agenda. De plus, avance-t-il, il n'a jamais cru en nos chances. S'il a accepté ce dossier, c'est uniquement parce que son associé, Leonard Boudin, occupé par une autre affaire, lui a demandé de se charger de la nôtre. Dans ces conditions, il nous apparaît effectivement plus sage qu'il n'interroge pas Pete Du Pont. Le lendemain, nous annonçons notre intention de reporter sa déposition.

Ralph Nader nous recommande alors un autre cabinet new-yorkais, au sein duquel nous engageons un nouvel avocat. Ancien procureur général adjoint, spécialiste des délits financiers, Ronald DePetris est un républicain modéré. C'est surtout un fervent défenseur de la liberté de la presse, qui ne ressent aucun état d'âme à l'idée de faire citer à comparaître le gouverneur Du Pont dans le Delaware ni à lui poser des questions qui fâchent. Hélas ! une nouvelle déception nous attend.

Devant le tribunal fédéral de la ville de New York, Irénée Du Pont Jr prend la parole pour dénoncer mon livre devant le juge Charles Brieant, qui lui prête apparemment une oreille complaisante. Ce dernier est le quatrième juge désigné. Les deux premiers se sont récusés soit parce qu'ils avaient défendu les intérêts de la firme à l'époque où ils étaient avocats, soit parce qu'ils possèdent des actions Du Pont. Le troisième, Leonard Sands, pourtant réputé pour son impartialité, s'est déclaré incompétent sans donner d'explications, peu avant le procès, après avoir passé une année entière à étudier le dossier.

Mais au fait, pourquoi mon livre contrarie-t-il à ce point Irénée ?

Est-ce parce qu'il révèle comment, au XIXe siècle, sa famille a bâti son *Gunpowder Trust* en rachetant à vil prix tous ses concurrents ?

Parce qu'il cite Newton Baker, ministre de la Guerre de Woodrow Wilson, qui a qualifié la famille de *« clique de hors-la-loi »*, lui reprochant d'avoir profité de la Première Guerre mondiale pour surfacturer ses produits à l'Etat et encaisser plus de 250 millions de dollars de bénéfices ?

Parce qu'il raconte la façon dont la société Du Pont a contribué à saper la conférence de Genève de 1925 sur le désarmement ?

Parce qu'il dévoile que Du Pont a fourni des munitions aux seigneurs de la guerre chinois et à diverses factions sud-américaines dans les années 1920 ?

Parce qu'il fait état d'un rapport du Congrès affirmant que Du Pont a vendu clandestinement des munitions aux nazis au début des années 1930 ?

Parce qu'il démontre, documents à l'appui, que Du Pont a financé des complots visant à abolir le New Deal[1] et à renverser le Président Roosevelt ?

Parce qu'il montre comment Du Pont a fait ses choux gras de la Seconde Guerre mondiale et de la guerre du Vietnam ?

Parce qu'il dénonce les efforts qu'a déployés le clan pour déstabiliser les syndicats professionnels ?

Parce qu'il établit le soutien apporté par la famille Du Pont à « l'Alerte rouge »[2] des années 1920 et à la chasse aux sorcières des années 1950[3], et raconte comment la firme a participé à la fabrication de la bombe à hydrogène pour le complexe militaro-industriel ?

---

1. Le New Deal (« Nouvelle Donne ») désigne l'ensemble des mesures interventionnistes mises en place entre 1933 et 1935 par le Président Franklin Delano Roosevelt pour compenser les effets dévastateurs de la crise de 1929 sur l'économie américaine.

2. Dans les années 1920, la crainte d'une propagation de la subversion communiste à l'intérieur du pays pousse les autorités fédérales à mener de grandes rafles dans les milieux ouvriers et intellectuels. Déclenchée en janvier 1920 par le procureur général A. Mitchell Palmer, « l'Alerte rouge » (*the Red Scare*) se solde par l'arrestation de milliers de militants et sympathisants communistes présumés.

3. Dans l'après-guerre, alors que les communistes gagnent du terrain en Chine et en Corée, Harry Truman relance la croisade contre les « rouges » à l'intérieur des Etats-Unis. Entre 1950 et 1954, le sénateur Joseph McCarthy reprend le flambeau, menant une chasse aux sorcières acharnée contre des hommes politiques et des intellectuels soupçonnés de sympathies communistes.

Parce qu'il accuse son empire chimique de polluer l'environnement et de contribuer à détruire la couche d'ozone et ainsi à accélérer le réchauffement planétaire... ?

Rien de tout cela. Ce qui inquiète Irénée du Pont Jr, apprendrons-nous, c'est une anecdote fort lointaine que je relate – j'ai pourtant veillé à préciser que les récits relatifs à cet épisode divergent. L'histoire en question remonte à l'époque où ses aïeux ont posé le pied sur le sol américain. Au lendemain de la Révolution française de 1789, les Du Pont, qui sont les fournisseurs officiels de poudre à canon des royalistes et figurent parmi les derniers nobles à défendre le roi les armes à la main, fuient la France et se réfugient aux Etats-Unis. En arrivant à Rhode Island, ils s'introduisent dans une maison et dévorent le repas que ses habitants ont innocemment laissé sur la table en partant à la messe. Transmise de génération en génération, la légende familiale prétend qu'en contrepartie, les Du Pont auraient laissé un louis d'or sur la table.

C'est le doute que je laisse planer sur cet épilogue du louis d'or qui chagrine tant Irénée Du Pont Jr.

Lorsque, durant l'audience, le juge Brieant se lève pour allumer une lampe afin de faciliter la lecture d'Irénée, je perçois combien mes chances d'obtenir justice sont minces. A la veille de la clôture du procès (auquel, malgré les communiqués de presse, aucun média n'est venu assister), le juge ne laisse planer aucun doute sur le jugement à venir. Après avoir convoqué les avocats des parties dans son bureau, il leur annonce qu'il n'a aucune intention de déclarer coupable un pilier de la société américaine tel que la famille Du Pont, qui n'a fait qu'exercer son droit constitutionnel à la liberté d'expression en donnant son opinion sur un livre qui la concerne. Le magistrat ne relève pas que la société Du Pont a agi au nom de la famille et qu'elle a, de toute évidence, proféré des menaces infondées de procès en utilisant des termes explicites pour qualifier mon livre (« *diffamatoire et passible de poursuites* ») – termes que l'on retrouve dans les mémorandums de la firme.

Au mépris des preuves contenues dans les documents que nous lui présentons, le juge Brieant fait droit aux arguments des représentants de Du Pont, lesquels jurent n'avoir jamais proféré la moindre menace en ce sens. Il choisit en revanche de jeter son dévolu sur Prentice Hall, à qui il rappelle fermement ses obligations. Mon éditeur, en effet, s'est engagé par contrat à diffuser l'ouvrage le plus largement possible, et non à le sabord'éditer. Prentice Hall comprend le message et entreprend sans tarder de régler l'affaire à l'amiable, en me proposant un dédommagement – inférieur à mes frais de justice – à la condition expresse que je ne parle jamais de l'affaire.

Ne rien dire de la sabord'édition ? Taire à tout jamais les agissements dont je viens de faire les frais ? Je refuse de transiger. Et le procès s'achève. Le juge déclare Prentice Hall coupable de rupture abusive de contrat et m'accorde des dommages et intérêts à peu près équivalents à la somme que l'éditeur m'a proposée. La société Du Pont, pour sa part, est lavée de tout soupçon.

Prentice Hall fait appel de ce jugement. De notre côté, nous interjetons appel de la relaxe dont a bénéficié Du Pont.

Devant la cour d'appel fédérale de New York, l'hostilité des hauts magistrats est plus sensible encore. Sterry Waterman, qui ronfle ostensiblement pendant la plus grande partie des débats, était juge de première instance dans le Vermont avant d'être nommé par Eisenhower. Lawrence Pierce est un ancien commissaire adjoint à New York qui a dirigé la Commission Rockefeller sur le contrôle de l'accoutumance aux narcotiques. Richard Nixon l'a récompensé en le nommant juge fédéral, puis il l'a promu au Tribunal américain de surveillance des renseignements étrangers. C'est Ronald Reagan qui l'a nommé à la cour d'appel fédérale. Le troisième juge, Ralph Winter, est un ultraconservateur qui a siégé au conseil d'administration de l'American Enterprise Institute, une institution financée par les Du Pont. Il a surtout été l'assistant d'un juge du Delaware qui vient précisément d'être mis en cause pour avoir détruit les éléments de preuve fournis par des employés de Du Pont atteints d'asbestose[1] !

C'est Ralph Winter, justement, qui rédige le jugement d'appel. Bien qu'il ne relève aucune irrégularité de forme ou de fond dans la procédure de première instance, il prend parti pour Prentice Hall. Forcé d'admettre que mon livre (brillamment préfacé par Leon Keyserling, président du Council of Economic Advisors) est truffé d'analyses économiques et politiques, il constate qu'on n'y trouve pas, en revanche, l'incontournable éloge des produits Du Pont (« *de meilleurs produits pour mieux vivre* ») qui ne manque à aucune biographie autorisée. Aussi, le magistrat conclut – et inscrit en toutes lettres dans son arrêt – que cet ouvrage offre « *une vision marxiste de l'Histoire* » qui ne trouve pas, selon lui, de véritable lectorat auprès du grand public. Ce potentiel limité justifierait le fait que Prentice Hall n'en ait pas fait la promotion. CQFD.

Echafaudant une nouvelle théorie afin de légitimer la défaillance de mon éditeur, la cour d'appel revient – en

---

1. Maladie pulmonaire due à l'inhalation de poussière d'amiante.

toute illégalité – sur les attendus du premier jugement et annule les dommages et intérêts réclamés à Prentice Hall. Elle ne tient aucun compte des chiffres de ventes – produits par l'éditeur lui-même – ni des témoignages formulés par les experts. Par le précédent qu'il crée, cet arrêt marque un épisode funeste de l'histoire du journalisme américain.

C'est alors que mon avocat est contacté par les services du procureur général[1] de Ronald Reagan, qui lui propose un poste au ministère de la Justice. Ronald DePetris accepte, me laissant sans un sou vaillant, dépourvu d'avocat, proche du KO. Mon épouse et moi, heureusement, gardons quelques ressources.

Nous réalisons, par exemple, qu'en rendant sa décision au mépris de la procédure de première instance, Ralph Winter a transformé notre plainte pour rupture de contrat en une affaire relevant du premier amendement de la Constitution, qui prohibe la restriction par le gouvernement de la liberté d'expression : une cour d'appel fédérale (c'est-à-dire un organe de l'Etat) a outrepassé les règles de procédure afin de faire disparaître un livre pour des raisons politiques. Nous demandons à l'American Civil Liberties Union (ACLU)[2] de nous aider à dénoncer la position de Ralph Winter. Encouragée par le professeur Lawrence Tribe, expert en droit constitutionnel à Harvard, l'ACLU saisit la Cour suprême : « *La cour d'appel, en violation patente de l'article 52 (a), a apporté ses propres conclusions relatives aux faits,* argumente l'organisation. *Une telle discrimination, fondée sur le contenu d'une œuvre littéraire,*

---

1. Le procureur général des Etats-Unis est le ministre de la Justice.
2. Le Syndicat américain des libertés civiques est un peu l'équivalent de notre Ligue des droits de l'homme.

est l'exemple même de la censure interdite prévue par le premier amendement.» La Cour suprême, présidée par William Rehnquist, refusera néanmoins d'entendre l'affaire. Et la presse ne s'intéressera que très peu au problème de droit constitutionnel, relatif à la liberté d'expression, que soulève ce dossier.

Tout ceci aurait dû me convaincre de ne plus jamais aller fouiner dans les placards des industriels. Pourtant, en tant que journaliste, je n'ai jamais cessé de faire de l'enquête. Cela n'est pas toujours une sinécure. Aux Etats-Unis, mis à part quelques associations comme le Fund for Investigative Journalism et une poignée de fondations, il n'existe que très peu d'organismes apportant une aide financière aux journalistes indépendants. En réalité, ce sont les revues érotiques telles que *Penthouse*, *Playboy*, *Gallery* ou *Oui* qui paient le mieux ce type d'enquête. L'origine de cette étrange alliance remonte au combat historique contre la censure.

Comme tant d'autres journalistes enquêteurs, j'ai rejoint cette alliance. Pour *Penthouse*, j'ai interviewé Ruben «Hurricane» Carter, un boxeur emprisonné pour meurtre (depuis lors innocenté) sur qui j'ai publié plusieurs enquêtes qui ont débouché indirectement sur la révision de son procès. Pour *Playboy*, j'ai interviewé un ancien capitaine des Bérets verts, Robert Morasco, qui affirme avoir assassiné le gendre du président de la Cholon Bank de Saigon sur ordre du Comité 40[1] du Conseil de la sécurité nationale (NSC), sous Henry Kissinger. Pour la

---

1. Présidé, entre 1969 et 1976, par Henry Kissinger, cet organe semi-confidentiel du Conseil de la sécurité nationale, dépendant de la CIA, est chargé de superviser les opérations clandestines menées à l'étranger.

vénérable North American Newspaper Alliance (NANA), j'ai enquêté sur les escadrons de la mort – liés à la junte militaire au pouvoir – qui semaient la terreur dans Lima, la capitale péruvienne. Pour *In these Times*, j'ai travaillé avec Charlotte Dennett, ma femme, sur les liens entre la spéculation immobilière sur le front de mer de Brooklyn, le développement du pétrole *offshore* et une série d'incendies volontaires dans un quartier américano-polonais dont la caserne des pompiers a été fermée par la municipalité. *The Nation* nous a envoyés, Charlotte et moi, en Afrique du Sud, enquêter sur l'intervention clandestine de l'armée sud-africaine dans la guerre civile en Rhodésie (l'actuel Zimbabwe), un pays alors soumis à l'apartheid. Deux ans plus tard, la même revue nous envoyait couvrir les premières élections du Zimbabwe indépendant. Pour le magazine *Oui*, nous avons mené l'enquête sur les activités en Amazonie du magnat new-yorkais Daniel K. Ludwig. Et pour le *Vermont Vanguard*, nous nous sommes penchés sur l'exploitation, par la CIA, des Indiens miskito pendant la guerre civile au Nicaragua. Nous avons également cherché à comprendre – d'abord pour Crown Publishers puis pour HarperCollins, deux prestigieuses maisons d'édition – pourquoi la plus grande organisation missionnaire américaine n'avait pas réagi face à l'extermination des Indiens d'Amazonie et du Guatemala...

Ni la NANA ni *In These Times* n'ont publié mon reportage sur les escadrons de la mort péruviens. *Playboy* m'a payé mais n'a pas davantage publié mon interview de Robert Morasco. J'ai alors préféré me consacrer à des projet de livres, car les éditeurs ne pratiquent pas de censure en amont et versent, à la signature du contrat, une avance qui couvre une bonne part des frais de recherche.

En 1984, Du Pont me rattrape. A cette époque, je suis contacté par Lyle Stuart, un éditeur new-yorkais qui souhaite donner à mon livre sur la dynastie la chance qu'il n'a jamais eue. Il me propose de lui soumettre une version réactualisée incluant les activités de la famille dans le Delaware et situant son rôle dans le paysage politique national depuis la dernière décennie. Lyle Stuart est réputé pour ne pas se laisser intimider, ne pas censurer ses auteurs et éditer des livres sérieux. C'est lui, par exemple, qui a publié, au début des années 1970, l'ouvrage de William Hoffman sur le banquier David Rockefeller[1] – qui s'est hissé à la sixième place sur la liste des meilleures ventes du magazine *Time* – ou encore *Les Riches et les super-riches*[2], du journaliste financier réputé Ferdinand Lundberg…

Intitulée *Du Pont Dynasty*, la version augmentée et réactualisée, qui doit paraître en octobre 1984, comporte trois cents pages supplémentaires[3]. Mais à la veille de la publication, Lyle Stuart reçoit de Prentice Hall une assignation devant le tribunal : ma première maison d'édition exige le remboursement de 12 000 dollars de frais de justice que je lui devrais (bien qu'elle ne m'ait jamais réclamé cette somme) ! Mon nouvel éditeur répond à la convocation. Mais, à l'audience, les avocats de Prentice Hall se montrent fort indiscrets : cherchant notamment à savoir à quels imprimeurs il envisage de confier mon manuscrit, ils vont jusqu'à exiger un jeu d'épreuves, obligeant les conseils de Lyle Stuart à couper court à la déposition.

---

1. *David : Report on a Rockefeller*, Lyle Stuart, 1971. David Rockefeller est le PDG de la Chase Manhattan, qui elle-même contrôle le capital de cinquante-six des plus grandes entreprises américaines et règne sur un réseau de cinquante mille agences et correspondants bancaires établis dans plus de cinquante pays.

2. Paru chez Stock en 1969.

3. L'édition de 1974 comportait déjà six cents pages.

Au moment de se retirer, ces derniers demandent à leurs confrères de la partie adverse qui sont les deux hommes qui se sont introduits dans la salle d'audience pendant que leur client déposait. *« Des gens de chez Du Pont »*, leur répondent les avocats de Prentice Hall, embarrassés, avant de tenter de se justifier : ils ont pensé que les Du Pont voudraient être tenus au courant... Lyle Stuart contacte aussitôt le magazine *Publishers Weekly*, dénonçant une *« manœuvre évidente »* orchestrée par Du Pont et Prentice Hall pour se procurer un exemplaire du second manuscrit. Il achète également une pleine page de publicité dans le *New York Times* pour détailler les moyens déployés par Du Pont aux fins de saborder la première édition.

J'ai enfin un véritable éditeur, me dis-je.

Dans ses colonnes, le *New York Times* ne consacre pas une seule ligne au livre réactualisé. Il ne manque pourtant pas de révélations. Dans les trois cents nouvelles pages, je révèle l'importante contribution de la famille Du Pont à la campagne présidentielle de Ronald Reagan ; ses liens directs avec la CIA dans les attentats à la bombe sur l'aéroport international de Managua, en 1983 ; la nomination d'Elise Du Pont (l'épouse de Pete) à l'Agence pour le développement international (AID), où elle sera chargée de superviser le processus de privatisation exigé des pays pauvres en contrepartie de l'aide américaine ; le lobbying de Pete Du Pont, qui aboutira à l'introduction de la représentation bancaire interétatique dans le Delaware[1], et ses projets de campagne présidentielle...

---

1. Jusque dans les années 1970, les banques américaines ne sont autorisées à opérer que dans l'Etat où est établi leur siège. L'introduction de la représentation bancaire interétatique leur permet d'ouvrir des agences et des filiales dans les autres Etats de l'Union.

J'ai tout de même la satisfaction de voir d'autres organes de presse effectuer des recensions du livre, favorables pour la plupart. Dès la sortie, la chaîne *Financial News Report* m'invite pour une interview. Après quelques questions sur l'actualité du groupe Du Pont et la diversification de l'empire au-delà du secteur traditionnel de la chimie, le journaliste m'interroge sur les pressions subies par la première édition du livre, dix ans plus tôt. Trop heureux de pouvoir retracer cet épisode, je saisis un exemplaire, que j'ouvre à la page 637. Autrement dit, là où débute le long passage que j'ai consacré à ce sabordage magistral. Je manque de tomber à la renverse. Ces trente pages ont disparu !

Dès la fin de l'émission, je m'éclipse et téléphone à ma femme. Je lui demande de vérifier mes exemplaires d'auteur. Trente pages manquent également sur deux d'entre eux. Charlotte alerte immédiatement Lyle Stuart, qui promet de vérifier les palettes livrées par l'imprimeur. Il rappelle un peu plus tard, porteur d'une désagréable nouvelle : sur le premier tirage de dix mille exemplaires, trois mille sont défectueux. Dépourvus des fameuses trente pages, ils ne peuvent donc être vendus, alors que les commandes pleuvent. Accidentel ou non, ce préjudice a le même effet que la réduction du tirage décidée dix ans plus tôt par mon précédent éditeur : au plus fort de la demande des lecteurs, un tiers des livres est invendable. Prentice Hall et Du Pont peuvent se frotter les mains. Comme par un fait exprès, c'est précisément le passage qui les empêche de dormir qui a disparu.

Après enquête, Lyle Stuart découvrira que son imprimeur doit près de 80 % de son chiffre d'affaires à Prentice Hall. En ce qui me concerne, c'est la seule explication que je recevrai. Si Lyle a reçu un dédommagement de cet imprimeur, je n'en ai jamais eu connaissance...

Le livre, lui, tombe aux oubliettes. Il ne sera pas réédité en 1988, alors que la campagne de Pete Du Pont pour obtenir l'investiture républicaine à la présidentielle lui ouvre un marché national. Le gouverneur du Delaware échouera mais, dans les années qui suivront, il saura user de son influence auprès de ses amis politiques pour imposer une ligne politique ultraconservatrice au Congrès des Etats-Unis. L'aile droite du Parti républicain s'emploiera, dès lors, à inverser la politique du New Deal – objectif que défend depuis longtemps la famille – et à soutenir les efforts de Du Pont pour démanteler la législation sur l'environnement votée dans les années 1970. Cette faction ultraconservatrice est dirigée par le mouvement de Newt Gingrich[1], le Comité d'action du gouvernement du peuple (GOPAC). Combien d'électeurs savent-ils que Pete Du Pont a fondé le GOPAC, au début des années 1980, pour préparer de jeunes militants réputés très à droite du Parti républicain à se faire élire au Congrès ? Ou que les ressources financières du GOPAC, dont Newt Gingrich s'est toujours refusé à révéler l'origine, proviennent de la famille Du Pont ? Ou encore que le GOPAC des Du Pont était, en 1994, la principale force financière soutenant la « révolution parlementaire » de l'aile droite républicaine, dont nous continuons aujourd'hui à supporter les conséquences...?

Malgré le nouveau revers que nous venons de subir, Charlotte et moi ne baissons pas les bras. Comme pour

---

1. Newt Gingrich à été le président de la Chambre des représentants de 1995 à 1999. C'est un habitué des allées du pouvoir et un proche du Président Bush. Après avoir pris le contrôle du GOPAC (Political Action Committee) – créé en 1979 par le gouverneur Pierre Du Pont – en 1986, il en a fait une organisation politique de premier plan, chargée de coordonner l'action du Parti républicain dans tous les domaines de la vie publique américaine.

conjurer le mauvais sort, nous signons un contrat avec HarperCollins pour publier un livre d'enquête consacré au génocide commis contre les Indiens d'Amazonie et du Guatemala.

Rapidement, nous orientons nos recherches vers les traducteurs de la Bible de Wycliffe, plus connus à l'étranger sous le nom de Summer Institute of Linguistics (SIL). Cette puissante organisation, regroupant plus de cinq mille six cents missionnaires chrétiens traditionalistes, a œuvré pendant des années à l'évangélisation des tribus indiennes dans la jungle amazonienne. Dans la foulée, ses linguistes émérites offraient leur aide aux gouvernements locaux soucieux de vaincre la résistance des Indiens face à l'économie monétaire.

Dans les années 1960, leur expérience les a amenés à participer aux guerres secrètes de la CIA dans le bassin de l'Amazone. Ils sont restés silencieux face aux crimes contre l'humanité fomentés par le régime militaire brésilien dans les années 1960 et 1970. Silencieux aussi devant la campagne de contre-insurrection dirigée par les Bérets verts dans les montagnes occidentales du Guatemala entre 1979 et 1987, qui s'est soldée par le massacre de quelque deux cent mille Indiens – surtout des femmes et des enfants – et l'éradication de plus de quatre cents villages.

Ces « exploits » ont fait de Wycliffe la plus grande organisation missionnaire américaine. Bien qu'elle affirme être uniquement financée par le denier du culte, ses propres documents comptables indiquent que le budget de fonctionnement de ses impressionnantes infrastructures est couvert par de généreuses donations émanant d'entreprises américaines établies dans les Etats du sud et du sud-ouest – essentiellement des « nouvelles fortunes » ultraconservatrices de la « ceinture de la Bible »[1]. Wycliffe dispose de sa propre flotte aérienne et d'immenses bases dans la jungle, dotées de pistes d'atterrissage et de systèmes de télécommunication. En 1984, l'organisation bénéficie d'un budget annuel de 80 millions de dollars pour ses activités aux Etats-Unis et de 100 millions de dollars pour ses opérations extérieures. Outre leurs vastes ressources, ses missionnaires disposent de relations haut placées au Département d'Etat[2] et au Congrès.

Pourtant, les membres de Wycliffe sont restés muets pendant que les Indiens dont ils partageaient le quotidien se faisaient massacrer par les autorités militaires locales. Leurs contrats d'éducation bilingue les avaient-ils amenés à se compromettre vis-à-vis d'Etats ou d'entreprises que la déportation massive des Indiens ne dérangeaient aucunement ?

Nous cherchons, en premier lieu, à comprendre « à qui profite le crime ». Mais les hypothèses que nous traçons nous conduisent à une impasse. Dans un premier temps, nous nous intéressons aux entreprises originaires du sud et du sud-ouest des Etats-Unis qui financent Wycliffe. Mais, au terme de quatre années de recherches, nous nous apercevons que l'expulsion des Indiens amazoniens par des Etats latino-américains profite surtout à de grandes entreprises du nord-est, bénéficiant d'une solide réputation et liées de longue date aux « vieilles fortunes » et au milieu du renseignement. En effet, les territoires spoliés sont des régions riches en pétrole et en gisements

---

1. Cette région conservatrice, où le fondamentalisme protestant est particulièrement bien implanté, couvre le sud des Etats-Unis et une partie du Midwest.
2. Le Département d'Etat correspond au ministère des Affaires étrangères.

minéraux ou constituent des zones de choix pour les firmes agroalimentaires et les promoteurs immobiliers.

Nous nous orientons alors vers quelques ténors de la politique américaine dont les noms émaillent notre enquête. En examinant plus attentivement les documents officiels et en remontant un à un les échelons de la hiérarchie, nous nous retrouvons au sommet d'une pyramide de pouvoir impressionnante. Notre piste nous mène jusqu'à Nelson Rockefeller[1], qui procède à des investissements discrets en Amérique latine et participe, tout aussi confidentiellement, aux activités de la CIA sur le sous-continent. Désireux d'en savoir plus, nous rendons une petite visite à la Fondation des archives Rockefeller, domiciliée dans la vaste propriété de la famille, surplombant la rivière Hudson, à Pocantico, dans l'Etat de New York. Dès lors, la plupart des organismes qui nous soutenaient tant que nous enquêtions sur les missionnaires chrétiens, la CIA et diverses entreprises à la faible notoriété, nous refusent leur soutien. En remontant jusqu'aux Rockefeller, nous sommes devenus gênants.

Devons-nous poursuivre cette enquête sans moyens et continuer à nous endetter, ou jeter l'éponge et publier ce que nous avons déjà découvert, tout en sachant que l'histoire sera incomplète ? Nous faisons le choix de l'entêtement et persistons à essayer de comprendre ce que dissimule la complicité silencieuse des missionnaires. Un journaliste saurait-il, sans se renier, passer sous silence un génocide ?

---

1. Nelson Rockefeller (1908-1979) a été vice-président des Etats-Unis, sous la présidence de Gerald Ford, et quatre fois gouverneur de l'Etat de New York.

En 1995, notre patient travail se concrétise enfin. Notre livre paraît sous le titre *Thy Will Be Done, the Conquest of the Amazon. Nelson Rockefeller and Evangilism in the Age of Oil*[1] (*Que ta volonté soit faite. La conquête de l'Amazonie, ou Nelson Rockefeller et l'évangélisation à l'ère du pétrole*). Dès sa sortie, il se heurte à des problèmes de diffusion qui s'expliquent en partie par les profonds bouleversements intervenus dans le secteur de l'édition depuis mon dernier livre, *The Du Pont Dynasty*. La durée de vie moyenne d'un ouvrage est désormais d'environ six semaines. Les grandes chaînes de librairies comme Barnes & Noble retournent en permanence aux éditeurs d'importants stocks de livre. Pour ces derniers, il n'est plus rentable de rémunérer du personnel pour trier ces invendus : on réexpédie directement les cartons aux soldeurs – qui, parfois, appartiennent aux mêmes chaînes – ou bien on les détruit dans des incinérateurs voisins des entrepôts, pour économiser l'espace de stockage et les taxes d'inventaire.

Le temps joue contre nous, et d'autres obstacles se dressent. Comme beaucoup d'auteurs, il nous arrive bien souvent de ne pas trouver nos livres chez les libraires des villes où nous devons faire des signatures ou donner des conférences. Une fois encore, nous en sommes réduits à batailler pour que la promotion de l'ouvrage, prévue par contrat, soit respectée. Car HarperCollins a, d'emblée, restreint notre tournée médiatique à New York et Washington. Invités à Minneapolis, nous devons nous y rendre à nos frais – notre voiture familiale, d'ailleurs, ne survivra pas au voyage. A notre arrivée, nous constatons que contrairement à ce qui était prévu, les livres promis par HarperCollins ne sont pas arrivés. Nous présentons à

---

1. Gerard Colby, HarperCollins, New York, 1995.

notre éditeur des attestations de libraires pour achever de le convaincre de sous-traiter les relations publiques à un cabinet indépendant.

Ce prestataire nous décroche des interviews téléphoniques sur plusieurs radios locales, mais le soutien de HarperCollins reste très frileux. Lorsque notre responsable éditorial parvient à faire publier l'ouvrage en livre de poche, la maison ne consacre pas un sou à la promotion de la nouvelle édition. Et lorsque les exemplaires viennent à manquer, notre éditeur déclare que le livre est *« définitivement épuisé »*. Péremptoire, il dit n'envisager une réimpression qu'à partir d'une commande ferme d'un minimum de cinq cents exemplaires. Naïvement, nous nous démenons pour lui fournir ces cinq cents « notés »[1]. Mais HarperCollins relève la barre, successivement, à mille exemplaires puis à deux mille cinq cents.

Pour ne rien arranger, certaines commandes disparaissent des propres fichiers informatiques de notre éditeur. Par exemple, il ne retrouve plus la moindre trace des mille exemplaires réservés par un séminaire du Midwest. Pierre Laramée, directeur des projets éditoriaux du North American Congress on Latin America (NACLA), qui souhaite commander deux cent cinquante livres, s'entend répondre que l'ouvrage est épuisé jusqu'à nouvel ordre et qu'il y a peu de chance qu'il soit réédité. Il s'en étonne auprès de son interlocuteur, lui faisant remarquer que le titre a obtenu une très bonne presse. Après s'être renseigné auprès du responsable des ventes, son correspondant lui annonce sèchement : *« Ce livre ne sera jamais réimprimé ! »*, avant de lui raccrocher au nez.

---

1. Ce terme désigne les précommandes effectuées par les libraires avant la sortie d'un ouvrage.

Nous continuons de nous consacrer à une tâche qui incombe normalement à l'éditeur et à son distributeur. Nous parvenons à rassembler deux mille cinq cents « notés », et HarperCollins est contraint d'accepter de réimprimer. Les exemplaires de ce nouveau tirage s'arrachent en librairie... mais notre éditeur déclare à nouveau le livre « *définitivement épuisé* » ! La situation devient intenable après que, invités par plusieurs radios, nous avons détaillé les problèmes rencontrés par notre ouvrage. Le service des ventes par correspondance d'HarperCollins, dépassé par la situation, ouvre une ligne téléphonique spéciale pour répondre aux nombreux appels de personnes cherchant à se procurer le livre. Mais trois jours plus tard, la ligne est supprimée. Notre éditeur maintient, contre toute évidence, que le nombre de commandes escomptées ne justifie pas un nouveau tirage.

Une demande insatisfaite finit par s'évanouir. Le livre sombre, emportant avec lui le résultat de dix-huit années de recherches qui n'ont jamais été portées à la connaissance du public. Trois ans après sa sortie en version reliée et deux ans après l'édition de poche, *Thy Will Be Done* est introuvable en librairie, malgré les critiques dithyrambiques et l'engouement manifestés par les spécialistes. De notre côté, pourtant, nous recevons toujours des commandes de chercheurs et de lecteurs. Mais HarperCollins s'en tient à sa stratégie de sabord'édition. On ne trouve plus aujourd'hui cet ouvrage que dans les bibliothèques.

Quel avenir pour le journalisme d'enquête aux Etats-Unis ? Chez nous, les journalistes doivent contracter une assurance professionnelle couvrant les risques de poursuites en diffamation. Or, contrairement à leur confrères salariés, les journalistes indépendants doivent souscrire cette police d'assurance sur leurs deniers personnels, et les primes peuvent en être très élevées. Il y a quelques années, la National Writers Union avait négocié un accord avantageux avec la Lloyd's de Londres. Mais depuis 2001, la Lloyd's refuse de couvrir les journalistes enquêteurs, qui sont précisément ceux qui en ont le plus besoin.

Les petits organes de presse locaux, de leur côté, n'ont généralement pas les moyens de financer des enquêtes et se montrent réticents à donner une tribune à des fouille-merdes qui risqueraient de froisser leurs annonceurs. Quant aux journaux appartenant aux grands groupes de presse, la plupart d'entre eux se contentent d'une approche clientéliste. Le groupe Gannett, par exemple, embauche de jeunes journalistes peu roués aux techniques d'enquête mais de moins en moins de mentors expérimentés pour les encadrer. De plus, la rotation des effectifs préconisée par les patrons de presse ne laisse pas le temps aux journalistes de se constituer le réseau de contacts indispensable au travail d'enquête.

D'autre part, l'apparition d'Internet comme moyen de diffusion a ouvert la voie à des abus. Certaines rumeurs sont présentées comme des informations alors qu'elles ne respectent aucune des règles fondamentales qui s'imposent aux journalistes, accentuant le discrédit qui frappe cette profession aux yeux du grand public. *A contrario*, des médias se prévalent de ce type de dérapage pour étouffer certains scandales révélés sur Internet, voire pour remettre en cause la déontologie et la légitimité des journalistes free-lance.

La politique éditoriale des médias écrits et audiovisuels est de plus en plus perméable à la logique des gros conglomérats, qui la définissent en fonction de leurs propres intérêts financiers. Les éditeurs, eux, proposent aux journalistes des contrats d'exclusivité par lesquels ces derniers doivent leur céder – pour le même prix – l'ensemble des droits se rapportant à leur œuvre, y compris les droits de pré et de postpublication, les droits d'adaptation dramatique – pour tous pays et sous quelque forme que ce soit –, les droits électroniques (cédéroms, cession aux banques de données sur Internet), etc. En tant que conseiller pour les contrats d'édition auprès de la National Writers Union, j'ai même vu des éditeurs revendiquer les droits de l'œuvre *« pour l'ensemble de l'univers, sous toute forme existante et à venir »*. Aux auteurs réticents, on laisse entendre qu'ils ne seront jamais publiés et qu'ils risquent, par leur défiance, de se retrouver inscrits sur une liste noire.

Les dirigeants des groupes d'édition projettent désormais des bénéfices comparables à ceux, colossaux, que génère la télévision par câble (où des marges annuelles de 20 % à 30 % ne sont pas exceptionnelles). Ils privilégient donc la stricte logique comptable aux ambitions éditoriales. A l'arrivée, au lieu d'aider à financer les livres d'enquête grâce aux gigantesques recettes qu'ils génèrent, les *best-sellers* les étouffent.

De nos jours, pour torpiller les enquêtes sensibles et sabord'éditer sans remords, le secteur de l'édition n'a même plus besoin des encouragements discrets des agents d'influence de la CIA[1]. A l'heure où les multinationales règnent en maîtres, la seule logique qui vaille est celle du

---

1. En 1977, le *New York Times* révélait comment l'agence de renseignements avait infiltré tout le secteur.

« *libre jeu de la concurrence* ». Pourquoi les journalistes échapperaient-ils à cette pression libérale qui s'impose aux petites entreprises, aux agriculteurs, aux ouvriers et jusqu'aux Etats ?

Que reste-t-il, dès lors, du mythe du journalisme américain ? Un journalisme réputé sans entraves, engagé en faveur de la libre circulation des informations et des idées. Qu'est devenu le principe énoncé par les pères fondateurs de la nation, qui ont reconnu un rôle primordial à la presse en lui accordant, à travers le premier amendement de la Constitution, des protections et privilèges particuliers ? Ces acquis sont aujourd'hui largement menacés. Et jamais le sinistre avertissement de Thomas Jefferson n'avait autant semblé d'actualité : « *Notre liberté dépend de la liberté de la presse. Et celle-ci ne saurait être limitée sans être perdue.* »

Gerard Colby

Un métier
de rêve

QUAND L'AMERIQUE GAZAIT SES DESERTEURS

E n choisissant le journalisme, j'étais sûre d'avoir opté
pour un métier de rêve. J'avais toujours voulu travailler pour CNN, et mon souhait se réalisait enfin. Certes,
on ne me verrait pas à l'écran. Mais pour la journaliste que
je suis, il est cent fois plus intéressant de réaliser des
reportages pour un magazine d'information que de jouer
les présentatrices à l'antenne.

J'étais rémunérée pour interviewer des gens passionnants, pour arpenter des endroits merveilleux, pour penser
et pour écrire aussi. Mon salaire n'était pas celui d'une star
mais mon métier me comblait. J'éprouvais le sentiment de
travailler dans un des rares îlots de résistance à la dicta-
ture de l'audimat. L'émission à laquelle je collaborais – qui
bénéficiait en outre d'une diffusion mondiale – ne craignait
pas de s'attaquer à des sujets sensibles. J'avais reçu des
prix prestigieux, je côtoyais des personnalités de premier
plan, j'adorais mes collègues et, naïvement, je faisais une

confiance aveugle à ma hiérarchie. Ce fut là ma plus grosse erreur. Et le rêve s'est transformé en cauchemar...

Mes ennuis datent du jour où j'ai démarré cette enquête sur l'opération Tailwind. Au fil des semaines, j'ai découvert que, pendant la guerre du Vietnam, l'armée américaine avait fait usage de gaz innervants pour éliminer ses déserteurs qui avaient fui au Laos. Décidée à aller au bout de mes recherches et à consacrer à ce sujet le reportage télévisé qu'il méritait, j'ai fait l'objet de toutes sortes de pressions. On a cherché à m'intimider pour me dissuader d'aller plus loin. On m'a avertie que personne ne me croirait. Et, comme il se doit, on m'a menacée de me liquider purement et simplement.

Ma hiérarchie, qui estimait que le jeu en valait la chandelle, m'a d'abord encouragée à persévérer. J'ai alors pénétré avec effroi l'univers parallèle des opérations clandestines : une quatrième dimension où tout le monde est tenu au secret jusqu'à son dernier souffle et où aucune archive n'est conservée. Un monde où les seules directives qui prévalent, en opération, recommandent de ne laisser aucun témoin derrière soi.

Comme son nom l'indique, une opération clandestine doit demeurer ignorée de tous. Cela explique qu'il soit si difficile à un journaliste de la mettre au jour. L'entreprise exige patience et entêtement. Malgré tous les efforts déployés, autant savoir d'emblée qu'il sera quasiment impossible de rassembler des preuves incontestables. On peut juste espérer réunir suffisamment de témoignages de première main pour démontrer ce que l'on rapporte – sachant que, le plus souvent, il conviendra de respecter l'anonymat de ses sources.

Dès le mois de juin 1998, un agent des Forces spéciales ayant participé à l'opération Tailwind adresse une mise en garde amicale à mon cameraman, à l'occasion d'une convention militaire : *« Je suis sincèrement désolé qu'on fasse ça à April... »* Il fait on ne peut plus clairement allusion à la campagne de désinformation dont je fais l'objet : tantôt dépeinte comme une obsédée des théories du complot à l'imagination enfiévrée, tantôt comme une reporter impitoyable prête à tout pour extorquer les témoignages d'anciens combattants, je suis sur la sellette. L'officier ajoute qu'il est hors de question pour l'armée de laisser l'affaire Tailwind aller trop loin. Beaucoup d'autres choses, bien plus graves encore, risqueraient sinon de filtrer.

Message reçu. Notre curiosité en ressort aiguisée.

Je dois bien reconnaître aujourd'hui que CNN s'est rendue sciemment complice de la campagne d'intimidation visant à étouffer nos révélations. Dès que l'affaire commence à sentir le roussi, les dirigeants de la chaîne optent pour la politique du sauve-qui-peut. Je reconnais que les pressions qu'ils subissent ne proviennent pas de n'importe qui : Henry Kissinger[1], Richard Helms[2] et Colin Powell[3],

---

1. Secrétaire d'Etat des Etats-Unis de 1973 à 1977, Henry Kissinger avait occupé auparavant les fonctions d'assistant du Président pour les affaires de sécurité nationale, entre 1969 et 1975. Il est aujourd'hui président de Kissinger & *Associés*, un cabinet international de consultants.
2. Décédé en 2002, Richard Helms est le seul directeur de la CIA qui ait jamais été condamné pour avoir menti au Congrès au sujet des activités secrètes de l'Agence. En 1977, il a écopé de deux années de prison et de l'amende maximale prévue par la loi américaine.
3. Colin L. Powell a été nommé au poste de secrétaire d'Etat par le Président George W. Bush. Général quatre étoiles, devenu chef d'état-major des armées, il a supervisé pendant sa carrière pas moins de vingt-huit crises militaires, dont l'opération Tempête du désert.

rien de moins, font savoir qu'ils ne veulent pas entendre parler de notre enquête. D'autre part, une campagne est orchestrée par des vétérans des Forces spéciales qui inondent d'e-mails la présidence de CNN en menaçant de boycotter les programmes de la chaîne.

Pris sous ces tirs croisés, Ted Turner laisse augurer la débandade finale. A la fin du mois de juin, dans une salle de conférence où se pressent les responsables de la rédaction, il proclame que l'heure est venue pour CNN d'adopter de nouvelles règles en matière de journalisme. Selon lui, les preuves dont nous disposons ne seront pas suffisantes pour convaincre un jury en justice. Tu parles ! Nous disposons d'une bonne demi-douzaine de sources, dont une partie apparaît à l'image, et cela ne suffirait pas ! Nous avons apporté le plus grand soin au recoupement de nos informations. Un militaire en retraite, qui a appartenu à l'état-major interarmes et s'est trouvé au sommet de la chaîne de commandement, a relu et approuvé notre script. Notre hiérarchie sait bien que notre sujet repose sur des sources humaines et non sur des documents, ce qui, dans un premier temps, ne l'a pas dissuadé de donner son feu vert à la diffusion. En exigeant des journalistes qu'ils apportent des preuves formelles incontestables avant d'évoquer un dossier, on finira par avoir la peau des enquêteurs.

L'objectif de CNN est clair. Il s'agit de « *tuer ce truc : on lui enfonce un pieu dans le cœur et on l'enterre, qu'on n'en parle plus !* » (propos entendus lors d'une réunion le jour même où la déprogrammation définitive du reportage sera entérinée).

L'arme de notre exécution, qui conduira à la marche arrière de CNN et à notre licenciement, est un rapport – très médiatisé – rédigé par l'avocat Floyd Abrams. Régulièrement présenté comme un spécialiste du premier amendement, ce dernier est avant tout un avocat d'affaires au service du client qui le rémunère. Dans le cas présent, il défend les intérêts de CNN, que je poursuis en justice pour diffamation et fraude à mon encontre. Floyd Abrams s'est associé à David Kohler, un consultant de CNN, pour mieux étudier le dossier. Dans leurs conclusions, ils affirment que nous nous sommes autoconvaincus que l'armée américaine a eu recours à un gaz innervant durant la guerre du Vietnam dans le but d'éliminer les transfuges. Ils ajoutent que, pour rendre cette « intox » crédible, nous avons négligé toutes les informations qui pouvaient la contredire, ce qui est proprement mensonger.

Ce mensonge, cependant, a le mérite d'absoudre à bon compte la direction de CNN. La mission des deux juristes, évidemment, ne consiste en aucun cas à détailler le processus de prise de décision éditoriale mais à nous marginaliser. A faire de nous des pestiférés ayant perdu le sens commun pour mieux blanchir CNN. Soucieux de s'acquitter au mieux de leur tâche, ils s'attaquent bille en tête à nos sources. Ce faisant, ils dévoilent sans vergogne des informations confidentielles, au premier rang desquelles l'identité des témoins dont nous nous étions engagés sur l'honneur à protéger l'anonymat.

L'avocat Floyd Abrams n'a pas le moindre égard pour ce principe essentiel du journalisme qu'est la protection des sources. Son seul but est de préserver l'honorabilité des dirigeants de la chaîne, quel qu'en soit le prix pour les journalistes que nous sommes. Un responsable de CNN nous avouera d'ailleurs : « *Quand j'ai appris que la chaîne avait engagé Floyd Abrams pour la défendre, j'ai su que l'affaire était pliée. Vous n'aviez aucune chance... »*

De fait, le coproducteur, Jack Smith, et moi-même serons licenciés. Traînés dans la boue, nous nous verrons traités de « *délinquants journalistiques* » dans un éditorial du *Wall Street Journal*. Nous n'en poursuivrons pas moins nos tentatives pour rendre publique l'opération Tailwind, d'autant que de nouvelles informations nous parviennent entre-temps sur l'emploi de gaz innervants et la politique d'exécution des déserteurs passés à l'ennemi pendant la guerre du Vietnam.

Rétrospectivement, je m'interroge. Avons-nous eu raison de nous entêter ?[1] Pourquoi nous sommes-nous retrouvés si solidement cloués au pilori ? Aurions-nous pu éviter ces mésaventures ? Avec le recul, j'ai défini les quelques préceptes qui suivent. Il s'agit, d'une certaine façon, de règles de survie journalistique à l'intention des enquêteurs qui se consacrent à un dossier sensible risquant d'ébranler l'*establishment*.

Les dix recommandations d'April

1. Vous tenez un sujet susceptible de déclencher une polémique ? Avant de le diffuser ou de le publier, veillez à ce que votre hiérarchie, jusqu'au plus haut niveau, soit avisée par écrit de vos inquiétudes. Ainsi, elle ne pourra pas se retrancher derrière de faux prétextes et prétendre, par exemple, qu'elle ignorait que le sujet était controversé – ou encore qu'elle ne connaissait pas vos sources.

2. Si votre reportage est qualifié d'enquête, prenez vite un avocat. Je ne dis pas ça de gaieté de cœur, car l'idée

---

1. En mai 2000, April Oliver a gagné son procès et reçu des dommages et intérêts de CNN. En mars 2002, la cour d'appel a confirmé le sérieux de son enquête sur l'opération Tailwind.

qu'un journaliste doive se ruiner pour verser des honoraires me répugne. Mais, en ce qui nous concerne, jamais nous n'aurions dû rencontrer David Kohler et Floyd Abrams sans avoir chargé, au préalable, un avocat de défendre nos intérêts[1].

3. N'acceptez jamais de vous taire. Au cours de notre enquête, nous nous sommes vus contraints de ne faire aucun commentaire sur notre reportage[2]. Durant tout ce temps, nombre de contrevérités ont circulé dans la presse, comme l'histoire du *« souvenir refoulé »*[3]. Nous avons été obligés de garder le silence face à ces relents de désinformation. Dans l'univers des médias modernes, une information a un cycle de vie de vingt-quatre heures. Soit on est en mesure de réagir immédiatement et de rectifier ce qui doit l'être, soit les pires mensonges deviennent parole d'évangile. J'aurais dû, sans doute, faire passer ma vérité à travers quelques fuites opportunes à des confrères, et faire

---

1. C'est Pam Hill, la vice-présidente de CNN, qui a invité April Oliver et Jack Smith à rencontrer Floyd Abrams. On leur a expliqué que l'avocat était là pour les conseiller sur les questions liées au premier amendement et à la protection des sources. Quelques jours plus tard, April Oliver apprenait que Floyd Abrams avait reçu pour consigne non plus de la conseiller mais d'enquêter sur elle, en tant qu'avocat de la chaîne.
2. CNN voulait garder la haute main sur l'orientation du sujet. Tout en mettant publiquement en doute les compétences professionnelles d'April Oliver, la chaîne a exigé de la journaliste qu'elle garde le silence sur ses révélations.
3. Paru dans *Newsweek* le 22 juin 1998, l'article « Tailwind, quelle vérité ? » remet en question les informations d'April Oliver. Il rapporte qu'un informateur clé du reportage de CNN, le lieutenant Robert Van Buskirk, a *« déclaré à* Newsweek *avoir refoulé le souvenir »* d'avoir tué un soldat blanc sur une base nord-vietnamienne puis que, vingt-quatre ans plus tard, tout lui est soudain revenu quand April Oliver l'a interrogé. Le 27 juin 1999 pourtant, cité par le *Charlotte Observer*, Robert Van Buskirk affirmera que l'histoire du *« souvenir refoulé »* est *« le baratin le plus incroyable [qu'il ait] jamais lu »*. Ce à quoi *Newsweek* répliquera que son journaliste *« n'a pas déformé les propos du lieutenant Van Buskirk mais reconnaît que ce dernier a pu mal comprendre la question qui lui était posée »*.

circuler les copies de mes interviews. J'ai commis l'erreur de ne pas jouer selon leurs règles.

4. Si votre chef vous demande, pour les besoins de sa propre enquête, de collaborer avec l'institution qui fait l'objet de votre reportage, déclinez la proposition. Tom Johnson[1] nous a ainsi embarqués au Pentagone, mon équipe et moi, pour aider le ministère de la Défense dans son enquête sur Tailwind. Cette coopération sans précédent avec l'armée annonçait la future capitulation de CNN. Jamais nous n'aurions dû nous plier à cette incroyable requête.

5. Exigez d'être immédiatement prévenu si vos travaux font l'objet d'une contre-enquête au sein de votre propre rédaction.

6. Si contre-enquête il doit y avoir, demandez qu'elle soit confiée à des journalistes. Une telle mission ne saurait incomber à des avocats à la solde des barons des médias.

7. Ne démissionnez pas, quelles que soient les pressions que vous subissez. Quand Tom Johnson m'a annoncé que j'avais le choix entre démissionner en reconnaissant avoir commis une terrible erreur et être mise à la porte, j'ai opté pour le licenciement. Je ne le regrette pas. Je suis fière de ce reportage, qui est probablement le meilleur que j'aie jamais réalisé. Je suis sûre qu'un jour on nous rendra justice et qu'il sera établi que CNN a cédé à des pressions extérieures.

8. « Action en justice ». Ces mots ne sont pas forcément aussi déplaisants qu'il y paraît. Quand j'ai reçu une assignation émanant du général en retraite John Singlaub, j'ai légèrement paniqué. J'ai découvert par la suite que cette

---

1. Aujourd'hui à la retraite, Tom Johnson est à l'époque président et directeur exécutif de CNN News Group.

procédure m'offrait en réalité une précieuse tribune. Après m'être fait descendre en flammes par l'ensemble des médias ou presque, je tenais là un moyen de prouver ce que j'avançais. En faisant citer à comparaître, par exemple, Henry Kissinger et Richard Helms : leur témoignage sous serment aurait eu davantage de valeur que les déclarations assassines qu'ils distillaient dans les étages supérieurs de CNN.

9. Si une procédure judiciaire est engagée, veillez à ce que les frais reviennent à la charge de votre employeur mais ne le laissez pas choisir votre avocat. Vous avez le droit d'être représenté en justice et ce n'est pas à l'employeur qui vous a licencié de vous imposer la personne qui sera chargée de défendre vos intérêts.

10. Enfin, n'oubliez pas de vivre intensément, sans vous laisser vulnérabiliser par les chausse-trappes qui vous guettent. Au beau milieu de la tempête médiatique, j'ai donné naissance à un petit garçon de quatre kilos cinq cents. Chaque jour, ses sourires sont là pour me rappeler aux véritables priorités de l'existence. La famille et les amis résistent mieux au temps qu'un documentaire. Quand tout s'écroule autour de vous, ils sont encore là pour vous soutenir. Ils sont plus précieux que tous les prix de journalisme du monde.

April Oliver

Faites-leur confiance, mais vérifiez tout de même

L'AFFAIRE DU VOL TWA 800

S i j'avais su dans quel engrenage je mettais le doigt, je n'aurais peut-être jamais cherché à connaître la véritable raison du crash du vol 800 de la TWA. Quand la chaîne CBS m'a demandé de travailler sur ce dossier, je venais tout juste de recevoir l'Emmy de la meilleure enquête télévisée. J'étais à mille lieues de me douter que mon horizon professionnel allait vite s'assombrir et que ma vie tout entière s'en trouverait bouleversée.

Je me suis abîmée dans la « broyeuse », cette machinerie impitoyable gardienne des secrets d'Etat qui étouffe les vérités embarrassantes et détruit la réputation des journalistes trop curieux. Qu'un enquêteur persévérant menace de révéler ce que de puissantes institutions préfèrent maintenir dans l'ombre, et la broyeuse se met en branle. Pour m'être jetée dans sa gueule, j'en ai subi les épreuves : j'ai éprouvé des moments de profonde solitude, je me suis sentie trahie, j'ai vu foulées au pied des valeurs auxquelles j'avais la naïveté de croire, je suis passée pour folle aux yeux d'interlocuteurs qui ignoraient le dessous des cartes... Ceux qui dissimulent la vérité – et leurs alliés objectifs, ceux qui ne veulent pas la connaître – m'ont accusée d'être une maniaque du complot – un mot qui sert désormais, dans les rédactions et en dehors, à dénigrer quiconque ose poser des questions gênantes sur un sujet sensible.

Comment aurais-je pu envisager, en débarquant dans cette histoire, que je me retrouverais un jour dans le rôle de l'emmerdeuse de service, de la journaliste rebelle partie en guerre contre l'*establishment* médiatique américain ? Issue d'un milieu social privilégié, diplômée de l'école de journalisme de l'université de Columbia, rien ne me prédisposait à « cracher dans la soupe ». D'ailleurs, je ne l'ai pas vraiment choisi. J'ai simplement voulu comprendre ce qui s'était réellement passé le 17 juillet 1996, au large de Long Island. Et j'ai ouvert la boîte de Pandore.

Le soir du drame, je suis rentrée chez moi vers 18 heures, exténuée. Le producteur Jamie Stolz et moi avons passé la journée à nous préparer en vue de la première diffusion, le lendemain soir, dans *CBS Reports*, du documentaire *The Last Revolutionary*, une biographie de Fidel Castro à laquelle nous nous consacrons depuis un an. Le reportage reçoit un bon accueil dans la presse, et je suis impatiente de le voir enfin diffusé. La maison est calme. Mon mari est parti à l'aéroport John Fitzgerald Kennedy accompagner mon fils de 11 ans, qui doit prendre l'avion pour Paris. Je décide de faire un somme.

Un peu avant 22 heures, la sonnerie du téléphone me

tire d'un profond sommeil. A l'autre bout du fil, ma voisine est hystérique : « *Est-ce que ton fils était dans l'avion qui vient de s'écraser ? !* » A cet instant, j'ai l'impression qu'on vient de renverser sur mon cerveau une marmite d'huile bouillante. Je lui réponds que je n'en sais rien. Et je raccroche, hagarde. Un haut-le-cœur. Puis tout se brouille autour de moi.

En fait, mon fils voyageait à bord d'un vol Air France qui a décollé cinq minutes après celui de la TWA. C'est à ces trois cents secondes qu'il doit d'avoir eu la vie sauve. Je passe la nuit en état de choc. Soulagée, mais surtout terrifiée à l'idée de ce qui aurait pu lui arriver ; choquée par le sort tragique des passagers et membres d'équipage du vol 800. Le lendemain soir, mon documentaire est déprogrammé : priorité est donnée au traitement de la catastrophe aérienne.

Dans les jours qui suivent, Linda Mason (productrice exécutive) me propose d'enquêter sur le crash. J'apprécie beaucoup Linda, qui m'a soutenue depuis mon entrée chez CBS. Je n'étais embauchée que depuis quelques mois quand j'ai eu l'idée, aussi onéreuse que risquée, de me rendre au Mexique dans le but de franchir clandestinement la frontière avec des ouvriers agricoles. Elle m'a donné son feu vert, tout comme elle m'a laissé entière latitude, par la suite, pour enquêter sur un chef d'équipe brutal qui supervisait d'importants groupes de clandestins dans plusieurs Etats. L'homme a été renvoyé et notre reportage, *Legacy of Shame*, a empoché un Emmy. Par la suite, Linda m'a demandé de lui obtenir un contact avec Fidel Castro dans le cadre d'un documentaire biographique, ce que j'ai fait. Trois jours durant, le *Lider maximo* a offert à Dan Rather, l'icône de CBS News, une visite guidée sans précédent à travers les endroits qui ont marqué sa vie.

Linda m'explique que je dois notamment me rendre à Washington pour y rencontrer notre correspondant local, Bob Orr. Celui-ci m'apprend que, selon des sources haut placées au gouvernement, le crash aurait été causé par un problème mécanique. Je ne sais pas trop quoi lui répondre, si ce n'est que d'autres hypothèses circulent. Mais je n'insiste pas : manifestement, Bob a toute confiance en ses sources.

Dans une affaire de cet ordre plus que dans toute autre, je sais qu'il convient de se montrer prudent – voire sceptique – face aux sources officielles. Pour ma part, je leur préfère les témoins disposant d'informations de première main, tels que les personnels déployés sur le site pour récupérer les débris de l'avion et identifier la cause du crash. Je privilégie les sources qui ont été impliquées directement, celles qui n'ont pas eu l'autorisation de s'adresser aux journalistes. Parfois, il faut passer par un intermédiaire : quelqu'un à qui ces sources parleront en toute confiance parce qu'elles le considèrent comme un des leurs. Dans cette affaire, mon intermédiaire s'appelle Paul Ragonese. Ancien policier à Brooklyn, affecté dans des services sensibles tels que le déminage ou le contre-terrorisme au sein de la police de New York (New York Police Department, NYPD) avant de devenir consultant pour les questions policières chez CBS, Paul n'est pas du genre à se laisser mener en bateau. Bénéficiant d'un réseau de contacts privilégiés, il est en relation avec de nombreuses sources directement liées à l'enquête sur le crash : des plongeurs de la police participant aux opérations de récupération des débris, des spécialistes des forces de l'ordre new-yorkaises et même des agents du FBI chargés de déterminer si les causes de la catastrophe sont d'origine criminelle.

L'équipe du FBI est placée sous les ordres de Jim Kallstrom, un habitué des caméras de télévision, qui se veut résolument rassurant. Une semaine à peine après l'accident, il promet déjà que ses enquêteurs sont sur le point de résoudre le mystère du vol 800 : *« Notre enquête est très dynamique. Nous recueillons beaucoup d'informations et quand nous parviendrons – dans trois ou quatre jours, une semaine au plus – à une conclusion collective, basée sur des tests scientifiques et une analyse médicolégale exhaustive, nous pourrons agir rapidement, d'une manière décisive et professionnelle. »*[1]

Je ne sais pas encore que seize mois plus tard, Jim Kallstrom et ses hommes n'auront toujours pas conclu leur enquête. Ni que nous nous affronterons.

Voici quelques extraits des notes que j'ai prises quand Paul Ragonese m'a rendu compte de ses entretiens avec ses informateurs du NYPD. *« Dès le premier jour, il y a des militaires partout sur le site… Pense que l'armée est impliquée. Des indices prouvent de manière incontestable la présence d'une bombe ou d'un missile. Dit que la marine a mené des opérations à 12 miles au large de Moriches. C'est un foutoir complet ! Il y a des gens partout, qui touchent à tout. »* [...] *« Les plongeurs du NYPD sont arrivés jeudi matin. Par radio, la marine leur a donné l'ordre de ne pas bouger tant que les militaires ne se trouveraient pas sur place. Les plongeurs de la police ont attendu jusqu'au dimanche suivant l'arrivée de leurs homologues du déminage militaire de Fort Monmouth.*

---

1. Transcription de *Sleuthing with Disaster, Newshour*, 22 août 1996.

C'est l'armée qui a indiqué aux équipes du NYPD *où elles devaient plonger !* »

En secret, Paul rencontre également deux membres haut placés de l'équipe du FBI. La rencontre suit une règle du jeu précise : ses interlocuteurs ne lui livrent aucune fuite, mais ils acceptent de confirmer ou d'infirmer chaque information que Paul leur soumet. Ils lui confirment notamment que des manœuvres militaires ont eu lieu dans la zone du crash ce soir-là et qu'un drone a pris part à l'exercice. Ils reconnaissent en outre que leur service n'a toujours pas obtenu l'autorisation d'enquêter sur le rôle des militaires – nous sommes en octobre, près de trois mois après la catastrophe.

Le 18 octobre 1996, dans son style habituel, sobre et sans fioritures, Paul rédige un mémo où il dresse la liste des questions restées sans réponses.

Que faisait un avion anti-sous-marins dans la zone du crash ?

Pourquoi un croiseur lance-missiles y patrouillait-il lui aussi ?

Pourquoi le Pentagone nie-t-il, contre toute évidence, la présence de bâtiments militaires ce soir-là ?

Pourquoi le FBI est-il intervenu dès le premier jour, alors que la procédure habituelle prévoit que c'est au National Transportation Safety Board (NTSB) de déterminer la cause d'une catastrophe aérienne ?

Pourquoi ne tient-on aucun compte des conclusions rendues par des spécialistes de la balistique militaire qui affirment que les témoignages des nombreux observateurs du crash convergent vers l'hypothèse qu'un tir de missile en est à l'origine ?

Comment se fait-il qu'aucun des bâtiments militaires

présents dans la zone (un avion de lutte anti-sous-marins P-3 Orion et le croiseur lance-missiles *USS Normandy*) n'ait rien vu alors que des témoins civils fournissent un luxe de détails sur les circonstances de la catastrophe ?

Que penser de l'efficacité de nos forces armées si deux unités de combat de haut niveau n'ont pas la moindre idée de ce qui a fendu le ciel cette nuit-là ?

Paul conclut ainsi son mémo : « *Une enquête passe toujours par une évaluation des scénarios possibles. On commence par un simple soupçon, puis l'hypothèse devient vraisemblable avant de se transformer en cause probable. Dans le cas présent, on peut difficilement continuer d'accorder aux trois scénarios envisagés (une panne mécanique, une bombe embarquée ou un missile) une vraisemblance identique. Trois mois après l'accident, l'une d'entre elles est censée se détacher. Selon moi, l'hypothèse de la panne n'a jamais tenu la route ; celle d'une bombe qui aurait explosé à bord de l'avion n'est étayée par aucun indice, même si elle reste envisageable ; il ne reste donc que le scénario du missile, crédibilisé par de nombreux témoins.* »

Les semaines passent et je multiplie les entretiens : témoins oculaires, scientifiques, policiers, médecins, personnels de l'aéroport... Je rencontre également des confrères. Les journalistes répugnent généralement à partager leurs informations, mais cette fois la nature de l'affaire le justifie. Dans ses articles pour le *Press-Enterprise* (publié à Riverside, en Californie), David Hendrix, un vétéran de la presse écrite, se pose des questions semblables aux nôtres. Quand je lui téléphone, il m'apprend qu'il dispose de sources militaires haut placées qui lui ont fourni des informations qu'il est prêt à me communiquer, de même que les coordonnées de quelques experts. David me présente ainsi à Jim Sanders, un ancien policier devenu journaliste.

Comme moi, Jim Sanders éprouve une motivation particulière à enquêter sur cet accident. Elizabeth, son épouse, est en charge de la formation des hôtesses de la TWA. Au bureau, celle-ci a entendu circuler de bien étranges rumeurs sur l'origine du crash, et ses collègues lui ont demandé si Jim serait d'accord pour se pencher sur la question. Celui-ci accepte et décide de s'associer à David Hendrix et à une source que l'on me désigne à l'époque par le surnom de « l'homme du hangar » : cet informateur appartient à l'équipe d'enquête et d'analyse du hangar de Calverton, où sont rassemblés les débris du vol 800. L'homme du hangar est tellement perturbé par ce qui se déroule sous ses yeux qu'il a choisi de se tourner vers Jim, à qui il a transmis confidentiellement certains documents. Il a, par exemple, escamoté une copie de la reconstitution du champ de débris de l'avion qui contredit les affirmations selon lesquelles « l'événement initial » aurait eu lieu dans le réservoir d'aile central – ce qui aurait provoqué l'implosion de l'appareil.

L'homme du hangar a par ailleurs exfiltré un exemplaire du rapport de briefing du NTSB daté du 15 novembre 1996, dans lequel le directeur de cet organisme, James Hall, invite son adjoint au Département de la sécurité aérienne, Ron Schleede, à soumettre un courrier à son chef, Bernard Loeb, pour signature. Dans quel but ? « *La lettre,* écrit James Hall, *devra faire référence au technicien [de la Federal Aviation Administration (FAA)] chargé de l'analyse qui a abouti au relevé radar contradictoire signalant la présence d'un missile. Elle devra aussi poser la question de savoir pourquoi cette information a été transmise à la Maison Blanche et au centre technique de la FAA avant que le NTSB n'y ait eu accès...* » James Hall souhaite que le courrier soit ensuite adressé à David F. Thomas, du Département d'enquête sur les accidents de la FAA.

« *Dans les heures qui ont suivi l'accident, certains membres du personnel de la FAA se sont livrés à une évaluation préliminaire qui rapporte que les enregistrements radar du contrôle aérien comportent le tracé d'un objectif, volant à grande vitesse, approchant puis se confondant avec le vol TWA 800*, écrit Bernard Loeb. *Quelqu'un de votre service a appelé nos bureaux vers 9 h 30, le 8 juillet [il s'agit en fait du 18 juillet] 1996, pour nous faire part de cette évaluation des données radar par la FAA suggérant qu'un missile aurait pu toucher l'avion. Celle-ci a été transmise à d'autres autorités, dont les responsables de la Maison Blanche. Après avoir reçu les enregistrements du contrôle aérien et les avoir analysés, le NTSB a déterminé que l'évaluation préliminaire du personnel de la FAA était incorrecte.* »

Plus loin, Bernard Loeb indique que l'étude du NTSB doit être considérée comme plus fiable que celle de la FAA et suggère à son correspondant de se ranger à son avis : « *D'après ce que nous en savons, les spécialistes reconnaissent maintenant le bien-fondé de l'analyse du NTSB. Je vous saurais reconnaissant de bien vouloir veiller à ce que tous les responsables impliqués dans l'évaluation préliminaire admettent qu'aucun tracé, dans les enregistrements radar du contrôle dont dispose la FAA, ne peut être interprété comme un objet volant à grande vitesse se confondant avec le vol TWA 800.* »

J'imagine la stupeur qui a dû saisir David Thomas à la lecture de cette missive. Bernard Loeb lui demande de contraindre tous les experts de la FAA à renier ce qu'ils ont analysé et à serrer les rangs derrière les spécialistes du NTSB, quitte à se discréditer. Mais la liste des injonctions ne s'arrête pas là : « *Je vous saurais également reconnaissant de bien vouloir expliquer de quoi découlent les erreurs constatées dans votre évaluation préliminaire, afin qu'il soit possible de répondre de façon précise et cohérente aux éventuelles questions des médias et du public* », ajoute Bernard Loeb. Ainsi, non seulement ce dernier exige-t-il que David Thomas force la main de ses experts pour qu'ils se rangent à l'analyse du NTSB, mais il attend encore de lui qu'il les désavoue publiquement en invoquant une erreur qui n'a jamais eu lieu.

Le responsable de la FAA refuse de se soumettre. Dans sa réponse, datée du 9 janvier 1997, il fait savoir qu'il n'est pas en mesure d'obtenir approbation des membres de son personnel concernés par la première analyse radar quant à l'évaluation du NTSB. D'un ton conciliant, il reconnaît toutefois que « *l'analyse du centre technique de la FAA indique que la probabilité d'un tir de missile est faible* » et ajoute même : « *Il faut souligner que les radars de trafic aérien de la FAA sont conçus pour détecter et suivre des avions, et non pas des missiles à grande vitesse. Par conséquent, toute conclusion à partir de notre analyse doit prendre en considération ces limitations techniques.* »

Les chaînes de télévision qui rendront compte de cet échange épistolaire donneront l'impression que les techniciens de la FAA se sont rendus coupables d'une mauvaise interprétation et qu'ils sont allés trop vite en besogne en envoyant leur rapport à la Maison Blanche. En guise d'images, ces chaînes utiliseront, pour l'essentiel, des fac-similés des courriers. Un passage de la lettre de Bernard Loeb sur le « *missile* » est surligné à l'écran, suivi d'un extrait, également surligné, de la lettre de David Thomas dans lequel celui-ci évoque la faible probabilité d'un tel scénario. La couverture médiatique adoptée aboutira évidemment à consolider la version du NTSB et à discréditer les conclusion de la FAA.

L'affaire Pierre Salinger éclate au moment où Jim Sanders vient d'obtenir certains documents confidentiels par l'intermédiaire de l'homme du hangar. Ancien attaché de presse à la Maison Blanche, Pierre Salinger claironne devant les médias du monde entier que les services de renseignements français lui ont fourni des documents prouvant que le vol 800 a été abattu accidentellement par un missile de la marine américaine. Le même jour, Jim Kallstrom organise en catastrophe une conférence de presse pour opposer un démenti formel à ces allégations. Le responsable du FBI est flanqué du contre-amiral Edward K. Kristensen, lui-même encadré par d'autres membres des services de renseignements et de l'armée (curieusement, Jim Hall, du NTSB, est en retard).

Après les discours, viennent les questions. Un journaliste désire savoir pourquoi la Navy a participé aux opérations de récupération et à l'enquête si elle est, dans le même temps, considérée comme un suspect potentiel. En entendant ces mots, Jim Kallstrom perd toute mesure : « *Virez-le-moi !* », hurle-t-il. Deux gros bras se jettent alors sur notre audacieux confrère et l'évacuent sans ménagement. Un silence glacial s'abat sur la salle, tandis que Jim Kallstrom relance la conférence de presse comme si de rien n'était. Il nous aurait plus sûrement ralliés à la thèse de l'innocence de l'US Navy s'il avait balayé posément les éléments faisant état d'un missile.

La séance se poursuit. L'amiral Kristensen explique

que seulement deux unités de la marine étaient déployées dans la zone du crash ce soir-là : un avion de lutte anti-sous-marins P-3 Orion, à environ 80 miles au sud du site, et le croiseur lance-missiles *Normandy*, à quelque 185 miles au sud-ouest. En conséquence, l'officier réitère la déclaration officielle émise par le ministère de la Défense peu après l'explosion.

L'amiral Kristensen est-il mal informé, ou bien ment-il effrontément ? Nous n'obtiendrons la réponse à cette question que bien plus tard.

Le P-3 comme le *Normandy* pouvaient effectuer un suivi électronique de tout objet qui aurait approché l'avion avant sa désintégration. Mais, à en croire la marine, du fait d'une coïncidence pour le moins regrettable, aucun des deux n'a été en mesure de procéder à un tel suivi ce soir-là. Selon l'amiral Kristensen, au moment du crash le *Normandy* procédait à des *« exercices de contrôle d'avarie énergie »*. Le radar du bâtiment, qui avait été placé sur énergie auxiliaire, était donc incapable de détecter quoi que ce soit au-delà d'une portée de 150 miles.

Dave Hendrix aura l'occasion d'étudier le journal de bord du croiseur, un document dans lequel *« est portée la moindre fluctuation dans le brouillard, la vitesse ou les exercices de bord »*, comme il l'écrira dans le *Press-Enterprise*. Or, poursuit-il, *« ce journal ne fait mention d'aucun exercice ni d'aucune réduction de l'activité radar ce soir-là »*. Entre midi et minuit, il ne recense que des informations de routine : *« Commandant sur la passerelle »* ; *« Commandant quitte la passerelle »* ; *« Feux de navigation renforcés par coucher de soleil »*... Pas la moindre trace d'un *« exercice de contrôle d'avarie énergie »*.

Autrement dit, soit on nous sert un nouveau bobard,

soit les marins chargés de la tenue du journal de bord, tout comme le commandant qui l'a signé, ont commis un grave manquement. Deux hypothèses aussi dérangeantes l'une que l'autre.

Le vol 800 s'écrase au large de la circonscription de Michael Forbes, parlementaire républicain de l'Etat de New York. Après le drame, par dizaines, ses électeurs prennent contact avec ses services, le pressant de tout mettre en œuvre pour découvrir ce qui s'est passé. Le parlementaire décide de détacher son chef de cabinet, Kelly O'Meara, sur ce dossier. Quelques semaines après la conférence de presse de Jim Kallstrom, celle-ci aura l'occasion de s'entretenir avec trois agents du FBI. Elle les interrogera sur l'éventuelle présence de sous-marins dans la zone au moment du crash. Ils lui demanderont si elle bénéficie d'une habilitation « secret défense ». Comme ce n'est pas le cas, ils refuseront de lui répondre.

Dans le même temps, des sources militaires officielles inondent le bureau de Michael Forbes d'informations contradictoires. Dans une lettre datée de décembre 1996, l'état-major de la marine écrit au parlementaire que le P-3 Orion *« est passé juste au-dessus de l'avion de la TWA »* peu avant l'explosion et qu'il a *« largué des balises sonores dans le cadre d'un exercice militaire »*. Deux mois plus tard, le service juridique de l'état-major de la marine rapporte, lui, que l'avion *« effectuait un vol d'entraînement de routine, approximativement à 55 miles au sud-est du site »*. Près d'un an après le désastre, ces mêmes avocats rédigeront une nouvelle synthèse sur le crash. On y apprend que, selon la marine, *« il n'y avait aucun sous-marin à proximité du site lors du crash du vol 800 de la TWA. Seuls deux sous-marins étaient en opération au nord du* Virginia Capes Operating Area, *au large de la Virginie, à ce moment-là. Ils opéraient approximativement à 107 et 138 miles du site du crash.* »

Si l'on comprend bien ce que nous disent les sources officielles, le *Normandy* (qui se trouvait à 185 miles de là) était à proximité de la zone du crash, mais pas les sous-marins, qui croisaient respectivement à 107 et 138 miles ! Dans ce même rapport, le « *vol d'entraînement de routine* » du P-3 se métamorphose en un vol « *en route pour opérer avec l'*USS Trepang », le sous-marin situé à 107 miles du site.

Tout ceci illustre comment on peut, à loisir, déformer les faits, diffuser des informations contradictoires pour semer la confusion, créer des impressions fausses mais durables… Pour désinformer efficacement, mieux vaut trop d'informations que pas assez.

Deux ans plus tard, à force de patience, Kelly O'Meara – qui a, entre-temps, dû démissionner de son poste de chef de cabinet et a entamé une collaboration avec le magazine *Insight* – fait une précieuse découverte. Jusque-là, le NTSB avait rendu publics des enregistrements radar relatifs à un cercle de seulement 20 miles nautiques autour du site. Dans un article du 20 septembre 1999, l'enquêtrice souligne d'ailleurs que ces informations « *sont à l'origine des conclusions du FBI, qui affirme que l'activité aérienne ou navale dans la zone considérée était réduite au moment du crash* ». Or Kelly O'Meara est parvenue à se procurer d'autres enregistrements radar, en provenance du NTSB, qui couvrent un périmètre plus étendu. Ces documents révèlent que, juste au-delà du premier cercle de 20 miles nautiques, se déroule ce soir-là un spectacle peu ordinaire.

« *Dans un périmètre situé entre 22 et 35 miles nautiques, une forte concentration d'échos radar semblent pénétrer dans une zone d'alerte militaire bien connue, interdite au trafic civil et commercial* », écrit-elle. Désignée sous le nom de code W-105, cette zone d'alerte « *a été activée, ainsi que plusieurs autres, dans le cadre de manœuvres militaires prévues le long du littoral atlantique* », ajoute-t-elle. Quand une zone de ce type est activée, elle est strictement interdite aux bâtiments civils.

Plusieurs mois avant la publication de l'article de Kelly O'Meara, les analystes radar du NTSB ont d'ailleurs identifié les tracés de quatre bâtiments de surface qui se trouvaient dans un rayon de seulement 6 miles au moment de la destruction de l'avion. Le plus proche d'entre eux est surnommé le « *tracé à 30 nœuds* ». Dans son *Rapport intermédiaire indépendant à propos de certaines anomalies survenues dans l'enquête officielle sur le crash du vol TWA 800*, le physicien Tom Stalcup apporte un éclairage décisif sur cette activité maritime (Tom Stalcup et les membres de son équipe sont les seuls enquêteurs indépendants auxquels Jim Hall, le directeur du NTSB, ait jamais accepté de répondre).

Dans son rapport, Tom Stalcup écrit :

« *1. Le FBI [en l'occurrence, Lewis D. Schiliro, directeur adjoint, dans une lettre au parlementaire James Traficant] et le NTSB [Charlie Pereira, directeur du Service des enregistrements radar, dans un entretien téléphonique enregistré avec Tom Stalcup, en 1998] ont confirmé que le « tracé à 30 nœuds » était un bâtiment de surface qui se trouvait sur zone [...] peu avant que les débris ne commencent à tomber. Il a quitté le site à 30 nœuds (56 km/h) au lieu de participer aux opérations de recherche et de sauvetage [ce qui constitue une violation caractérisée du devoir d'assistance en mer prévu par le droit maritime : code fédéral, article 46, paragraphe 2304].*

2. Sa position, juste avant la désintégration du vol 800, correspond à celle d'un objet de type "fusée" qui, selon des témoins oculaires, s'est élevé à partir de la surface de l'océan.

3. Sa vitesse (30 nœuds) et son cap (à l'opposé de la scène de l'accident et de la côte) ne correspondent pas à ceux des nombreux navigateurs de plaisance qui ont fait route vers le site pour participer aux opérations de recherche et de sauvetage [la question est donc de savoir pourquoi ce bâtiment a quitté la zone précipitamment alors que même les plaisanciers se dirigeaient rapidement vers le site du crash].

4. Ce bâtiment n'a pas été identifié jusqu'à présent par le FBI ni le NTSB. »

Tom Stalcup cite ensuite la réponse adressée par Lewis D. Schiliro à James Traficant qui, dans une lettre datée d'avril 1998, s'est inquiété de savoir si le FBI avait identifié l'ensemble des bâtiments et appareils présents dans les parages du crash. Le directeur adjoint du FBI lui répond par la négative : *« En janvier 1997, notre service a remarqué pour la première fois la présence d'un bâtiment de surface [...] naviguant entre 25 et 35 nœuds. Malgré des efforts intensifs, nous n'avons pas été en mesure de l'identifier. »*

Peu de temps après, Reed Irvine, d'*Accuracy In Media*, s'entretiendra au téléphone avec James Kallstrom à propos du « tracé à 30 nœuds ». Voici des extraits de leur conversation :

Reed Irvine : *« Le FBI vient d'envoyer une lettre à James Traficant dans laquelle il prétend que trois navires de guerre se trouvaient dans les environs mais qu'il n'arrive pas à les identifier pour des raisons de respect de la vie privée. Ce n'est pas très crédible...*

– Oui... bon, ben, en fait on sait tous ce que c'était. J'en ai même parlé en public.

– Et qu'est-ce que c'était ?

– Des bâtiments de la marine participant à des manœuvres confidentielles.

– Et celui qui a filé vers la haute mer à 30 nœuds ?

– C'était un hélicoptère.

– A la surface de l'eau ?

– Enfin, entre vous et moi, tout le monde dit que c'était un hélicoptère, mais on ne peut pas le prouver à 100 %. »

Dans ce bref échange, tout en sous-entendus, James Kallstrom se veut catégorique sur le fait que le « tracé à 30 nœuds » serait un hélicoptère, tout en précisant bien que cela est indémontrable. Dans le même temps, son successeur au FBI, Lewis D. Schiliro, affirme quant à lui à James Traficant qu'il s'agit d'un bâtiment de surface sans que ses services aient pu établir de quel type. N'est-il pas curieux, voire inquiétant, que ces deux pontes du FBI se montrent incapables d'accorder leurs violons, et *a fortiori* d'identifier formellement le « tracé à 30 nœuds » ?

Ces lacunes évidentes de l'enquête n'ont jamais empêché James Kallstrom d'assurer au peuple américain que ses enquêteurs avaient retourné jusqu'au moindre caillou. Il semble au contraire qu'ils en aient oublié au moins un. Ou plutôt qu'ils l'aient magistralement ignoré.

Même quelqu'un qui ne manifesterait qu'un intérêt poli pour l'affaire du vol TWA 800 se trouverait rapidement aveuglé par la quantité d'omissions, de contradictions ou d'invraisemblances qu'elle recèle. Peu après la destruction de l'avion, par exemple, le Pentagone assurait avec insistance qu'aucun missile ne manquait dans l'arsenal américain, ce qui semblait exclure l'hypothèse d'un « tir ami ». Bien sûr, personne n'a demandé aux représentants de la Défense comment un tel inventaire avait pu être réalisé dans un laps de temps aussi court. La réponse est pourtant simple : l'inventaire en question n'a jamais eu lieu, tout simplement parce qu'il s'agit d'une mission impossible. Les Etats-Unis abritent des centaines d'installations militaires. Pour entamer un tel décompte, il faudrait recenser méthodiquement l'arsenal de chacune d'entre elles. Bref, même un dénombrement approximatif de l'ensemble des missiles balistiques présents aux Etats-Unis serait difficile – et je ne parle pas des missiles américains à l'étranger, plus complexes encore à chiffrer.

Deux mois après la catastrophe du vol 800, la Cour des comptes américaine publie un rapport intitulé *Gestion de l'inventaire : vulnérabilité du matériel sensible de la Défense au risque de vol*. On peut y lire, entre autres : « *Des divergences persistent entre le nombre officiel de missiles recensés et notre propre décompte. Par ailleurs, les missiles sont exposés à des vols internes puisque le ministère de la Défense n'exige pas qu'un échantillon représentatif des conteneurs soit ouvert lors des contrôles d'entretien. De plus, certaines bases ne satisfont pas aux directives du ministère en matière de sécurité...* » Pas vraiment rassurant, n'est-ce pas ?

Quand le Pentagone a déclaré qu'il ne lui manquait pas un seul missile, en réalité il n'en savait fichtre rien. Le message qu'il voulait faire passer à l'opinion publique et à la presse pouvait se traduire par : « *Ne cherchez pas dans cette direction...* »

Je suis plongée dans les informations que Paul Ragonese continue d'amasser lorsque je découvre les déclarations tenues par Dan Rather à la presse à propos de l'affaire Pierre Salinger. Le journaliste phare de CBS News déclare au *New York Times* que, lorsque la version de l'ancien attaché de presse de la Maison Blanche a fait la une, il a décidé de s'y intéresser *« avant tout pour la descendre en flammes »*. Et d'ajouter : *« Je suis toujours consterné de voir à quelle vitesse une rumeur est susceptible de se propager, un peu comme de la moisissure dans une cave humide. »* En conclusion, Dan Rather déclare, péremptoire, que *« des preuves substantielles démontrent qu'une telle chose n'a jamais eu lieu »*.

J'ai beaucoup de respect pour Dan Rather. Figure légendaire de CBS News, des pressions terribles s'exercent sur lui. Pour avoir travaillé à ses côtés, je l'ai toujours considéré comme le symbole de l'excellence professionnelle. De surcroît, il est d'un commerce agréable. Je suis d'autant plus peinée d'écrire que Dan a raconté n'importe quoi au *New York Times*. Même le FBI continue officiellement à travailler sur l'hypothèse d'un tir de missile. S'il ne fait aucun doute que Pierre Salinger s'est montré d'une incroyable légèreté en se précipitant au-devant de la presse pour asséner une vérité qu'il était incapable de prouver, cela justifie-t-il les commentaires hors de propos de Dan Rather ? Le journaliste de CBS a, ce jour-là, endossé le costume d'attaché de presse du gouvernement. Ce ne sera pas la dernière fois.

Durant les premières semaines qui suivent le crash, la presse évoque fréquemment l'hypothèse d'une force explosive à haute pression – autrement dit, d'une bombe ou d'un missile. Ce traitement est d'ailleurs conforme aux intérêts du FBI. Le *New York Times* y consacre ses gros titres : « *Le train d'atterrissage porterait la trace d'une bombe* » (31 juillet 1996) ; « *L'hypothèse de la panne est contredite par l'étude du réservoir* » (14 août 1996) ; « *Le FBI affirme que deux laboratoires ont trouvé des traces d'explosif sur l'avion de la TWA* » (24 août 1996). Dès le mois de septembre 1996 pourtant, la presse oublie ses interrogations et se met à épouser la nouvelle ligne officielle. « *L'enquête sur le crash de la TWA relance la possibilité d'une panne* », titre le *New York Times* dès le 19 septembre.

Il est toujours fascinant d'observer comment un journal parvient à concilier, en si peu de temps, des optiques à ce point antagonistes. Le quotidien a d'abord consacré une série d'articles aux éléments qui semblent invalider l'hypothèse d'une panne – rendant compte « *des traces d'explosif dans la cabine des passagers* », du « *train d'atterrissage très endommagé* » ou encore des « *éléments du réservoir presque intacts* » – avant d'effectuer un revirement complet. « *Les enquêteurs reconnaissent ne disposer d'aucune preuve accréditant l'hypothèse d'une panne mécanique,* déclare à présent le *New York Times. Mais, prétendent-ils, l'impossibilité d'apporter la preuve d'un attentat à la bombe, deux mois après le drame, conduit à envisager d'autres pistes.* »

Tandis que les autorités se veulent rassurantes, les enquêteurs accrédités tiennent un tout autre discours. Le journaliste John Kelly me donne accès à un document émanant des services de l'inspecteur général du ministère de la Justice. Daté du 28 octobre 1996, il confirme la teneur des déclarations de l'informateur de Paul Ragonese selon lesquelles il y avait « *des gens partout, qui touchaient à tout* » dans le hangar de Calverton. On y trouve aussi la transcription d'un entretien téléphonique entre Alison Murphy, de l'inspection générale, et l'analyste Bill Tobin, du FBI. Ce dernier évoque un mémo qu'il a rédigé, dans lequel il décrit « *l'hystérie* » qui a régné à Calverton durant les premiers mois d'enquête. Il explique encore à sa correspondante que le NTSB « *a remis en cause l'attitude de Tom Thurman, un spécialiste en explosifs du FBI, lui reprochant de n'avoir pas respecté les exigences scientifiques et de s'être comporté comme un membre des troupes de choc* ». La raison de ce désaveu ? « *Pendant l'enquête, Tom Thurman a fouillé dans les fauteuils des passagers et recueilli des fragments sans tenir compte de leur trajectoire* », poursuit Bill Tobin[1].

Du côté du NTSB, le scénario est identique. Les notes prises par l'un de ses principaux enquêteurs, Hank Hughes, qui sont présentées le 10 mai 1999 devant une commission judiciaire du Sénat sur *La gestion administrative du vol TWA 800*, sont encore plus édifiantes :

« *1. Les agents du FBI affectés au bureau du médecin légiste manquaient d'organisation et n'ont pas établi de chaîne des responsabilités pour la garde des vêtements et des fragments prélevés auprès du personnel médicolégal. Ils n'ont pas décontaminé ces effets et fragments à Calverton.*

2. Ils ont conservé dans une remorque frigorifique des vêtements ensanglantés appartenant à des passagers ou à des membres d'équipage, contrairement à la procédure médicolégale universellement reconnue. Deux mois après le

---

1. L'analyse de la trajectoire des fragments fichés dans les fauteuils peut permettre aux experts de déterminer ce qui a causé l'explosion qui les a propulsés.

début de l'enquête, l'unité de réfrigération de la remorque est tombée à court de carburant et son contenu a chauffé pendant deux jours et demi à un peu plus de 30 degrés, avant que l'unité de réfrigération ne soit relancée. En conséquence, des moisissures se sont développées sur les indices potentiels qui y avaient été stockés.

3. Ils ont prélevé des housses de siège sans noter leur provenance[1].

4. Ils n'ont pas procédé aux radiographies nécessaires et ont négligé plusieurs rangées de sièges.

5. Les analyses chimiques n'ont pas été systématiques.

6. Le FBI a sorti du hangar certains composants sans que ses propres enquêteurs ou ceux du NTSB aient été consultés ni informés de ce qui était emporté.

7. Un agent de la côte ouest a tenté d'aplatir des débris de l'épave[2].

8. Les experts en explosifs n'ont pas agi conformément à la procédure en matière d'identification des indices.

9. Parmi les trente-deux membres de l'équipe du FBI chargée de récupérer les indices, seulement quatre disposaient d'une formation en médecine légale.

10. Le FBI a refusé de participer aux groupes d'enquête[3].

---

1. Dans son témoignage, Hank Hughes déclare que « *beaucoup de housses de sièges – il y avait dans l'avion 430 sièges passagers et 21 sièges pour l'équipage – ont disparu : elles ont été jetées en vrac dans une benne à ordures. Environ deux mois après le début de l'enquête, avec l'aide d'un agent du FBI, j'ai voulu trier ce qui se trouvait dans cette benne. Outre les housses, nous y avons retrouvé des fauteuils qui manquaient eux aussi...* »

2. Hank Hughes donne le nom de Ricky Hahn.

3. Les enquêteurs du NTSB sont répartis en différents groupes : celui « des témoins », celui « des légistes-pathologistes », etc. D'après Hank Hughes, le FBI – qui a pris les commandes effectives de l'enquête officiellement confiée au NTSB – n'a été représenté dans aucune de ces équipes, ce qui a entravé considérablement les recherches de son service.

11. Le traitement réservé par le FBI au Bureau des alcools, tabacs et armes à feu (ATF) n'a pas été professionnel. Il n'a pas fait appel à ce service pourtant très en pointe dans l'analyse des explosifs.

12. Manque de formation aux risques de contamination et mauvaise utilisation des équipements. Le FBI n'a pas laissé ses propres équipes utiliser l'équipement du NTSB.

13. Manque apparent de coordination au sein du FBI entre les artificiers, le laboratoire et les agents chargés de l'enquête.

14. Les agents ont enfoncé des couteaux dans les dossiers des fauteuils, ce qui a compromis toute possibilité de procéder à une analyse de trajectoire.

15. Le FBI s'est chargé de retrouver les corps des victimes mais il a omis d'utiliser des balises GPS pour marquer leur emplacement.

16. En septembre 1996, un agent du FBI qui n'était pas associé aux activités de Calverton a laissé un parapsychologue pénétrer dans le hangar. »

Hank Hughes se montre particulièrement critique envers Tom Thurman, qui dirige les spécialistes en explosifs du FBI : « *Après que nous avons commencé à rassembler les débris et à les cataloguer aux fins d'une reconstitution ultérieure, M. Thurman et son groupe se sont chargés de l'analyse chimique. Ils cherchaient la trace d'un engin explosif, une bombe ou un missile. Nous, enquêteurs du NTSB, voulions procéder avec méthode. D'après ce que j'ai pu en juger, eux avaient pour mission d'agir dans l'urgence, ce qui n'est pas allé sans provoquer quelques frictions.* » Selon lui, la répartition entre « *les agents du FBI et autres* » et les représentants du NTSB était de l'ordre de cent pour un. Si l'on ajoute à cela le fait que le FBI a refusé de communiquer au NTSB les informations qu'il avait obtenues auprès de témoins oculaires, il ne fait plus aucun doute que le National Safety Security Board n'a jamais véritablement tenu les rênes de l'enquête, comme la loi le prévoit pourtant.

Un mois après son témoignage accablant devant la commission judiciaire du Sénat, Hank Hughes fournit une nouvelle illustration du rôle mineur dévolu au NTSB dans l'enquête. Le président de la commission lui a posé par écrit une ultime question. Avait-il signalé à ses supérieurs du NTSB les excentricités du FBI ? Sa réponse est aussi franche et directe que son témoignage : *« Le NTSB n'a rien fait pour résoudre ces difficultés. Selon moi, notre service a souffert d'un sérieux défaut d'autorité pendant cette enquête. Les illustrations ne manquent pas, comme l'absence presque quotidienne de Robert Francis, notre vice-président, à chacune de nos réunions. J'ai pris part à plus de cent dix grandes enquêtes sur des accidents de transport depuis que je travaille au NTSB, mais c'est la seule fois où j'ai constaté que le responsable du NTSB n'était jamais là pour superviser son équipe d'enquêteurs. [...] On comprend qu'il ait été facile au FBI de tout prendre en main. »*

Aujourd'hui, Hank Hughes travaille toujours pour le NTSB mais on l'a mis au placard. Quand il aura atteint l'âge de la retraite, peut-être acceptera-t-il d'en dire plus sur ce qu'il a vu à Calverton. Dans une affaire de ce genre, les seules sources officielles qui vaillent sont celles qui ont osé contredire la ligne du parti... avant de devoir faire leurs valises.

L'ancien policier Jim Sanders permet à CBS d'être la première chaîne de télévision à obtenir la copie de documents issus du hangar. Linda Mason, productrice exécutive, me recommande de les transmettre en premier lieu à CBS *Evening News*. J'apporte donc ma pile de documents – notamment la copie du champ de débris de l'avion et le rapport de briefing du directeur du NTSB – à Bill Felling, le chef du bureau nord-est. Je lui confie également une copie du rapport de laboratoire que Jim m'a fait parvenir, détaillant l'analyse du résidu rouge retrouvé sur certains des sièges de l'avion. Mais Bill ne semble pas se passionner outre mesure pour mes découvertes.

Parallèlement, Paul Ragonese fait part à Bill Felling de son rendez-vous confidentiel avec des membres de l'équipe du FBI, lesquels lui ont parlé des manœuvres militaires auxquelles un drone aurait pris part. Celui-ci demande à Paul si ces sources seraient prêtes à témoigner à l'écran. Ne laissant rien paraître de sa stupeur face à une question aussi stupide, mon confrère lui répond que cela est impossible, car ces témoins risqueraient alors de perdre leur emploi ou bien pire.

De son côté, Jim Sanders mitonne son scoop. Selon les conclusions de son analyse chimique, le résidu rouge correspond aux composants d'un carburant solide pour fusée. Quand il estime le moment opportun, Jim donne l'information à David Hendrix pour la presse écrite et à moi pour la télévision. CBS doit être la première chaîne à relayer les découvertes de cet enquêteur indépendant qui affirme avoir reçu de l'homme du hangar des preuves selon lesquelles le vol TWA 800 a été touché par un missile.

En interviewant Jim Sanders, je me suis demandé s'il réalisait bien ce qu'il était en train de faire. Je me souviens qu'une assistante de production de mon service, qui a assisté à l'entretien, m'a confié par la suite que cet homme l'avait fait frissonner. Sa réflexion m'a surprise. Puis je me suis dit qu'elle s'était peut-être laissée rebuter par le fait que Jim ne disposait d'aucun titre officiel susceptible de lui conférer une légitimité incontestable. Personnellement, je me suis sentie un peu inquiète pour lui. Je me doutais bien qu'il aurait immanquablement des ennuis après avoir tenu ces déclarations, mais j'ignorais à l'époque s'il était guidé par le courage ou par une audace irréfléchie. Je comprends aujourd'hui que c'est le courage qui lui dictait sa conduite.

Mon entretien avec Jim est dans la boîte, les documents qu'il m'a communiqués se trouvent sur le bureau de Bill Felling, et pourtant personne à *Evening News* ne s'affole. Je comprends difficilement la léthargie ambiante, et commence à m'inquiéter en constatant que Jim est de plus en plus sollicité par les autres chaînes. En désespoir de cause, je choisis de crever l'abcès sans m'embarrasser de diplomatie. En plein milieu de la réunion matinales des chefs de service, je fais irruption dans « le bocal », la salle de conférence tout en vitres d'*Evening News*, et leur demande pourquoi ils ne bougent pas sur l'affaire TWA 800. L'un d'eux me lance : « *Vous croyez que c'est un missile, hein ?* » Je lui réponds que je n'en sais rien et lui retourne la question : « *Vous ne pensez pas qu'il serait nécessaire de poser les questions qui s'imposent à propos de cet homme et de ses documents ?* » Le silence qui suit est lourd. Et je dois une nouvelle fois déchanter. En pénétrant dans le bocal, j'étais sincèrement convaincue qu'une incompréhension en haut lieu retardait la diffusion de nos informations et que je pourrais contribuer à rectifier le tir sans tarder. En voyant l'attitude des pontes de la rédaction, je comprends qu'il en va autrement.

Dans le couloir, alors que je quitte la salle de conférence, une productrice d'*Evening News* me rattrape. Elle m'apprend que des sources qu'elle estime fiables lui ont également parlé de l'éventualité d'un «tir ami». J'en retiens que, selon ma consœur, le dossier vaut que l'on s'y attarde mais qu'il n'est pas sans présenter certains dangers pour la carrière d'un journaliste. *A posteriori*, je dois reconnaître que son instinct était plus affûté que le mien.

Le sujet devient brûlant. Les autres chaînes de télé font des pieds et des mains pour recueillir le témoignage de Jim Sanders. Aussi, je me trouve contrainte de lever la clause d'exclusivité qu'il a accordée à CBS et de lui permettre de s'exprimer où il le souhaite. Comme il se doit, à la minute où ma direction apprend que nos concurrents veulent Jim, Bill Felling me demande de remettre la main sur lui. Ravalant ma colère, je lui dis que j'essaierai, mais Jim est déjà entre les mains de NBC. Je me rends au bocal, et là, devant tous les producteurs, je hurle à Bill : *« NBC nous l'a piqué ! »* Celui-ci hausse les épaules : *« Et alors... ? »* Je tourne les talons, incapable de dissimuler mon mépris.

Que la chaîne le veuille ou non, CBS ne peut plus échapper à l'affaire Sanders. Bill Felling me charge donc de récupérer des photos du fameux résidu rouge. Jim me les fait parvenir par FedEx et je les transmets à Bill. Le même jour, je m'invite dans le bureau de mon chef pour lui rappeler que nous avons toujours une interview de Jim Sanders au frigo. Bill est au téléphone avec David Caravello, de notre agence de Washington. Il me fait signe de prendre l'écouteur. Je décroche juste au moment où David, furieux, affirme que Jim n'est pas crédible et qu'il refuse de lui accorder le moindre temps d'antenne. J'aurais dû m'en douter. David Caravello travaille avec Bob Orr, notre correspondant dans la capitale fédérale, dont les contacts haut placés au Pentagone lui ont affirmé que l'armée des Etats-Unis n'était pour rien dans le crash du vol 800...

Je ne peux m'empêcher de penser que si Bob Orr défend la théorie de la panne mécanique, c'est d'abord parce qu'il ne veut pas se fâcher avec ses sources. Dans l'univers impitoyable de l'information télévisée, il est indispensable de ménager les informateurs proches des cimes du pouvoir. Après que Bill a raccroché, je lui indique que, selon moi, le sujet devrait être confié au bureau de New York. Pour toute réponse, il m'adresse un pâle sourire. Mais je refuse toujours d'admettre que ma chaîne n'a jamais eu l'intention de diffuser un sujet qui risque de déplaire au Pentagone. Quelle idiote je fais !

Reste à CBS à aborder les révélations de Jim pour mieux les minimiser. Dans *Evening News*, Dan Rather en informe l'Amérique, tandis qu'apparaît à l'écran une photographie du résidu. Puis, c'est au tour du FBI de réagir à ces allégations. James Kallstrom, le patron de l'équipe qui a travaillé sur l'épave du vol 800, assure en direct que le résidu rouge serait en fait de la colle. Il a beau mentir effrontément, son interlocuteur gobe sans moufter. Le célèbre Dan Rather remercie le représentant du FBI et passe au sujet suivant...

Bondissant d'une révélation à une autre, Jim Sanders me demande si je serais intéressée par un échantillon de la mousse de rembourrage d'un fauteuil qui porte des traces de résidu. Ma chaîne pourra le soumettre à une analyse dont elle communiquera les résultats à ses téléspectateurs. Malgré nos récentes déconvenues, Jim a toujours confiance en moi. Quant à moi, je n'ai pas encore abandonné tout espoir de voir mon employeur aller au bout de cette histoire. Alors, j'appelle Bill Felling. Après m'avoir fait patienter quelques instants, il me répond qu'il n'est pas intéressé. Je ne suis pas surprise.

Je contacte ensuite Josh Howard, le producteur de *60 Minutes*, non sans le mettre en garde : un grand jury fédéral a été convoqué pour statuer sur certaines irrégularités commises durant l'enquête, comme le « vol » d'indices dans le hangar – c'est en ces termes que le FBI évoque les échantillons de résidu transmis à Jim. Josh Howard ne s'en inquiète pas outre mesure : *« Les grands jurys, on connaît »*, lance-t-il avec assurance. Je suis aux anges. J'en informe Jim Sanders, qui me fait parvenir le prélèvement par FedEx. Dès réception, je pose l'échantillon sur le bureau de Josh et me mets à la recherche d'un laboratoire capable de l'analyser.

Quelques jours plus tard, mon bipeur retentit. J'appelle le numéro indiqué, celui de Linda Mason. Elle a l'air secouée. Des agents du FBI souhaitent m'interroger au sujet d'indices dérobés sur le site de Calverton. Je me précipite au bureau, où je lui raconte que l'échantillon se trouve dans le bureau de Josh Howard, à qui je l'ai confié après que Bill Felling a décliné la proposition d'y consacrer un sujet. Linda m'apprend que ce dernier s'est entretenu au préalable avec Jonathan Sternberg, l'avocat de CBS, qui l'a dissuadé de s'en mêler – Bill, évidemment, s'est bien gardé de me le dire. Je ne détaillerai pas davantage ma conversation avec Linda, car celle-ci m'a demandé d'en respecter le caractère confidentiel. Au terme de l'entretien, elle me recommande de rencontrer Jonathan Sternberg.

Celui-ci me dévoile le dessous des cartes : l'avocate du gouvernement, Valerie Caproni, compte me faire témoigner devant un grand jury à propos de l'homme du hangar, dont les autorités désirent ardemment connaître l'identité. J'éprouve la même curiosité qu'eux, mais aussi la même ignorance. Jim Sanders ne m'a pas mise dans la confidence. Aussi, l'avocat de CBS parvient à convaincre sa consœur que je ne suis pas une cible intéressante. De son côté, Linda se débrouille pour que l'échantillon parvienne au FBI. Nous n'en entendrons plus jamais parler.

Reste la question principale. Quelle est la composition du fameux résidu rouge ? Je ne dispose d'aucune certitude mais voici ce que je peux en dire, sur la base de l'analyse comparative effectuée par Tom Stalcup à partir d'une colle conforme à celle évoquée par le FBI – après l'avoir trempée dans de l'eau de mer prélevée dans la zone du crash. Les résultats sont clairement différents de ceux réalisés sur l'échantillon de Jim Sanders. D'abord, la colle – du Scotch Grip 1357 de chez 3M – ne contient pas de silicone (un composant utilisé dans les carburants solides pour fusée), tandis que le résidu en recèle à hauteur de 15 %. De plus, elle ne comporte que de faibles traces de calcium (un élément pyrotechnique qui, une fois mélangé à l'oxygène donne du perchlorure, lequel provoque la combustion) : 0,0220 % contre 12 % dans l'échantillon. La colle 3M contient en outre très peu d'aluminium (en poudre, ce composant sert de carburant pour fusée) : 0,0065 % contre 2,8 %. Inversement, d'autres éléments retrouvés dans l'échantillon de Jim ne sont pas détectés dans la colle de 3M.

Ces résultats en main, Tom Stalcup contacte le NTSB. Il s'entretient avec le responsable des tests chimiques, le Dr Merrit Birky. Celui-ci lui déclare que, s'il n'a procédé à aucun test comparatif avec l'échantillon de Jim, c'est parce que, en l'absence de correspondance significative, *« il n'y aurait pas eu moyen d'en finir avec cette histoire »*.

Le contribuable américain n'a pas seulement financé l'enquête sur le crash du vol TWA 800, mais aussi les opérations de dissimulation.

Pour clore le volet « explosifs », signalons ce que Terrell Stacey, un enquêteur du NTSB, a déclaré à Jim Sanders. Le résidu a été retrouvé sur les sièges des rangées dix-sept à dix-neuf. Or le FBI a reconnu avoir identifié, sur ces mêmes rangées, des traces de PETN et de RDX, deux explosifs. Le Bureau tentera de le justifier en enrobant la vérité d'un pieux mensonge : ces explosifs, prétend-il, ont probablement été *« renversés »* à l'occasion d'un exercice de détection de la brigade anti-déminage qui a eu lieu à bord du Boeing 747 tandis qu'il stationnait sur l'aéroport de Saint Louis, un peu plus d'un mois avant le vol fatidique. La part de vérité, c'est que l'avion a bien stationné sur l'aéroport en question. Le mensonge concerne l'exercice de détection d'explosifs qui aurait eu lieu. Comme il l'a déclaré au FBI, l'agent Herman Burnett, de la police de Saint Louis, a effectivement procédé à un exercice à bord d'un 747 vide. L'examen a débuté à 11 h 45 et s'est prolongé jusqu'à 12 h 15. L'agent Burnett n'a pas noté le numéro de l'avion, inscrit sur l'empennage de queue, mais, à en croire les archives de la TWA, l'appareil en question porterait le même numéro que le futur vol 800 (17119). Pourtant, ce jour-là, l'avion qui nous intéresse a quitté sa passerelle d'embarquement à 12 h 35, avec plus de quatre cents passagers à son bord. Par quel miracle peut-on faire embarquer tout ce monde, ainsi que le fret et la nourriture, en à peine vingt minutes ?

Quelques semaines après le passage du FBI dans les locaux de CBS, je reçois ma lettre de licenciement. Je m'y attendais. Un peu plus tard, Paul Ragonese connaîtra le même sort. Au moment de quitter la chaîne, Bill Felling lui glissera : *« Kristina et toi, vous aviez tort à propos du vol 800 ! »* Paul sera remplacé par... James Kallstrom en personne, le responsable de l'enquête du FBI !

Logiquement, Jim Sanders est lui aussi dans le collimateur. En toute illégalité, les agents fédéraux se procurent ses e-mails auprès d'AOL. Après quoi, son épouse[1] et lui-même sont traînés devant les tribunaux pour avoir *« contraint »* Terrell Stacey à leur fournir un échantillon du résidu, autrement dit une pièce à conviction *« dérobée »* sur le site d'une enquête fédérale. L'enquêteur du NTSB témoignera contre Jim, qui fera office de bouc émissaire.

En quittant CBS, je me jure de ne plus jamais me consacrer au vol 800. A dire vrai, je ne sais même plus si je veux continuer à exercer le journalisme. Mais mon téléphone sonne sans arrêt. Des journalistes appartenant à diverses chaînes américaines, ainsi qu'à la BBC, veulent savoir ce qui s'est passé entre moi et CBS. Je refuse d'aborder le sujet. En revanche, j'invite chez moi Yoichiro Kawai, un journaliste japonais qui semble se passionner pour le crash et lui montre ma documentation. Yoichiro m'invite à entrer en relation au plus vite avec Kelly O'Meara, le chef de cabinet du parlementaire Mike Forbes. J'acquiesce poliment, mais je me dis intérieurement que le moment n'est pas encore venu de m'ouvrir à un ténor du Capitole. Quelques jours après la visite de Yoichiro, c'est Kelly O'Meara qui me téléphone.

Quand le vol 800 de la TWA explose en plein ciel, Kelly

---

1. Celle-ci est entrée en contact à plusieurs reprises avec l'enquêteur du NTSB Terrell Stacey pour le compte de son mari.

sort tout juste d'une enquête au long cours. Pendant dix ans, elle a bataillé contre l'armée pour tenter de découvrir dans quelles conditions exactes un jeune marine a trouvé la mort au Salvador. C'est cette enquêtrice aguerrie que Mike Forbes charge de se pencher sur la catastrophe. Bien avant de faire connaissance, Kelly et moi nous sommes posées les mêmes questions, chacune dans son coin. Après une première – longue – conversation téléphonique, nous décidons de nous rencontrer pour mettre nos découvertes en commun. Nous invitons David Hendrix, du *Press-Enterprise*, à se joindre à nous. Tous les trois, nous passons plusieurs heures dans le bureau de Mike Forbes, plongés dans les centaines de documents récoltés au fil de nos enquêtes respectives. Les preuves des mensonges officiels ne manquent pas. Ce qui fait défaut, c'est une cause.

Malgré les mésaventures que je viens de subir chez CBS, je suis une nouvelle fois happée par la tragédie du vol 800. Quand Kelly me propose de les accompagner, elle et Diana Weir[1], pour visiter certains sites, j'en oublie mes récentes résolutions. Après un détour à la station des gardes côtes de Moriches, nous nous rendons à Calverton. A l'intérieur du hangar, nous sommes prises en charge par Ken Maxwell, du FBI, qui nous emmène à l'écart pour un briefing préalable à la visite. Pendant son exposé, Kelly et moi remarquons quelque chose d'intéressant sur un des murs de la pièce. Sur une carte représentant la zone où l'avion a explosé, un point comporte la mention : « *Site possible de lancement de missile.* »

Le hangar est gigantesque. On y trouve « l'ossuaire », un vaste hall contenant des piles de débris. En avisant cet entassement de fragments métalliques, je me dis que

---

1. Le chef de cabinet de Mike Forbes à Long Island.

l'explosion qui a désintégré l'appareil a dû être particulièrement violente. En examinant la reconstitution des rangées de sièges, Kelly et moi notons un détail important : certaines, comme la rangée dix-sept, sont manquantes. Or, à en croire l'homme du hangar, ces fauteuils sont justement imprégnés du mystérieux résidu rouge.

Pendant la visite, j'essaie de réfréner les nombreuses questions qui me viennent à l'esprit. Ma curiosité l'emporte cependant. En examinant la reconstitution de la carlingue, je m'autorise un commentaire à propos du réservoir central. Ken Maxwell comprend aussitôt que j'en sais davantage que je ne veux bien le montrer. Il s'absente un moment. A son retour, la visite est écourtée.

Deux jours plus tard, Joe Valiquette, du FBI, téléphone à Kelly. *« M. Kallstrom n'a pas du tout apprécié que cette femme ait pénétré dans le hangar,* lance-t-il, menaçant. *Il va se plaindre de cet incident auprès du parlementaire Forbes. »* James Kallstrom le confirmera à l'ancienne journaliste de CNN Christine Negroni, auteur de *Deadly Departure*[1], un livre consacré à la catastrophe aérienne : *« J'étais furieux. Nous ne demandions qu'à collaborer avec le Congrès, et voici que la collaboratrice d'un parlementaire faisait pénétrer une journaliste dans le hangar ! »*

Selon Diana Weir, quand James Kallstrom s'est entretenu avec Mike Forbes, il lui a précisé qu'il disposait d'un *« gros dossier »* sur moi[2]. Mais la conversation entre les deux hommes a surtout abouti à mettre un point final aux

1. *Deadly Departure : Why the Experts Failed to Prevent the TWA Flight 800 Disaster and How It Could Happen Again*, Cliff Street Books, 2000.
2. Au titre de la loi sur la Liberté de l'information, j'ai alors formulé des requêtes auprès du FBI, de la CIA et de la marine pour obtenir copie de ce volumineux dossier. Au FBI, on m'a répondu qu'aucun dossier sur mon compte n'existait dans leurs archives.

dix-sept années de carrière de Kelly O'Meara au Capitole. Rompue aux arcanes du pouvoir et dotée d'un talent certain d'enquêtrice, celle-ci s'est reconvertie comme journaliste d'investigation.

A l'été 1997, après son départ contraint, Kelly et moi décidons de consacrer un livre à notre enquête sur le vol 800. Nous ressentons une certaine appréhension, à l'heure de nous lancer, mais nous sommes animées, l'une comme l'autre, par un profond sentiment de colère. Nous présentons notre projet à plusieurs maisons d'édition, dont beaucoup manifestent leur intérêt. Sandra Martin, notre agent littéraire, met le titre aux enchères pour les départager. Mais le jour dit, les éditeurs se désistent l'un après l'autre, sans aucune explication. Sandra n'avait jamais vu ça.

L'été cède la place à l'automne. La veille d'Halloween, ma famille et moi nous installons à La Crescenta, en Californie, à la sortie de Los Angeles. J'ai passé les derniers mois à alterner les piges, me consacrant notamment à une émission spéciale d'ABC, *Sex with Cindy Crawford*, qui a mis du beurre dans mes épinards mais représente aussi le nadir de ma carrière.

Dans le cadre de notre enquête devenue commune, Kelly et moi obtenons une information capitale du médecin légiste du comté, le Dr Charles Wetli. Celui-ci nous explique qu'une force de très haute pression, se déplaçant vers l'avant de l'appareil, a ravagé la cabine, saturant l'air d'objets meurtriers : *« C'était comme un nid de mitrailleuses, là-dedans »*, résume-t-il. Il nous fait visionner plusieurs diapositives, dont l'une montre un morceau d'os fiché dans le fuselage. Le médecin affirme que de nombreux corps criblés de fragments de métal, ou encore de morceaux de câbles ou de fuselage. Tous ces objets ont été prélevés, aussitôt après les autopsies, par des agents du FBI.

Le Dr Charles Wetli nous parle également d'une macabre découverte. Au cours de l'analyse ADN systématiquement pratiquée pour identifier les cadavres rapatriés à la morgue, il s'est aperçu que deux corps arrivés à quinze jours d'intervalle partageaient le même ADN, ce qui est théoriquement impossible. Des recherches approfondies ont révélé qu'il s'agissait d'un mari et de sa femme, qui occupaient des sièges voisins au moment du crash. L'intensité de l'explosion est telle que leurs deux corps, et jusqu'à leur ADN, ont fusionné. Charles Wetli, qui n'avait jamais rencontré pareil phénomène auparavant, l'a baptisé « l'implosion interorganique ». Est-il possible qu'une explosion dans le réservoir d'aile central soit à l'origine d'une pression de cette ampleur ?

Tom MacMahon, un ancien journaliste de télévision qui dirige désormais sa propre maison de production à Los Angeles, souhaite me rencontrer pour envisager un documentaire sur le vol 800 qui figurerait dans le pilote d'une série qu'il produit pour le cinéaste Oliver Stone. Ce dernier ne se passionne pas vraiment pour le crash, m'avoue Tom MacMahon, qui aimerait néanmoins lui proposer un script sur le sujet. Pour ma part, je commence à saturer. Je suis lasse de me cogner sans relâche au mur de la raison d'Etat. Malgré tout, l'enthousiasme de Tom est communicatif

Comme la plupart des Américains, Oliver Stone ignore tout des manigances orchestrées dans les coulisses de l'enquête sur le vol 800. A la lecture du synopsis que nous lui présentons, il donne son feu vert. Nous quittons Washington pour New York dans la voiture de Kelly. Arrivées tard le soir, nous nous garons devant le bâtiment où nous devons loger. Nous prenons nos valises et laissons le reste de nos bagages dans le coffre : les documents relatifs au vol 800, l'ordinateur portable de Kelly, une caméra, une boîte à outils et des raquettes de tennis. Le lendemain matin, en ouvrant son coffre, ma partenaire découvre que ses documents et l'ordinateur ont disparu. Plus étonnant encore, la serrure n'a pas été forcée. Nous sommes scandalisées, même si nous savons que nous ne pouvons nous en prendre qu'à nous-mêmes. Nous avons transgressé un des principes élémentaires du métier d'enquêteur : toujours garder un œil sur ses archives les plus importantes. Heureusement, nous n'avons pas oublié le corollaire de cette règle d'or : nous avons dissimulé des copies de ces documents dans divers endroits au cas où.

Oliver Stone nous charge d'effectuer une enquête sur l'enquête. Nous choisissons de centrer notre film sur les témoins oculaires, espérant en rassembler le plus grand nombre possible et les amener à nous parler du traitement que les autorités ont réservé à leurs récits. En deux semaines, nous en réunissons plus de trente. C'est alors que nous recevons un appel de Los Angeles : Tom MacMahon nous demande de tout arrêter et de reporter le tournage. Il y a un problème avec ABC.

La broyeuse est passée à la vitesse supérieure.

Tout a commencé par un article paru dans *Newsweek*, intitulé *La vision de Stone* : « *Bien que largement discréditée, la théorie qui voudrait que le vol TWA 800 ait été abattu par un missile a la vie dure. Le dernier obsédé du complot à se passionner pour ce crash mystérieux n'est autre que le réalisateur Oliver Stone. Sa société de production prépare un documentaire-réalité qui doit être diffusé en* prime time.

Sous le titre Oliver Stone : Déclassifié, *ce projet, qui émane du département "divertissement" d'*ABC, *comporte un reportage sur la théorie du missile, ce qui est loin de réjouir tout le monde au sein de la chaîne. Comme la plupart des grands médias, en effet,* ABC News *a repris à son compte les conclusions de l'enquête fédérale selon lesquelles une panne mécanique serait à l'origine de la catastrophe. "Nous ne doutons pas que l'émission serait clairement présentée comme reflétant uniquement le point de vue d'Oliver Stone", nous a déclaré une porte-parole d'*ABC News. »

J'ai le pressentiment que tout ceci n'est qu'une première salve. Dans quelques semaines probablement, l'ensemble de la presse se livrera à un tir de barrage contre notre émission. Je décide de faire part de mon amertume à Michael Kramer, de *Brill's Content*, une revue – aujourd'hui disparue – spécialisée dans la critique des médias :

« *Je n'aurais jamais cru que* Newsweek *serait susceptible de publier des articles sur commande. C'est pourtant ce que j'ai découvert à la page six de l'édition du 19 octobre 1998. Le court article intitulé* La vision de Stone *ne pouvait que m'intéresser, puisque je suis en charge de la production du documentaire sur le vol 800 programmé dans l'émission* Déclassifié. *Je souhaiterais d'abord faire savoir au journaliste qui en est l'auteur que ce n'est pas Oliver Stone qui se passionne pour le crash du vol 800, c'est moi. Si j'ai été engagée pour réaliser ce documentaire, c'est parce que je me suis spécialisée dans les enquêtes audiovisuelles et que j'ai consacré plus de deux ans à ce dossier. Je ne sais pas qui a dit à* Newsweek *que mon documentaire traiterait de la "théorie du missile", mais ce n'est pas le cas. Quant à la porte-parole d'*ABC News *qui prétend ne pas douter que "l'émission sera clairement présentée comme reflétant uniquement le point de vue d'Oliver Stone", je ne peux que lui*

répondre ceci : peu m'importe le point de vue d'Oliver Stone
sur le vol 800. Je n'ai pas été engagée pour faire un repor-
tage conforme à son point de vue mais pour réaliser un
documentaire journalistique solidement étayé, basé sur les
informations que Kelly O'Meara et moi-même avons
recueillies depuis deux ans.

*Avec la collaboration d'*ABC News, *un journaliste de*
Newsweek *discrédite notre reportage avant même qu'il*
n'ait été tourné. Ce grand hebdomadaire suggère à ses lec-
teurs que Déclassifié, *inspiré par le "maniaque du complot"*
Oliver Stone, n'est pas une émission d'enquête digne d'inté-
rêt. A court terme, peut-être ont-ils gagné. Mais, au bout du
compte, l'émission sera jugée pour ce qu'elle est.

J'ai le sentiment que ce qui déplaît à ABC News, *c'est*
qu'une émission d'information sérieuse soit réalisée en
dehors d'eux. Cela constituerait un dangereux précédent. »

Je me trompe sur un point. Le tir de barrage de mes
confrères se déclenche beaucoup plus tôt que je ne
m'y attendais, quasiment dans la foulée de l'article de
Newsweek. Pour prendre la mesure de l'impartialité avec
laquelle les grands médias accueillent *Déclassifié*, attar-
dons-nous un instant sur un article du *Time – La chaîne
du complot –* qui s'ouvre par cette phrase : « *Que préfére-
riez-vous regarder : un reportage responsable et impartial
d'*ABC News *sur le crash – tragique mais accidentel – du vol
800 ou une émission tape-à-l'œil à la* X-Files *dénonçant les
salauds qui ont descendu l'avion, le tout raconté par le spécialiste des complots qu'est Oliver Stone ? »*

Rappelons aux auteurs de ces lignes (John Claud,
Jeffrey Ressner et William Tynan) qu'aujourd'hui encore,
les enquêteurs du gouvernement américain ne savent
toujours pas exactement ce qui est arrivé au vol 800.

Ils supposent qu'un court-circuit a mis le feu à des vapeurs de kérosène dans le réservoir de carburant, tout en reconnaissant ne disposer d'aucune preuve concluante allant dans ce sens. Les trois compères sont bien péremptoires, lorsqu'ils certifient que la cause du crash est « *accidentelle* ». Et où sont-ils aller chercher qu'Oliver Stone allait « *dénoncer les salauds qui ont descendu l'avion* » ?

Le 7 novembre 1998, dans un article du *New York Post*[1], le journaliste Don Kaplan cite une source anonyme qui déclare : « *ABC a une image extrêmement forte de chaîne de l'info. Les gens risquent de confondre le magazine d'Oliver Stone avec une de nos émissions d'information.* » Prétexte fallacieux. Ce que craignent les pontes d'*ABC News*, avant tout, c'est de voir le département « divertissement » de la chaîne accoucher d'une émission d'information plus solide que tout ce qu'ils ont jamais diffusé sur le sujet.

C'est ensuite le tour de Lawrie Mifflin, du *New York Times*. Dans son article intitulé « ABC annonce l'abandon du projet d'émission spéciale d'Oliver Stone sur le vol 800 », elle indique que la chaîne a choisi de déprogrammer le documentaire lorsque des « *journalistes d'ABC ont fait part à leurs supérieurs de leurs inquiétudes au sujet de ce projet. [...] Craignant que les téléspectateurs le confondent avec un reportage d'*ABC News*, la chaîne a tenu à préciser que la théorie du missile n'avait aucun fondement* ». Plus loin, Lawrie Mifflin ajoute : « *Le NTSB, le FBI et la CIA ont tous déclaré qu'aucune preuve ne soutenait la théorie de la destruction de l'appareil par un missile.* »

A quelques exceptions près, le traitement médiatique consacré à *Déclassifié* relève d'une propagande bien huilée. Quiconque s'écarte de la version officielle est taxé d'être un

---

1. « ABC annule l'émission d'Oliver Stone sur le vol 800 »

obsessionnel du complot. Il est marginalisé, préalable à sa « liquidation »...

Il n'aura fallu que quatre jours pour décider la suppression définitive de *Déclassifié*. Malgré les tentatives de l'équipe pour parvenir à un compromis, le vol TWA 800 sonne le glas de l'émission. Oliver Stone déclarera par la suite qu'il a vécu là une des pires expériences de toute sa carrière.

Les réticences du FBI à tenir compte des témoins oculaires se sont manifestées dès les audiences publiques du NTSB, qui se sont tenues le 8 décembre 1997 à Baltimore (Maryland). Quelques jours plus tôt, James Kallstrom avait insisté auprès de James Hall, le directeur du NTSB, afin que les informations relatives aux témoignages oculaires et au résidu rouge ne soient pas abordées pendant l'audience – ce dont James Hall a accepté le principe. La résignation de ce dernier est difficilement compréhensible pour la journaliste que je suis. Dans une enquête sensible, il est conseillé d'aller gratter précisément là où l'on vous demande de ne pas fourrer votre nez. Quand les autorités prétendent, par exemple, que tel aspect est sans importance, il y a des chances pour qu'au contraire, il s'avère essentiel.

Un jour, alors que je m'entretiens au sujet des témoins avec Paul Ragonese, celui-ci me rappelle que la procédure habituelle pour un officier de police arrivant sur la scène d'un crime ou d'un accident, consiste à demander à la ronde si quelqu'un a vu quelque chose. Dans le cas du vol 800, des centaines de personnes sont dans ce cas. Au total, ce sont plus de six cents témoins directs qui se sont tournés vers les agents du FBI. Mais le Bureau et le NTSB ont tout fait pour diminuer l'importance de leurs récits. A cet égard, la manœuvre la plus curieuse du FBI a consisté à commander à la CIA une séquence animée susceptible de convaincre l'opinion publique que les témoins oculaires avaient, en réalité, été victimes d'une illusion d'optique.

Cette animation se base avant tout sur les témoignages de deux hommes : Mike Wire et Dwight Brumley. Bien que ces derniers affirment avoir observé un objet semblable à *« un éclair »* monter vers l'avion de ligne depuis la surface de l'océan, le commentaire de la vidéo explique que ce qu'ils ont vu était en fait du carburant en flammes projeté vers le bas après l'explosion de l'appareil. Mike Wire, un ancien du Vietnam, travaillait sur la côte sud de Long Island. Voici ce qu'il pense de la vidéo : *« L'animation ne correspond absolument pas à ce que j'ai vu. Mais je me suis dit : bon, n'en parlons pas maintenant, l'enquête n'est pas finie et ils rectifieront sûrement ça plus tard... »* Quant à Dwight Brumley, officier dans l'US Navy, il se trouvait à bord du vol 217 d'US Air – qui survolait la zone du crash juste avant et pendant la tragédie – et regardait par le hublot au moment du drame. Pour lui aussi, l'animation est loin de refléter la réalité : *« Dire que cet éclair se déplaçait de ma gauche vers ma droite est erroné... C'est pratiquement perpendiculaire à ce que j'ai vu ! Leur animation de l'éclair ne correspond pas du tout à ce qui s'est passé. Jamais il n'a suivi un axe est-nord-est. »*

Le jugement de ces deux hommes rejoint celui d'autres témoins qui se trouvaient aux alentours de Long Island ce soir-là, et qui maintiennent que ce qu'ils ont vu suivait bien un mouvement ascensionnel. Pour Richard Goss, un homme d'affaires de la région, qui se tenait sur le porche du Yacht Club de West Hampton au moment du crash, la vidéo de la CIA est *« une plaisanterie »*. Paul Runyan, un retraité, se trouvait lui dans son jardin : *« Ce que j'ai vu partait de la surface. C'était comme une traînée lumineuse ascensionnelle. »* Suzanne MacConnell, une infirmière, était sur sa terrasse : *« Si l'éclair était venu de l'avion, il se serait dirigé vers le bas. Mais là, ça montait clairement. »* Darrell Miron, charpentier et graphiste, confirme : *« J'ai regardé cette vidéo mais elle ne correspond pas à ce que j'ai vu ce soir-là. C'est impossible que ça se soit passé comme ça ! La traînée de lumière est partie d'en bas et elle a ensuite fait exploser quelque chose dans le ciel. Je ne parle pas de missile, c'est leur boulot de me dire ce que c'était. J'ai vu une traînée lumineuse partir vers le ciel, puis une explosion s'est produite là où se trouvait l'avion. »* Comme tant d'autres témoins, Darrell Miron a été frappé par le peu d'enthousiasme manifesté par le FBI vis-à-vis de son témoignage. *« Quand leurs agents sont venus chez moi pour m'interroger, j'ai trouvé ça bizarre : ils s'intéressaient visiblement davantage à ce que j'avais compris qu'à ce que j'avais vu. Je leur ai proposé de réaliser une animation graphique. Ils n'ont pas voulu en entendre parler. Leur attitude m'a semblé curieuse. »*

James Kallstrom ne s'arrête pas là. Prêt à tout pour crédibiliser la vidéo controversée, il n'hésite pas à déclarer aux familles des victimes que les témoins l'ont visionnée avant qu'elle ne soit rendue publique, et qu'ils l'ont jugée fiable (nous sommes à la fin de l'année 1997). Un an plus tard, dans un entretien avec le physicien Tom Stalcup, Le responsable du FBI reconnaîtra que les témoins n'ont pas visionné la vidéo avant sa diffusion.

Tom Stalcup procède quant à lui à l'analyse statistique exhaustive des informations fournies aux autorités par les témoins oculaires, qu'il réunit ensuite dans un rapport intitulé *Analyse des rapports officiels concernant les témoins du vol TWA 800.* Des éléments très significatifs s'en dégagent. Par exemple, 94 % des témoins ayant aperçu une traînée de lumière suffisamment tôt pour en déterminer l'origine affirment que celle-ci partait de la surface de l'océan. Sur les cent trente-quatre personnes qui ont témoigné en ce sens, cent seize contredisent l'explication officielle de la traînée lumineuse telle qu'elle apparaît dans la vidéo de la CIA. « *La plupart d'entre elles rejettent le scénario officiel,* précise le rapport. *Dans sa chute, le vol 800 ne pouvait donner l'impression d'aller de la surface vers le ciel, et avant son explosion il n'a jamais effectué une ascension aussi marquée.* »

Dans un autre rapport, le Dr Stalcup va plus loin. « *On assure que "les témoignages oculaires constituent l'unique indication d'un possible tir de missile". Les faits démontrent le contraire.* » En effet, d'autres indices relevés par son organisation accréditent cette hypothèse : « *Du PETN et du RDX (des explosifs utilisés pour les missiles) ont été retrouvés dans l'épave. Le NTSB n'a pu déterminer de façon concluante leur origine. Or leur présence, où que ce soit dans la carlingue, peut constituer la preuve d'un éventuel tir de missile. D'autre part, les radars de la FAA ont détecté des objets à grande vitesse (Mach 2) qui sortaient apparemment du vol 800 immédiatement après l'explosion initiale. Ces objets aussi peuvent représenter la preuve d'un éventuel tir de missile. La version officielle ne permet pas d'expliquer la "recristallisation localisée de parties du bras d'aile arrière". La recristallisation du métal est le signe indicateur d'un tir de missile.* »

En août 2000, les enquêteurs officiels mentionnent à nouveau, brièvement, les témoins à l'issue d'une séance de communication orchestrée par le NTSB. La conférence a été ordonnée par les pouvoirs publics pour informer l'opinion publique des conclusions définitives de l'enquête. Je peux constater à cette occasion que les représentants du gouvernement font tout pour éviter que leur cas soit abordé. On glose sans fin sur des débats techniques de second plan afin d'éluder les questions qui dérangent. Le plus tard possible, les cadres du NTSB se décident enfin à consacrer quelques minutes au problème. Je comprends leur gêne : si l'on en croit un de leurs responsables, David Mayer, sur six-cent soixante-dix témoins oculaires retrouvés par le FBI, ce service n'en a interrogé qu'une douzaine !

Durant tout le temps que j'ai passé chez CBS ou CNN, rarement j'ai vu un producteur travailler sur une enquête sensible. Il est déjà tellement difficile de décrocher un poste dans une chaîne de télé... Dans un milieu qui ignore la sécurité de l'emploi, où les contrats sont renouvelés tous les deux ou quatre ans, il faut faire preuve de finesse politique autant que de talent journalistique pour espérer conserver son job. Autrement dit, pas besoin d'aller au devant des ennuis.

Un sujet comme le vol TWA 800 peut, comme nous l'avons vu, conduire son auteur à se retrouver ostracisé par ses confrères comme par les autorités. Cela n'a pas suffi à dissuader une brochette d'enquêteurs indépendants de continuer à travailler dur pour faire la lumière sur l'affaire. Cette obstination a le don d'exaspérer James Kallstrom. *« La réalité des faits est ignorée par les gens qui, à l'instar de M. Stone et consorts, passent leur vie à grenouiller dans les sombres fissures du doute et de l'hypocrisie »*, déclare avec lyrisme le chargé d'enquête du FBI à

Pat Milton, d'Associated Press. Il stigmatise par là les enquêteurs indépendants coupables, selon lui, de s'insinuer dans le deuil des familles en quête d'argent facile ou de gloire. Le deuil a besoin du silence pour se faire, semble dire James Kallstrom dans un élan de compassion feinte.

Absurde ! Je ne connais pas un seul journaliste, indépendant ou non, qui ait fait fortune en cherchant à débusquer la vérité dans cette sombre histoire. Le vol TWA 800, de ce point de vue-là, est au contraire un très mauvais filon. Suggérer que l'on interrompe toute recherche par respect pour les familles des victimes est une manipulation éhontée de l'opinion. C'est d'abord à ces dernières que la vérité est due.

Passe encore que le FBI cherche à discréditer les journalistes indépendants qui vont contre ses intérêts. J'apprendrai à mes dépends que les coups vous sont parfois portés par des confrères. J'ai baptisé « roquets » ces journalistes qui s'en prennent, gratuitement, à d'autres journalistes dont le seul tort consiste à travailler sur les zones d'ombre d'une affaire.

En quittant CBS, j'ai fait le choix de garder pour moi ce qui vient de m'opposer à ma chaîne. Je veux m'éloigner de ce sujet, et surtout je ne tiens pas à être placée au centre de l'affaire. Quand Philip Weiss, du *New York Observer*, demande à m'interviewer, je lui fais part hors micro des épreuves que j'ai traversées. Il veut savoir si je serais opposée à ce qu'il contacte l'équipe de *60 Minutes*. Je lui réponds qu'il peut faire comme bon lui semble et que je m'interdis de lui dicter sa conduite en la matière. Interrogé sur l'affaire, le producteur de *60 Minutes*, Josh Howard, déclarera à Philip Weiss que ma *« relation officielle avec CBS »* a pris fin avant que je n'ébruite le sujet sur la TWA. Puis il se livrera au commentaire suivant à propos de mon projet de documentaire : « *Ça avait l'air un peu dingue, donc nous avons dit : "Non merci"...* »

Je ne résiste pas au plaisir de reproduire ici le texte du projet « *un peu dingue* » que j'ai soumis à Josh Howard le 18 mars 1997 : « *Un ancien policier devenu journaliste est en fuite, recherché par le FBI pour vol de pièce à conviction. Le Bureau a saisi une copie des enregistrements radar de la FAA chez un ancien pilote qui affirme les avoir obtenus d'une source proche de l'enquête. On convoque un grand jury pour une raison inédite – des fuites au sein de l'enquête. Dans l'intervalle, les enquêteurs convoqués au Capitole ne font état que de maigres progrès. Le Dr Bernard Loeb, du NTSB, qui déclare que certains indices tendent à prouver que l'avion a été touché par un missile, ne fait qu'ajouter à la confusion ambiante. Lors de la même audience, le parlementaire Frank Wolf craint que "la crédibilité du gouvernement des Etats-Unis ne soit ternie si les choses continuent ainsi".* » C'est le moins que l'on puisse dire.

Que s'est-il donc passé ? Y a-t-il eu conflit entre le FBI et le NTSB ? Pourquoi les équipes chargées de l'enquête ont-elles transmis des documents confidentiels à la presse ? Pourquoi certains de leurs membres ont-ils accepté de rencontrer secrètement le consultant de CBS, Paul Ragonese ? Jim Sanders, qui affirme que la substance rouge que lui a fait parvenir une de ses sources proviendrait du carburant d'un missile, est-il un fantaisiste en quête de publicité ou un journaliste sérieux lié à une source d'une incroyable fiabilité ? L'enquête ouverte par le sous-comité du Congrès aidera-t-elle l'enquête ou apportera-t-elle, au contraire, son lot d'obstacles ?

J'avais proposé que *60 Minutes* se concentre sur les

coulisses de l'enquête et passe au crible les questions demeurées sans réponse. Et jamais Josh Howard ne m'a dit « *non merci* ». S'il avait refusé mon projet d'émission, le FBI ne se serait pas présenté à CBS. Mon contrat étant arrivé à échéance, et *CBS Reports* n'ayant aucun documentaire en cours, la chaîne m'a signifié la fin de ma collaboration.

Le correspondant de CBS à Washington, Bob Orr, se paye, lui aussi, ma tête à peu de frais. Interviewé par Philip Weiss pour le *New York Observer*, à qui il déclare n'avoir « *jamais été impressionné par M*^{me} *Borjesson* », il ne tarit pas de reproches. « *De quels contacts disposait-elle, quel était son degré d'expertise et à qui avait-elle parlé ?* » enrage mon ancien collègue, avant de tordre le cou aux faits. « *Quelles étaient ses sources ? Elle n'en avait qu'une, extrêmement fragile qui plus est.* »

Christine Negroni, l'auteur de *Deadly Departure*, se mêle au chœur des « roquets ». Elle se trompe au passage sur le sort réservé à l'échantillon confié par Jim Sanders à CBS et affirme – nouvelle erreur – que David Hendrix et moi-même partageons beaucoup d'informations parce que nous sommes tous deux en contact avec Kelly O'Meara – or je n'ai rencontré Kelly qu'après mon départ de CBS et j'ignorais que nous avions mis au jour des informations similaires avant de faire sa connaissance. Christine Negroni cite abondamment James Kallstrom, selon qui Kelly O'Meara a tenté de promouvoir une théorie du complot auprès du parlementaire Forbes : « *Je savais par des gens travaillant sur l'enquête que le bureau de Michael Forbes se trouvait, dans une certaine mesure, au cœur de cette histoire de complot. [...] L'action de son équipe en intriguait et en inquiétait beaucoup. Mais ce que je ne savais pas, c'est qu'une personnalité haut placée dans son service jouissait d'une grande latitude d'action.* » Christine Negroni écrit encore que Kelly et moi aurions « *convaincu* » Oliver Stone que « *l'enquête sur le vol 800 valait la peine que l'on s'y attarde* ». Comme nous l'avons vu, nous n'avons convaincu le réalisateur de rien du tout. C'est son producteur, Tom MacMahon, qui m'a demandé de lui présenter une proposition de documentaire. Et c'est plutôt lui qui a dû se montrer convaincant tant j'en avais soupé de cette affaire. A sa décharge, je dois reconnaître que j'avais refusé de parler à Christine Negroni lorsqu'elle m'avait sollicitée. Cela n'excuse en rien, à mes yeux, les inexactitudes contenues dans son livre.

L'attaque la plus étrange formulée contre Kelly O'Meara viendra d'un journaliste très respecté du *Washington Post*, Howard Kurtz. A l'époque, Kelly, qui vient d'obtenir de nouveaux enregistrements radar, a demandé et obtenu un entretien avec Peter Goelz et Bernard Loeb, du NTSB. Le 23 août 1999, dans les pages « style » du *Washington Post*, Howard Kurtz en rend compte dans les termes suivants : « *Peter Goelz, directeur général du* NTSB, *est sorti secoué d'une interview réalisée par une journaliste de la revue* Insight. *A l'en croire, Kelly O'Meara se serait montrée "extrêmement agressive". Celle-ci l'a interrogé à propos de rapports secrets officiels concernant des enregistrements radar qui, disait-elle, indiquaient une grande activité dans les environs du site en juillet 1996, le jour où le vol* TWA 800 *s'est écrasé. Le gouvernement affirme ne disposer d'aucune preuve à l'appui des théories qui voudraient que l'appareil ait été abattu par un missile. Peter Goelz n'a pas été long à se souvenir qu'il avait déjà entendu parler de Kelly O'Meara. Déjà, quand*

elle occupait les fonctions de chef de cabinet du parlemen-
taire républicain Michael Forbes – qui avait demandé s'il
était envisageable qu'un terroriste se soit trouvé à bord de
l'avion –, elle avait défendu la théorie du missile. Elle a
ensuite collaboré à une fiction documentaire sur le vol 800
pour Oliver Stone, qui devait être diffusée sur ABC *avant*
que le projet ne capote. "Elle est réellement persuadée que
des bâtiments de combat de la marine américaine ont
abattu ce truc et qu'il y avait à l'époque une flotte entière
sur place", rapporte Peter Goelz. Kelly O'Meara a refusé de
nous répondre mais Paul Rodriguez, le directeur de la
*rédaction d'*Insight, *nous a déclaré : "Elle connaît son sujet.*
[...] Ce qu'on lui reproche, c'est de faire son travail avec
pugnacité."»

L'écrit d'Howard Kurtz me laisse songeuse. Cet émi-
nent journaliste se serait-il abaissé à produire un article
approximatif dans le seul but d'entacher la réputation
d'une consœur ? Le journaliste du *Washington Post* fait
peu de cas de l'expérience de Kelly sur le dossier du
vol 800, qui lui a notamment permis d'obtenir des enregistrements radar inédits. Il oublie qu'elle connaît mieux
cette affaire que dix journalistes additionnés. J'ai le sentiment que Peter Goelz a utilisé Howard Kurtz pour mordre
Kelly au mollet, comme l'aurait fait un roquet. J'en profite
pour apporter une précision plus personnelle à son article :
l'émission d'Oliver Stone n'était pas une *« fiction documentaire »* mais un documentaire d'information tout ce
qu'il y a de plus professionnel.

A ces comportements bien peu confraternels, aux com-
mérages et autres bruits de couloirs, je préfère ces mots de
Ted Koppel : *« Aspirez au respect. Exercez-vous à la civilité
les uns envers les autres. Admirez et imitez tout comportement éthique qu'il vous sera donné de rencontrer. »*

Le 17 juillet 2001, cinq ans presque jour pour jour après l'explosion du vol TWA 800, je m'attaque à la première ébauche de ce chapitre. Je n'ai commencé à écrire que depuis quelques minutes quand je m'aperçois que la broyeuse gouvernementale est toujours en veille.

L'alerte prend la forme d'un e-mail provenant du producteur de documentaires Jack Cashill. L'avocate Greta Van Susteren (rendue célèbre par l'affaire O.J. Simpson) l'a invité à participer à *The Point*, son émission du soir, pour parler de *Silenced*, le documentaire qu'il vient de consacrer à l'enquête officielle sur le vol 800. Je reçois l'e-mail de Jack à 17 h 45, un peu moins de deux heures avant son passage à l'antenne : « *Viens de recevoir l'appel que j'attendais plus ou moins. CNN a annulé l'émission. Personne du NTSB, FBI, etc., ne veut y participer avec moi. CNN prétend que si j'étais le seul invité, ça ne serait pas du "journalisme responsable". Par contre, si les types du NTSB se retrouvent seuls sur le plateau, là ce sera du journalisme responsable. Le producteur et Greta Van Susteren sont furieux. Pas leur faute. C'est venu d'en haut. Hier, quand ça s'est mis en place, c'était sans condition. Ils m'ont dit qu'il faudrait probablement que je le fasse tout seul. Apparemment, les critères du journalisme responsable ont changé du jour au lendemain... Vous qui cherchiez une démonstration exemplaire de ce qui ne tourne pas rond dans les médias, vous voilà servie !* »

J'appelle le contact de Jack Cashill dans l'émission de Greta Van Susteren pour m'entendre confirmer les informations contenues dans son e-mail. Je laisse un message sur une boîte vocale, mais personne ne me rappelle. Je réussis finalement à débusquer une interlocutrice qui m'explique que le standard est submergé d'appels concernant cette émission et propose de m'orienter vers le service « relations publiques » de CNN. Je lui réponds que ça ne m'intéresse pas : je souhaite seulement recouper le contenu de l'e-mail de Jack Cashill auprès de quelqu'un susceptible d'en authentifier la teneur. Mon interlocutrice accepte de me parler sous couvert d'anonymat.

Elle m'explique que le producteur exécutif de l'émission s'est opposé à ce que Jack Cashill intervienne seul. « *Nous ne pensions pas que nous allions nous retrouver dans cette impasse* », poursuit-elle. Or Jim Hall et Peter Goelz, du NTSB, ont l'un comme l'autre refusé de participer à l'émission face à Jack, et la décision a été prise que Jim Hall interviendrait seul. Comment cette violation manifeste des règles élémentaires du débat contradictoire a-t-elle été justifiée ? Parce que, assène ma source, Jim Hall est un « *invité légitime des informations* ». Un peu sur la défensive, elle ajoute aussitôt : « *Beaucoup de monde nous avaient mis en garde contre ce Cashill…* »

Un « *invité légitime des informations* » ! Et par opposition à quoi, dans ce cas ? Un invité illégitime ? Dès que les médias traitent de sujets sensibles, les invités considérés comme légitimes sont, le plus souvent, des porte-parole officiels bardés de titres ronflants qui, face à la presse, pratiquent le mensonge et l'évitement.

Si j'avais un seul conseil à donner à un futur journaliste, c'est celui-là : ne croyez jamais sur parole les invités légitimes ! Ou bien ces sources autorisées du FBI, du NTSB ou du Congrès vous mèneront en bateau.

L'entretien qui aura lieu entre Greta Van Susteren et Jim Hall est exemplaire à bien des égards. Dès l'introduction, le ton est politiquement correct et manifestement partial : *« Au début, les gens ont pensé qu'une bombe avait explosé à bord de l'appareil. Mais, à l'issue de recherches méticuleuses, la plupart des éléments disloqués du 747 ont été récupérés, ce qui a permis aux enquêteurs de le reconstituer. Leur conclusion : une étincelle électrique a probablement mis le feu à des vapeurs dans le réservoir vide de l'avion, vapeurs causées par la chaleur des systèmes de climatisation situés en dessous du réservoir. Il y a tout juste deux mois, le gouvernement ordonnait aux compagnies aériennes et aux avionneurs de modifier la conception, la réparation et l'entretien des réservoirs. »*

Que nous dit cette présentation ? Que les enquêteurs se sont décarcassés (*« recherches méticuleuses »*) et qu'ils ont conclu, bien que n'étant pas en mesure de le prouver (l'adverbe *« probablement »*), que c'est une étincelle qui a fait exploser l'avion – ce qui a conduit a prendre des mesures. Puis Greta se lance dans le grand numéro de l'amalgame : *« L'histoire ne s'arrête pas là. Des amateurs de complots affirment que l'avion, en réalité, aurait été abattu. »* Traduction : quiconque ne dit pas amen à la théorie des autorités est un « amateur de complot ». L'appellation s'accompagne en général d'épithètes fortement connotées, tels que « dingo », « frappé », « malade »... Le recours au dénigrement, voire à l'insulte, pour marginaliser les contradicteurs est une ficelle employée quotidiennement.

Son introduction achevée, Greta Van Susteren passe aux questions : *« Pouvez-vous affirmer avec une certitude absolue que les gens qui pensent que cet avion a été abattu ont tort ? »*, interroge-t-elle. Jim Hall se fait un devoir de noyer le poisson : le concentré de langue de bois qu'il sert à son intervieweuse dure plus d'une minute (une éternité en télé). Pour se sortir de la nasse, il se lance ensuite dans un parallèle douteux avec l'accident d'un avion de Delta

Airline qui s'est écrasé en raison d'une zone de cisaillement du vent. Ces deux tragédies ont, selon lui, eu pour conséquence de « *grands progrès dans le domaine de la sécurité aérienne* ».

L'animatrice l'interrompt : « *Pouvez-vous dire, Jim, que vous êtes certain à 100 % que ces amateurs de complots, dont certains prétendent qu'ils ont vu une lumière blanche monter vers le ciel et zigzaguer avant de disparaître, puis une boule de feu orange, pouvez-vous dire avec certitude que ces gens se trompent ?* » La réponse de l'homme du NTSB me laisse à penser que celui-ci cherche avant tout à éviter de mentir. Il y parvient au prix de contorsions sémantiques que n'aurait pas reniées Bill Clinton : « *Selon moi, nos enquêteurs se sont basés sur des faits. J'en suis absolument certain, ces gens se trompent ; ils ont tort...* » Ainsi, se réfugiant derrière les mots « *selon moi* », Jim Hall n'exprime qu'une opinion personnelle, pas une certitude objective. L'expression est d'ailleurs renforcée par : « *J'en suis absolument certain* », qui traduit là encore une simple opinion personnelle. Inutile de préciser que Greta Van Susteren ne relève pas la nuance...

Maudit soit cet ersatz de journalisme où les questions n'ont pas pour but de faire émerger une vérité occultée, mais plutôt de servir de tribune à l'invité du moment ; où l'on évite soigneusement d'inviter un contradicteur, quand bien même serait-il un journaliste réputé disposant de preuves solides ; où l'on sert la soupe aux autorités et où l'on relaye la désinformation quotidienne des sources autorisées, quel que soit l'enjeu... Ce journalisme inepte et creux, qui a perdu la notion même du sens critique.

Le 11 septembre 2001, deux avions kamikazes pilotés par des fondamentalistes musulmans se jettent sur les tours jumelles du World Trade Center. Un événement de ce type rend plus nécessaire que jamais l'existence d'une presse indépendante, prête à fouiller en profondeur. Car il nous faut comprendre pourquoi et comment une telle chose a pu se produire. A l'heure où nos vies sont menacées par le terrorisme et où l'on dresse des plans de bataille en notre nom, nous avons besoin de médias d'information dignes de ce nom. Pas de petits télégraphistes de la raison d'Etat.

La presse n'a jamais eu pour ambition de servir les intérêts du gouvernement mais de contrebalancer son pouvoir. Les informations relatives aux activités des autorités américaines – sur notre sol et en dehors – depuis qu'elles ont déclaré la guerre au terrorisme font l'objet d'un filtrage serré. Les dirigeants actuels des Etats-Unis parlent ouvertement de contrôler notre accès à l'information, quitte à dissimuler la vérité sous une couche de mensonges officiels. Plus effrayant encore, ils invitent les journalistes à « *faire attention* » à ce qu'ils disent et écrivent. Dans un tel contexte, nous devons faire montre d'astuce et de créativité pour permettre à la vérité d'apparaître au grand jour.

Paradoxalement, les journalistes devraient peut-être, sur ce point, s'inspirer des hommes politiques – bien moins crédules qu'eux. J'en veux pour illustration le principe qu'avait énoncé Ronald Reagan à propos de l'Union soviétique. L'ancien Président américain, dans ses relations avec son homologue Mikhaïl Gorbatchev, faisait montre de confiance sur certains sujets. Mais si la discussion portait sur l'arsenal militaire soviétique, par exemple, il lâchait dans un sourire : « *Faites-leur confiance, mais vérifiez tout de même...* » La confiance n'est pas la crédulité.

Cette phrase pourrait, selon moi, constituer une bonne devise pour les journalistes. Ne rien prendre pour argent comptant sans l'avoir vérifié par nous-mêmes, n'est-ce pas notre véritable raison d'être ?

Kristina Borjesson

L'histoire
que personne
ne voulait entendre

LE PONT DE NO GUN RI

D ans sa carrière, un journaliste connaît des moments d'infinie solitude. Je pense en particulier à ces instants où une voix intérieure lui souffle qu'il a exhumé une information capitale. C'est ce qui attend, par exemple, l'enquêteur qui déniche par hasard un document officiel accablant pour l'armée des Etats-Unis d'Amérique. Dès lors, ce journaliste ne peut que trembler d'effroi. Car il sait que la divulgation de la sombre vérité qu'il a découverte risque de porter préjudice à de nombreux protagonistes. Et qu'il sera lui-même pris pour cible, en tant que relais de la mauvaise nouvelle. Mais la voix intérieure lui dicte sa conduite : il doit relater l'affaire aussi justement que possible. C'est le métier qui l'exige. Le serment implicite qu'il a prêté : la quête de la vérité, aussi imparfaite et peu profitable que soit cette dernière, est préférable au secret et à l'ignorance…

En avril 1998, j'ai vécu cette expérience alors que je travaillais pour l'Associated Press (AP). L'AP est une usine à produire des informations. Elle émet, par satellite, un flot continu de phrases et d'images à destination de la quasi-totalité des médias américains. Sa capacité à couvrir la planète est sans égale. Son infrastructure de télécommunications est d'ailleurs empruntée par toutes les principales agences de presse du pays : celle du *New York Times*, du *Washington Post*... et même ce qui reste de l'*United Press International* (UPI), son concurrent direct, victime d'un effondrement financier il y a plus de dix ans. Tous font transiter leurs informations par le même canal : celui de l'AP.

L'agence est un groupement à but non lucratif détenu par ses membres, lesquels sont pour l'essentiel les grands médias d'information des Etats-Unis. Elle ne possède, pour ainsi dire, aucun actif en dehors des ordinateurs et des téléphones qu'utilisent ses journalistes. Sa richesse est ailleurs. En effet, le premier amendement la prémunit théoriquement contre toute ingérence de l'Etat. Et, depuis la chute de l'UPI, l'AP bénéficie d'une situation de quasi-monopole et son activité – protégée par la Constitution – est exempte de toute fiscalité.

Son influence est considérable. Selon ce qu'elle décide de publier, l'agence définit ce qui fera l'actualité plus encore que tout autre média. Qu'elle donne de la voix avec vigueur, et nul ne pourra l'ignorer. L'AP décide en outre quels sont les pays où il est nécessaire de maintenir un correspondant permanent. Par exemple, elle est aujourd'hui la seule agence occidentale à disposer d'un bureau en Corée du Sud. Nous verrons que ce point a son importance...

New York, avril 1998.

Comme souvent, malgré l'heure tardive, je suis fidèle au poste, au cinquième étage du quartier général de l'AP, Rockefeller Center, à New York. Mon bureau confiné, dépourvu de fenêtre, avec son mobilier d'acier et ses ordinateurs qui ne dorment jamais, est pourtant un lieu dont il est bon de savoir s'extraire. Depuis trois ans, j'occupe les fonctions de rédacteur en chef du service dit des « projets spéciaux ». Plus concrètement, je coordonne une équipe de journalistes répartis à travers tout le pays. Cela n'a rien d'une sinécure : rivalités mesquines et problèmes d'ego entraînent des frictions quotidiennes au sein de la rédaction. Mais celle-ci est avant tout un véritable creuset de talents. Malheureusement, la direction de l'AP se montre frileuse à exploiter ce potentiel[1]. Au journalisme d'enquête, l'agence préfère des reportages lisses et sans personnalité. Enquêter au nom de la démocratie est, apparemment, le dernier souci de ses dirigeants.

La veille de ce jour d'avril, j'ai envoyé – discrètement – un membre de mon équipe, Randy Herschaft, aux archives nationales de College Park (dans le Maryland), un gigantesque entrepôt où sont conservées des montagnes de documents militaires déclassifiés. Je l'ai chargé de rassembler autant de données que possible sur la guerre de Corée. Nous cherchons en effet à évaluer la crédibilité d'une plainte pour crimes de guerre intentée contre des militaires américains par une vingtaine de citoyens sud-coréens, cinquante ans après les faits.

Je dis *discrètement* parce que je dois bien reconnaître que, dans un premier temps, je ne tiens pas à ce que ma

---

1. J. Robert Port est placé sous les ordres du directeur de la rédaction, qui réfère lui-même directement au président de l'agence.

hiérarchie connaisse le détail de nos recherches, ni ce que cela coûterait, ni combien de temps cela prendrait... En fait, je crains que mes supérieurs ne mettent prématurément un terme à notre enquête. Mon appréhension, malheureusement, s'avérera fondée.

Quelques jours plus tôt, une recrue locale[1] a soumis au bureau international de New York un projet d'article. Son auteur, un certain Sang-hun Choe, est un jeune journaliste sud-coréen du bureau de Séoul. Très apprécié par ses supérieurs, il est notamment soutenu par Reid Miller, son chef d'agence – un vétéran de l'Associated Press –, et Tom Wagner, qui dirige notre bureau «Asie» et se dit prêt à consacrer davantage de moyens à cette enquête.

Dans sa dépêche, Sang-hun Choe décrit les soubresauts tardifs d'une plainte pour dommages de guerre. Les faits dénoncés datent de plusieurs décennies mais ils ont été soigneusement étouffés, y compris en Corée du Sud. Ce n'est que depuis peu que l'affaire y fait la une, le chef de l'Etat nouvellement élu ayant entrepris de favoriser la liberté d'expression, mise à mal par les régimes précédents. L'Agence France-Presse y a déjà consacré de courtes dépêches, mais l'AP, de son côté, persiste à la traiter par le silence. Bien que relativement ancienne, cette histoire est pourtant explosive. Des témoins oculaires accusent des soldats américains d'avoir délibérément massacré, durant la guerre de Corée, quelque quatre cents civils : femmes, enfants, nourrissons, vieillards...

Kevin Noblet, le rédacteur en chef adjoint du bureau international de l'AP, me transmet l'article de Sang-hun

---

1. Dans le jargon de l'AP, ce terme désigne un correspondant étranger non syndiqué.

Choe, accompagné d'une requête : pouvons-nous creuser cet épisode aux Etats-Unis ?

Ce fameux soir d'avril 1998, mes mains tremblent tandis que je réponds à l'e-mail que Randy Herschaft vient de m'adresser depuis College Park pour me rendre compte de ses premières découvertes. Randy a passé de longues heures à éplucher des rayonnages entiers d'archives militaires. Conformément à la loi, tous ces documents remontant à la guerre de Corée sont passés dans le domaine public au bout de trente ans. Mais personne n'a encore eu l'occasion de s'y pencher. Certaines chemises cartonnées sont toujours ficelées dans leur emballage d'origine, telles qu'elles ont été rapportées du Japon près de cinquante ans plus tôt.

Quand je réalise ce que notre journaliste a découvert, je n'en crois pas mes yeux. A force de ténacité, Randy a déniché un document de première importance : un mémorandum daté du 27 juillet 1950, signé d'un officier de l'armée américaine. La guerre en était à sa cinquième semaine, et c'est précisément lors de cette période que, selon des témoins sud-coréens, des dizaines de leurs compatriotes ont été abattus par les forces armées américaines. Or le général William Kean, signataire du document, fait justement référence à une zone d'environ 250 kilomètres carrés, dans le centre de la Corée, qui englobe le site du prétendu massacre – situé derrière les lignes américaines. Et le mémorandum garde la trace des instructions sans ambiguïté que l'officier a données à ses troupes : « *Tous les civils surpris dans la zone devront être considérés comme des ennemis et traités en conséquence.* »

Les trouvailles de Randy ne s'arrêtent pas là. D'autres bordereaux militaires comportent des ordres, plus explicites encore, autorisant l'exécution de civils. Un message radio du commandement à destination de la 1re division de cavalerie, par exemple, est transcrit comme suit : « *Aucun réfugié ne doit franchir la ligne de front. Abattre quiconque tenterait de traverser les lignes. Agir avec discrétion dans le cas des femmes et des enfants.* »

Les plaignants sud-coréens dénoncent justement l'implication de la 1re division de cavalerie dans le massacre de leurs proches, survenu près de cinquante ans plus tôt. Ce sont les hommes de cette division, affirment-ils, qui ont, sous un pont de chemin de fer, au lieu-dit No Gun Ri, tiré à la mitrailleuse sur des centaines de civils désarmés. En guise de démenti aux graves accusations portées contre ses soldats, l'armée américaine s'était jusque-là contentée de déclarer que « *rien ne prouvait que la 1re division de cavalerie se soit trouvée dans la zone considérée* » à cette date. Les archives retrouvées par Randy Herschaft tendent à démontrer le contraire.

Je pressens qu'il nous faudra investir énormément de temps et de moyens avant d'être en mesure de publier un article de fond pour l'AP. Une division de l'armée de terre regroupe plusieurs milliers d'hommes, et nous ignorons quelles unités, quels régiments, bataillons ou compagnies ont été impliqués. Pourrons-nous retrouver d'anciens combattants ayant gardé le souvenir de ce drame ? Et quand bien même, accepteront-ils de nous en parler ?

Me revient alors en mémoire un épisode tragique de la guerre du Vietnam comportant certaines similitudes avec notre histoire : le massacre de My Lai [1]. Né en 1955, j'ai

---

1. Le 16 mars 1968, la compagnie C du 1er bataillon du 20e régiment de la 11e brigade d'infanterie légère américaine, sous le commandement du lieutenant William Calley, massacre près de cinq cents civils dans le hameau sud-vietnamien

grandi avec les images télévisées du Vietnam. J'ai vu partir mon cousin pour cette guerre qui ne disait pas son nom. Quelques années plus tard, je suis tombé sur une photo de lui dans le magazine *Life*. Il portait le corps ensanglanté d'un camarade dans la jungle. Pour moi, ce fut un choc. Au lycée, j'ai lu les textes de Seymour Hersh dénonçant le massacre de My Lai – près d'un an après les événements. A mes yeux, ce journaliste était un héros et l'armée représentait une menace pour notre sécurité nationale, peut-être davantage parce qu'elle avait tenté de dissimuler l'existence du massacre que parce qu'elle en était à l'origine.

Je n'éprouve aucune honte à admettre qu'il m'arrive, en tant que journaliste, d'émettre des jugements subjectifs. L'exécution de civils innocents au nom de considérations tactiques, en particulier dans un conflit idéologique comme la guerre du Vietnam, est un acte obscène, indigne de l'Amérique. J'admets que juger *a posteriori* les agissements qu'un simple soldat a été amené à commettre en temps de guerre est un dangereux exercice intellectuel. Mais j'estime qu'un événement historique doit être étudié, et qu'il vaut mieux tirer d'un massacre des leçons pour l'avenir plutôt que d'en nier l'existence purement et simplement.

Surgi de cette guerre oubliée – un autre conflit asiatique qui a éclaté sans déclaration officielle –, ce que nous découvrons pèse lourd. Nous disposons de documents prouvant que l'état-major américain a ordonné d'abattre des civils coréens et que ces ordres ont été donnés par des

---

de My Lai. La compagnie C traquait des éléments viet-cong. A l'origine, *Stars & Stripes*, organe officiel de l'armée de terre, présente l'affaire comme une victoire contre le Viet-cong. Par la suite, une enquête officielle reconnaîtra que des civils ont été tués accidentellement dans le cadre d'une opération coup de poing.

généraux à des milliers de jeunes soldats en pleine retraite[1].

Evidemment, nous devons encore recouper nos informations. Mais déjà, à ce stade, il est difficile de croire à une coïncidence. Les instructions secrètes découvertes par Randy semblent confirmer la teneur de la plainte déposée à l'autre bout du monde. Comment l'armée américaine a-t-elle pu écarter ces accusations de façon aussi grossière ?

Nous rencontrerons par la suite un professeur spécialiste des crimes de guerre à l'école militaire de West Point. A sa connaissance, de tels documents sont uniques. Il est inédit, en effet, que des archives conservent les aveux écrits de telles consignes. Même quarante-huit ans après les faits, nous tenons là un sujet d'enquête exaltant. Un scoop en puissance. Seul un imbécile ou quelque patriote obtus, refusant d'envisager que l'armée américaine puisse commettre une faute ou répugnant à en débattre, pourrait prétendre le contraire. Les archives de College Park corroborent, sans pour autant la confirmer totalement, la thèse que quelques paysans sud-coréens ont passé leur vie à défendre. Inaccessibles aux historiens durant trois décennies, elles établissent que des divisions entières de l'armée des Etats-Unis ont reçu l'ordre de tirer à vue sur des civils désarmés durant la guerre de Corée. Une violation caractérisée, à grande échelle, de la Convention de Genève, cela mérite bien un article...

Aussi, je décide de mobiliser sur cette affaire tous les moyens – financiers, logistiques et humains – dont je dispose. Je suis prêt, notamment, à y consacrer le reliquat du

---

1. Le drame de No Gun Ri, qui a fait au moins quatre cents morts, se situe au tout début de la guerre de Corée. Surprises par la violente offensive nord-coréenne de juin 1950, les troupes américaines et sud-coréennes refluaient alors en plus ou moins bon ordre.

budget annuel de 100 000 dollars alloué à nos frais d'enquête et à détacher sur ce dossier une proportion non négligeable des journalistes de mon service, tout en m'y consacrant totalement moi-même. Il me reste un obstacle de taille à surmonter : la probable hostilité de mes responsables hiérarchiques. Je m'attends à ce qu'ils ne partagent pas spontanément mon enthousiasme, et j'imagine que de patientes négociations seront nécessaires. Mais je suis loin du compte. Je m'apprête à vivre l'expérience la plus éprouvante de ma carrière.

En mai 1998, je demande à Randy Herschaft de retourner à College Park afin d'éplucher le moindre carton d'archives. Ma meilleure journaliste, Martha Mendoza, l'accompagne. Ils en reviennent avec des copies de cartes d'état-major datant de la guerre de Corée, dont nous recouvrons les murs de notre bureau. Jour après jour, le service des « projets spéciaux » se transforme en centre d'opérations militaires. A l'aide des relevés de communications radio et d'autres bordereaux officiels, nous identifions le déploiement de plusieurs dizaines d'unités. Des cartes en notre possession, il ressort que, sur quatre régiments de l'armée de terre, l'un se trouvait à No Gun Ri au moment où le massacre de réfugiés se serait déroulé. Cette unité n'est autre que le 7e de cavalerie, le célèbre régiment du général Custer[1].

Grâce aux associations d'anciens combattants et aux

1. Déjà responsable du massacre de Cheyennes désarmés au campement de la Washita River, le 7e régiment de cavalerie était commandé par le général George Armstrong Custer quand il fut pratiquement anéanti, en 1876, par les Sioux de Crazy Horse à la bataille de Little Big Horn. En 1890, le même régiment exécuta plusieurs centaines de Sioux dans la réserve de Wounded Knee, ce qui valut des

listings retrouvés dans les archives du personnel militaire de Saint-Louis (Missouri), nous dressons une liste nominative de quelques vétérans susceptibles de détenir des informations sur No Gun Ri. De son côté, Kevin Noblet envoie Sang-hun Choe enquêter en Corée à la recherche de nouvelles informations sur le massacre. Et le bureau international décide de confier le dossier à son meilleur journaliste, Charles Hanley, le principal correspondant de l'AP à l'étranger.

Aidé de Martha Mendoza, ce dernier commence par appeler au hasard les anciens combattants. Certains ont gardé quelques vagues souvenirs de ces événements vieux d'un demi-siècle. Je suggère à Charles et Martha de rencontrer quiconque serait prêt à leur parler et de réaliser systématiquement des entretiens face à face. Le résultat de leurs interviews est ensuite intégré à notre base de données.

Dans le même temps, j'envoie Randy fouiller toutes les bibliothèques susceptibles de recéler la moindre information relative à No Gun Ri : la bibliothèque Truman, à Independence (Missouri), l'école de guerre de l'armée de Terre, à Carlisle (Pennsylvanie), sans compter les nombreuses visites supplémentaires qu'il effectuera à College Park. Randy compulse en outre tous les journaux et livres disponibles à la bibliothèque publique de New York, où il passe des journées entières à consulter des microfilms.

Le chantier est colossal, et l'entreprise commence à coûter. Néanmoins, je parviens encore à ce que l'ampleur de notre enquête reste suffisamment discrète pour ne pas

---

décorations à plusieurs de ses soldats. Considéré comme une unité d'élite au sein de la 1re division de cavalerie aéroportée (AirCav), le 7e de cavalerie fut la première unité américaine engagée dans une opération d'envergure contre l'armée nord-vietnamienne, à La Drang, en 1965.

alerter ma hiérarchie. Tant qu'un voyage individuel ne dépasse pas 5 000 dollars, je suis autorisé à signer les ordres de mission sans l'aval du directeur de la rédaction – qui semble d'ailleurs se soucier fort peu de nos activités. En l'espace de quelques mois, nous avons dépensé plus de 30 000 dollars en déplacements et en recherches.

A la fin du mois de juillet 1998, nous rédigeons un projet d'article dans lequel nous présentons les témoignages de plusieurs anciens combattants qui reconnaissent avoir tiré sur des centaines de réfugiés sud-coréens, sous un pont de chemin de fer. Quelques-uns se souviennent encore des ordres qu'ils avaient reçus, interdisant à quiconque de franchir la ligne de front. Nous reproduisons également le récit, poignant, d'un servant de mitrailleuse qui nous a raconté dans quelles conditions il avait ouvert le feu sur la foule. Bien sûr, après tant d'années, ces souvenirs ne sont pas exempts de contradictions. Mais ils concordent sur l'essentiel.

Je transmets l'article à Bill Ahearn, notre directeur de la rédaction, qui m'invite à le rejoindre dans son bureau. Là, notre discussion dégénère rapidement. Bill remet en cause chacun des faits que nous rapportons – ce que nous avions anticipé. Sur sa lancée, il va jusqu'à mettre en doute l'intérêt journalistique de notre enquête. A l'en croire, Charles Hanley serait « *tombé amoureux de son sujet* ». On ne pourrait donc lui faire confiance. Quant aux souvenirs des anciens combattants, Bill Ahearn refuse d'y voir des informations que l'AP pourrait tenir comme dignes de foi. Malgré son évidente hostilité, il accepte tout de même que nous nous remettions à la tâche.

Chaque semaine ou presque, nous identifions un nouveau vétéran. Aussi, dès le mois d'août, je soumets à Bill un article plus étayé. Mais il le taille en pièces avec le même acharnement que la première fois, mettant en doute l'ensemble des témoignages que nous avons recueillis au sujet d'un éventuel massacre. Finalement, il exige de pouvoir relire nos notes d'entretiens. Constatant que certains témoignages proviennent de soldats n'ayant jamais approché la zone des tirs, ou de protagonistes extérieurs à l'affaire que nous avons contactés à la recherche de témoins, il y verra autant d'éléments fragilisant nos conclusions.

Devant la tournure que prennent les événements, je décide de sortir mon va-tout. Je sollicite l'autorisation d'envoyer en Corée mes deux journalistes, lesquels désirent confronter le récit des soldats américains qu'ils ont pu approcher à celui des rescapés. Leur séjour ne coûtera que quelques milliers de dollars supplémentaires, une somme que mon budget suffit encore à couvrir. Ce déplacement, à mes yeux, est une nécessité. C'est aussi la dernière carte que je suis susceptible de jouer pour emporter le soutien de ma hiérarchie à la publication de l'enquête.

Bill Ahearn en refuse le principe. La guerre d'usure a commencé.

Comme je devais m'y attendre, la bonne volonté de mon équipe commence à s'émousser. Martha Mendoza, par exemple, est venue s'installer à New York pour travailler à mes côtés. Mais à Brooklyn, la vie est trop chère pour elle, son mari et ses deux fils. Dans cette ville, les journalistes de l'AP comptent parmi les moins bien rémunérés de la profession. J'essaie d'obtenir à Martha une augmentation, ce qui nécessite l'approbation du président de l'agence. Mais ma démarche échoue. De guerre lasse, Martha préfère demander son affectation au bureau de San Jose, en

Californie, près de la famille de son mari. J'y perds ma meilleure journaliste.

Charles Hanley, de son côté, se retrouve seul en première ligne. Sous la direction exigeante de Bill Ahearn, il est contraint de réécrire l'article sur No Gun Ri seize fois de suite. En général, on lui demande d'atténuer la portée de nos découvertes. Mais aussi de donner à l'enquête un ton et un « angle » plus proches d'un grand reportage. A partir de novembre 1998, Bill m'évite purement et simplement. Il reste plusieurs semaines sans me contacter et ne répond ni à mes messages téléphoniques ni à mes e-mails. Un peu avant Noël, je finis par le coincer. Je souhaite savoir quel sort il compte réserver à notre travail. Mais il me répond par des hurlements : je chercherais, dit-il, à faire pression sur lui pour que l'article soit publié malgré d'évidentes lacunes.

Je n'ai plus de doutes, désormais. Aux yeux de la hiérarchie, notre enquête n'a pas sa place à l'Associated Press. Elle n'offre aucune autre perspective que les ennuis.

Je décide alors de regrouper un dossier détaillé comportant une synthèse de nos recherches, ainsi que des cartes et des photographies. J'y joins divers documents, des extraits d'interviews, mais aussi les noms, dates de naissance, adresses et numéros de téléphone d'une dizaine d'anciens combattants ainsi que les noms d'à peu près autant de rescapés coréens. A ce stade, je ne suis pas loin d'abandonner. Las d'avoir à expliquer l'intérêt de notre travail à des rédacteurs en chef qui se refusent à en appréhender la complexité, j'envisage de jeter l'éponge.

Je choisis cependant de constituer ce « rapport d'enquête » synthétique avant de tenter ma chance une ultime fois. Le cas échéant, s'il faut prendre des gens à témoin de l'opportunité de nos recherches, au sein de l'AP ou en dehors, je pourrai toujours m'en servir dans ce dessein. Bill Ahearn m'informe qu'il me communiquera sa décision ultérieurement. Il souhaite d'abord consulter Lou Boccardi, le président de l'agence. Mais après avoir étudié mon dossier, Bill m'ordonnera, ni plus ni moins, d'abandonner. Sans aucune explication.

Je me tourne alors vers Lou Boccardi dans l'espoir d'un arbitrage favorable. Mais ce dernier m'informe – par e-mail – qu'il approuve la position de son directeur de la rédaction. Je parviens tout de même à lui arracher un rendez-vous. Là, une nouvelle surprise m'attend : tout au long de ma conversation avec Lou Boccardi, Bill Ahearn se tiendra, muet, à nos côtés. Le président de l'AP me déclare d'entrée que, selon lui, l'article trouverait mieux sa place dans un magazine tel que *Rolling Stone.* Pour bénéficier de l'estampille AP, il devrait subir au moins deux refontes : abandonner ce ton inquisitoire et se voir réduit à neuf cents mots, moins si possible. Mais le président de l'AP ne s'arrête pas là. Il nous demande d'insister, dès le premier paragraphe, sur les atrocités commises par la Corée du Nord pendant la guerre – un aspect que nous avions résumé incidemment. Et il conclut l'entretien par ce constat paradoxal : une fois raccourci et dénaturé de la sorte, l'article n'aura plus guère d'intérêt. Alors, au fond, autant le passer par pertes et profits...

Comme je refuse de lâcher prise, la réunion connaît quelques moments houleux. « *Vous faites passer ces soldats pour des criminels !* », me lance Lou Boccardi. Je lui fais remarquer que, si nous désignons du doigt des criminels, ce sont plutôt les généraux qui ont donné ces ordres. Ce que nous critiquons, c'est la politique étrangère des Etats-Unis pendant la guerre froide. Et si nous nous hasardons à porter des accusations, c'est en nous appuyant sur des faits, des documents, les déclarations de témoins et de spécialistes... Je ne peux que lui répondre : *« C'est le genre d'information que le* New York Times *publierait en une ! »*

Mon interlocuteur n'en démord pas. Je ne peux, dès lors, que l'avertir que nos journalistes sont susceptibles de proposer leurs travaux à d'autres publications, et que cette affaire finira bien par être rendue publique un jour ou l'autre. Il me rétorque que, si d'autres médias souhaitent se lancer, cela ne le dérange aucunement. J'avance une piste de compromis : faisons appel à un rédacteur en chef extérieur à l'affaire, ignorant tout du sujet, et qui devra être coopté par toutes les parties concernées. Celui-ci aura pour mission de retravailler l'article jusqu'à ce que ses auteurs initiaux d'un côté et Lou Boccardi de l'autre parviennent à un consensus. *« Accordons-nous un jour de réflexion »*, me suggère le président de l'AP. Ce sera notre dernière conversation.

Le lendemain, j'apprends que Jon Wolman, l'ancien chef du bureau de Washington, nommé l'automne précédent par Lou Boccardi au poste de directeur de la publication, prend l'affaire en main personnellement. Avec lui, je discute de l'éventualité de faire appel à un nouveau journaliste. Il nous faudra deux semaines pour tomber d'accord sur le nom de Kevin Noblet. Celui-ci, m'annonce Jon Wolman, reprendra le dossier tout en continuant à travailler au bureau « international ».

A nouveau, une longue phase de recherches et de réécritures s'ouvre devant nous. Kevin, qui ne rend de comptes qu'à Jon Wolman en personne, reprend l'article principal à l'aide des notes et des documents des journalistes de mon équipe. Ceux-ci n'auront, de leur côté, pas le moindre accès à ses écrits tant que la rédaction en chef ne les y aura pas autorisés.

Lorsqu'ils découvrent ce que Kevin Noblet a fait de leur travail, Charles Hanley et Martha Mendoza sont fous de rage. Ils éprouvent le sentiment que l'article s'efforce de démontrer que personne ne sait ce qui s'est réellement passé à No Gun Ri. Charles Hanley qualifie ouvertement la version de Kevin Noblet de malhonnête et inacceptable. En retour, il est mis à l'écart. La direction l'évite soigneusement, et il reste longtemps sans savoir ce que deviendra ce dossier auquel il a consacré des mois de travail acharné.

Quant à moi, mon sort est scellé. En effet, Jon Wolman se lance dans un opportun remaniement de la rédaction dont je ressors avec une nouvelle fonction : « rédacteur en chef systèmes ». Ma tâche consistera désormais à contrôler la bonne marche des terminaux du bureau new-yorkais. Certes, je me suis fait une petite réputation de spécialiste des archives informatiques dans le cadre d'enquêtes journalistiques, mais de là à me vouer à la surveillance des ordinateurs ! J'accepte malgré moi. En fait, j'ai déjà commencé à prospecter ailleurs. Un mois plus tard, je démissionnerai de l'Associated Press.

Charles Hanley reste seul en piste. En dépit de son statut de journaliste phare de l'agence[1], et alors même que l'on est en train de charcuter l'article qui sera signé de son nom, les principaux responsables de l'AP refusent de traiter avec lui. Aussi, Kevin Noblet se voit contraint de jouer les intermédiaires. Charles parle à Kevin, qui transmet le message à Jon Wolman, et vice-versa. (Bill Ahearn, quant

---

1. Il est notamment l'auteur du livre qui célèbre le cent cinquantième anniversaire de l'Associated Press.

à lui, est progressivement mis sur la touche.) Il règne, autour du dossier « No Gun Ri », une ambiance irréelle.

Tous nos chefs d'agence, de Tokyo à Paris, savent depuis longtemps que l'AP est sur un « coup » dont elle suspend *sine die* la publication. Déjà la rumeur enfle, rendant une publication inexorable. Mais un nouvel obstacle survient : Charles Hanley reçoit l'ordre d'interviewer pour la énième fois chaque témoin cité dans son article, et ce en présence d'un autre journaliste qui écoutera la conversation. C'est la première fois qu'une telle pratique est préconisée dans toute l'histoire de l'agence.

En septembre 1999, l'Associated Press – et c'est tout à son honneur – publiera enfin, après de longs mois de tractations, un dossier intitulé *Le Pont de No Gun Ri*. Ironie du sort, ses auteurs seront couronnés du prix Pulitzer du journalisme d'enquête, le seul qui ait jamais été décroché par l'AP.

Je n'ai pas bénéficié de ces honneurs. Avant même la publication, je me suis retrouvé au chômage. Ignorant si l'AP se déciderait un jour à rendre le dossier public, j'en ai démissionné en juin 1999. Après avoir lancé cette enquête et l'avoir défendue avec acharnement face à la direction de l'information, j'ai fini par m'avouer vaincu. Mon poste et mon service venaient d'être supprimés, et je me voyais rétrogradé à un poste qui, au mieux, pouvait se définir comme « patron des réparateurs d'ordinateurs de la salle de rédaction ».

En ce qui me concerne, les dégâts ne s'arrêtent pas là. Quatre années passées à l'AP ont eu raison de mon idéalisme de journaliste, chacun des projets que j'ai lancés s'étant heurté à d'incessantes résistances internes, alors même que le travail de mon équipe lui valait récompense sur récompense. J'ai dû me résoudre à accepter l'une des tristes réalités du monde de l'information aux Etats-Unis : certains des plus grands médias, et des plus respectés, n'ont plus le courage ni la volonté nécessaires pour accomplir leur tâche avec constance. Ils se montrent régulièrement incapables d'exposer la vérité sur les questions les plus controversées de notre temps. La publication tardive du *Pont de No Gun Ri* n'y change rien.

Car ses auteurs ont dû batailler pied à pied, jusqu'au dernier moment, avec leur direction. A la veille de publier le dossier, Jon Wolman tentait encore de contraindre le site Internet de l'agence à retirer les fac-similés de documents, ainsi que les cartes et les vidéos d'entretiens qui illustraient la version en ligne du dossier. Jim Kennedy, rédacteur en chef du site, a refusé de se plier à ses injonctions. Et là encore, comme un pied de nez aux réticences de notre hiérarchie, la version en ligne s'est vue décerner un prix : le *Online Journalism Award* de l'université de Columbia !

Même après la publication, la pression sur les journalistes ne s'est pas relâchée. Lou Boccardi, Bill Ahearn et Jon Wolman ont exigé que le mot « massacre » soit supprimé de tous les textes de l'AP sur No Gun Ri. Peu leur importait que de nombreux journaux aient déjà cité nos travaux, à commencer par le *New York Times*, et qu'ils aient instinctivement utilisé ce mot dans leurs titres de une. Même les représentants du gouvernement, comme le secrétaire à la Défense William Cohen, citaient le mot tabou, qu'ils qualifiaient ensuite d'« *allégation* » et non de fait avéré. Mais le terme a disparu des dépêches de l'agence. Et quand l'AP a décroché le Pulitzer, Lou Boccardi en personne est venu s'asseoir devant un ordinateur de la rédaction et a lui-même effacé chaque occurrence du mot *massacre* dans la dépêche consacrée à cette récompense. Le journaliste, pourtant, n'avait fait que citer le communiqué de presse officiel du comité du prix Pulitzer...

Finalement, la hiérarchie de l'Associated Press et les journalistes chargés d'enquêter sur No Gun Ri ne s'accordent que sur un point : la phrase d'introduction du chapô[1], habile tournure composée par Kevin Noblet, aussi révélatrice des épreuves subies qu'il a pu se le permettre : « *C'est une histoire que personne ne voulait entendre. Au début de la guerre de Corée, disent des paysans, des soldats américains ont abattu à la mitrailleuse des centaines de civils sans défense, sous un pont de chemin de fer, dans la campagne sud-coréenne...* »

Aujourd'hui, je me dis que la conjonction de facteurs qui a tout déclenché est bien fragile : la présence de l'AP en Corée du Sud ; la curiosité d'un jeune journaliste ; l'existence à l'AP d'une équipe prête à s'engloutir dans une enquête ardue, cinquante ans après les faits, à partir d'archives militaires déclassifiées ; son aptitude à consacrer le temps et l'argent nécessaires à ce travail en profondeur... Aujourd'hui, l'équipe new-yorkaise des projets spéciaux n'existe plus. Rien d'équivalent ne lui a succédé. Tant d'histoires comme celle de No Gun Ri attendent d'être racontées. Qui, à l'AP, se battra pour les publier ?

Avant de quitter l'agence, j'ai su que Bill Ahearn, mon tout premier opposant au sein de la hiérarchie, était lui-même hanté par sa propre guerre du Vietnam – il était capitaine dans l'armée de terre. Un jour, je lui ai demandé

---

1. Placé après le titre et avant le texte d'un article, le chapô en précise les enjeux ainsi que « l'angle ». Il incite le lecteur à entrer dans le texte.

si, là-bas, il lui était arrivé d'abattre des civils. Il a éludé ma question et m'a raconté que la nuit, lorsqu'ils entendaient un bruit dans un marécage alentour, ses hommes se mettaient à tirer dans l'obscurité avant de s'apercevoir qu'en fait c'était une famille vietnamienne qui pêchait des grenouilles... Son regard s'est perdu dans l'horizon de glace de la patinoire du Rockefeller Center. J'ai préféré ne pas insister.

J. Robert Port

La fracture
de l'information

MEURTRES SUR LA VOIE FERREE

À l'époque où j'étais à l'université, le journaliste mythique Seymour Hersh est venu visiter la rédaction de notre journal d'étudiants (dont les locaux étaient devenus ma deuxième maison). Avachi contre un meuble, vêtu d'un costume bon marché, il a expliqué au petit groupe de journalistes en herbe que nous formions comment, à force de patience et d'efforts, il avait retrouvé des témoins du massacre de My Lai, commis par l'armée américaine durant la guerre du Vietnam. Nous l'écoutions avec dévotion. Quelques années plus tard, alors que je travaillais dans un quotidien de Philadelphie, j'avais, avec un collègue, adressé un courrier à Harrison Salisbury, une autre légende de la profession, pour lui demander si nous aurions un jour, nous aussi, l'opportunité de dégotter une affaire comme celle des *Pentagon Papers*[1]. *« Un journaliste*

---

1. En juin 1971, le *New York Times* doit publier une enquête détaillant le rôle des Etats-Unis en Indochine depuis les trente dernières années. Fermement opposé à une telle perspective, le département de la justice invoque la sécurité nationale et obtient d'un tribunal le sursis à publication des articles. Cette décision sera invalidée par la Cour suprême des Etats-Unis et les révélations du quotidien donneront lieu à une vive critique de la politique américaine au Vietnam.

qui se donne à fond finit toujours par dénicher de grands sujets », nous avait-il suggéré.

En ce temps-là, *« se donner à fond »*, ça voulait dire vivre la nuit, rôder dans les commissariats, se ruer sur les affaires criminelles importantes... Un soir, le rédacteur de permanence m'a fait un sermon parce que j'avais omis de préciser si un suspect qui venait de se faire tirer dessus par un policier dans un tunnel du métro avait été atteint à la jambe droite ou à la jambe gauche. La profession vivait davantage au contact des réalités. Mes aînés, qui s'identifiaient aux policiers ou aux employés municipaux, se faisaient un devoir de gonfler leurs notes de frais pour payer la tournée au bar du coin à la fin de leur journée. *« Le journalisme, c'est un métier de prolo »*, m'a dit un jour un vétéran. Ce monde allait bientôt disparaître. Et je dois reconnaître que, à mes débuts, partisan d'un travail rigoureux et plus novateur, je m'en réjouissais plutôt. Aujourd'hui, je ne sais plus trop.

J'ai vu la culture journalistique muter en profondeur. Les salles de rédaction se sont mises à ressembler de plus en plus aux bureaux d'une compagnie d'assurances et les machines à écrire ont cédé la place à des ordinateurs uniformes. Les vieux de la vieille ont vu avec effroi de « jeunes journalistes sérieux » prendre leurs quartiers dans les rédactions. Avec ces aspirants journalistes à mon image, diplômés des grandes écoles et issus de la bourgeoisie, plus de flasque de whisky dans le tiroir du bureau. La nouvelle génération se sentait investie d'une mission quasi messianique.

Quel en est le bilan ? La culture journalistique moderne est, certes, plus responsable que celle qui dominait dans la rédaction où j'officiais il y a vingt ans (je repense, un peu honteux, à certaines des affirmations que nous lancions sans les avoir suffisamment recoupées). De manière générale, le professionnalisme s'est accru. Mais nous l'avons payé au prix fort. Lorsque j'ai commencé ma carrière, les journalistes ne ressentaient aucune affinité pour un avocat ou un politique. Ils s'identifiaient à la classe moyenne. Aux subalternes. La défiance envers l'autorité était considérée, chez eux, comme une qualité. Aujourd'hui, l'ensemble de la profession condamne cette approche, qu'elle juge inconvenante... et risquée.

L'évolution ne s'est pas seulement traduite culturellement mais structurellement. A l'ère de l'information reine, les médias sont infiniment plus influents que ne l'étaient les journaux de la vieille époque. Quelques-uns de mes anciens camarades de promotion à l'école de journalisme sont aujourd'hui bien plus puissants que certains sénateurs – une perspective qui nous aurait paru totalement incongrue il y a quelques années. A l'époque, on comptait un millier de journaux dans le pays qui, tous, travaillaient en se moquant éperdument de ce que pouvaient écrire leurs concurrents. Même le *Washington Post* était considéré comme une voix parmi tant d'autres. Quant à la télévision, elle en était encore à ses balbutiements. Aucun groupe de presse n'était alors en mesure de jouer le rôle d'arbitre politique qu'une poignée de médias ont désormais la faculté de s'attribuer.

D'une certaine façon, l'économie internationale est aujourd'hui entre les mains des grands groupes de communication. Les rédacteurs en chef savent qu'avec un seul article, on peut faire vaciller les marchés financiers. Récemment acquise, cette position de force fait des médias un environnement naturellement conservateur et frileux, répugnant à toute controverse. La métamorphose est de taille.

Les exemples que je me propose d'évoquer datent des années 1990, mais la guerre contre le terrorisme déclenchée par l'administration Bush a contribué à renforcer la tendance qu'ils illustrent. En temps de guerre, on le sait, un gouvernement, quel qu'il soit, s'efforce toujours d'exercer un contrôle sur l'information. Mais dans le cas présent, les journalistes sont soumis à des pressions plus écrasantes que jamais. On n'attend pas seulement d'eux qu'ils rapportent de bonnes nouvelles du front, mais encore qu'ils fassent l'apologie des valeurs de l'Occident face au fondamentalisme islamique. Or, même quand on apprécie ces valeurs, et qu'on estime qu'elles méritent que l'on se batte pour elles, ce qui est mon cas, on ne peut que s'émouvoir devant la partialité manifeste des informations fournies au public. Les questions qui fâchent (notre culture est-elle superficielle et matérialiste ? La politique américaine au Proche-Orient est-elle injuste ? Que peut-on faire pour résoudre les inégalités entre les peuples du Nord et ceux du Sud... ?) sont immédiatement circonscrites. Ces questions-là, on n'ose plus les aborder qu'entre amis. C'est ce qui me fait dire que les Américains sont bien plus intéressants que leurs médias...

J'ai pris conscience de ces bouleversements culturels de façon brutale, dans les années 1990. Le très sérieux magazine pour lequel je travaille à l'époque comme pigiste décide de m'envoyer en Arkansas, où je dois tenter de comprendre pourquoi autant de gens haïssent profondément Bill Clinton. La coloration politique de ma publication est plutôt démocrate. Comme moi, la grande majorité de la rédaction a voté pour l'ancien gouverneur (en 1992 en tout cas). On attend probablement de moi un « essai reportage » qui révélera à quel point l'Amérique profonde est arriérée : si Bill Clinton suscite la réprobation en Arkansas, pensent mes collègues, c'est parce qu'il a contrarié les milieux traditionalistes en soutenant l'intégration des homosexuels dans l'armée et en affichant une relation conjugale moderne avec Hillary Rodham Clinton – cette analyse, d'ailleurs, n'est pas totalement fausse.

Je me rends tout d'abord à la Maison Blanche. Dans les locaux impressionnants du Old Executive Office Building, je rencontre un jeune assistant du cabinet présidentiel qui me transmet un épais rapport. Intitulé *Les réseaux de communication de la conspiration*, ce dossier entend démontrer que les plus féroces détracteurs de Bill Clinton sont des hystériques patentés qui inondent Internet de leurs délires.

Quelques jours plus tard, juste avant l'élection présidentielle de 1996, je me rends en Arkansas, où je fais la connaissance d'une femme nommée Linda Ives. Je n'ai pas besoin de plus de cinq minutes pour comprendre qu'elle n'a rien d'une hystérique. Son fils est l'une des deux victimes de ce qu'on a appelé « les meurtres sur la voie ferrée » : son copain et lui ont été assassinés après avoir été témoins, malgré eux, d'une opération de trafic de drogue, près de Little Rock. Leurs meurtriers ont tenté de maquiller leur forfait en déposant les deux cadavres sur la voie ferrée, dans l'espoir qu'ils seraient écrasés par un train.

C'est un crime comme il en arrive parfois dans les petites villes, à un détail près : les tueurs semblent avoir bénéficié de hautes protections politiques. C'est ainsi que le médecin légiste de l'Etat, nommé par Bill Clinton, a sciemment saboté l'enquête, évoquant un double suicide. Selon lui, les deux adolescents se seraient allongés volontairement sur la voie ferrée après avoir fumé de la drogue.

Le jour où ses conclusions ont été réfutées par l'enquête, on s'est aperçu que plusieurs témoins du meurtre avaient, entre-temps, été éliminés. L'affaire dépasse le comté. *« Ça va très loin »*, me déclare, un soir, le parent d'un des témoins exécutés, qui préfère garder l'anonymat.

Depuis des années, Linda Ives se bat pour que justice soit rendue à son fils[1]. Aucune autorité ne s'est jamais préoccupée de son sort.

Quelque chose ne tourne pas rond en Arkansas. La culture politique locale exhale un parfum de corruption et de pratiques occultes. L'article que je compte rédiger brossera les mœurs politiques en vigueur dans cet Etat où les autorités ferment complaisamment les yeux sur nombre de magouilles. Il reviendra notamment sur le parcours d'un politicien ambitieux nommé Bill Clinton, qui ne s'est jamais vraiment inquiété de ces dérives. Une passivité qui a largement alimenté le ressentiment que lui voue, sur place, la classe ouvrière blanche, plutôt marquée à droite.

Ma rédaction ne manifeste aucun intérêt pour cette enquête. Elle ne tient pas à savoir si des cadavres sont dissimulés dans les placards de Bill Clinton. Non pas que son orientation démocrate l'en dissuade, plutôt par conformisme. J'entends encore un collègue me dire : *« Il n'y a aucun moyen de vérifier tout ça… »* Il n'avait pas tort. Dans cette affaire, la vérité est insaisissable et nous risquons de mettre en doute l'intégrité du Président des Etats-Unis sur la base de sombres rumeurs. Le journal adopte le parti pris inverse : mes supérieurs proposent de tourner en ridi-

---

1. Toute l'histoire est méticuleusement rapportée et analysée par Mara Leveritt dans son livre, *The Boys on the Tracks* (*Les Garçons de la voie ferrée*), VHPS/ St. Martin's Press, 1999.

cule les accusateurs de l'ancien gouverneur. Je ne peux me résoudre à les suivre. J'ai rencontré ces gens et j'en ai cru certains. Nous parvenons à un compromis mais l'article, mi-chèvre mi-choux, est un ratage complet.

Ce que je retiens de cet épisode, c'est la capacité d'auto-aveuglement de ma rédaction, où chacun occulte les informations qui le dérangent. Il aurait fallu, par exemple, s'intéresser à Jerry Parks, un personnage haut en couleur qui a occupé la fonction de chef de la sécurité au quartier général de campagne de Bill Clinton en 1992. Un an plus tard, en septembre 1993, il est abattu dans les rues de Little Rock selon des méthodes dignes de la Mafia. Son fils Gary m'affirme que Jerry Parks a été assassiné parce qu'il détenait des informations sur les frasques sexuelles du Président qu'il menaçait de colporter. Sa veuve, Jane, fait elle aussi des déclarations dans ce sens.

J'avoue que la vie sexuelle de Bill Clinton ne m'a jamais passionné. Je suis un enfant des *seventies* et je suis fier d'avoir pris part à la révolution sexuelle. Je me moque de connaître la couleur du string de Monica Lewinski ou l'usage varié que Bill est susceptible de faire des cigares. Ce ne sont pas les frasques du Président qui m'intéressent mais les manœuvres entreprises par son équipe pour réduire au silence ceux qui en savent trop à ce sujet. Mes collègues, quant à eux, ne veulent pas entendre parler de Jerry Parks. Lorsque j'évoque les accusations portées par son fils, ils haussent les épaules et le traitent de dingue. Moi qui l'ai rencontré, je sais pourtant que Gary n'est pas fou et que son histoire est plus digne d'une enquête journalistique que le minable petit cambriolage qui, en 1972, a été à l'origine du scandale du Watergate.

Tandis que la grande presse dans son ensemble fait l'impasse sur les Parks, sur Internet, en revanche, les langues se délient – parfois jusqu'à l'excès. Autant les médias institutionnels font montre de prudence, autant la Toile échappe à tout contrôle.

Un prestigieux directeur de rédaction m'a confié un jour, dans un soupir de lassitude, que la puissance qu'il détenait lui pesait. Nostalgique, il évoquait l'aspiration de liberté qui l'avait conduit à embrasser la carrière de journaliste. Désormais, l'influence détenue par sa publication lui confère des pouvoirs aussi étendus que ceux d'un sénateur. Sans pour autant cracher dans la soupe, il regrette d'avoir perdu la liberté de parole et d'écriture qu'il chérissait tant à ses débuts.

Je compatis avec mes amis qui travaillent dans les grands médias. Faire la pluie et le beau temps, c'est souvent un fardeau. On doit peser scrupuleusement ses mots avant de parler. On exerce un pouvoir que l'on n'a pas forcément cherché. Le monde a considérablement changé au cours des vingt dernières années. Les partis politiques se sont atrophiés. C'est maintenant la télévision qui opère le tri entre les candidats. L'ère de l'information est en marche. Les groupes médiatiques sont devenus des acteurs clés de l'économie et de la politique. Ces bouleversements ont modelé l'attitude des journalistes contemporains, bien payés et dotés d'un statut enviable. Ceux-là n'ont plus l'audace de se montrer désinvoltes. Ils admettent tacitement qu'il vaut mieux se contenter d'effleurer certains sujets délicats, afin d'éviter au public cette désagréable découverte : il arrive aux dirigeants de mentir.

Je me revois en train de décrire à l'un de mes collègues de bureau quelques-unes des zones d'ombre qui s'attachent aux circonstances de la mort de Vince Foster, un avocat de la Maison Blanche qui, officiellement, a choisi de mettre fin à ses jours. *« Écoute : Vince Foster s'est suicidé ! »*, me coupe-t-il, comme s'il avait été présent sur les lieux au moment du drame. Mon confrère a beau ne disposer d'aucun élément à l'appui de sa certitude, il balaye d'un revers de main les questions légitimes qui se posent autour de ce suicide. Sur ce sujet comme sur tant d'autres, il ne peut envisager de remettre en question la version livrée par les autorités. D'ailleurs, après la diffusion par *60 Minutes* d'un reportage accusant les sceptiques, dans l'affaire Vince Foster, d'être des frappés, plus personne ne s'y risquera.

Comparons un instant cette culture de la soumission avec celle qui prévalait au *Washington Post* dans les années 1970. Il va sans dire que le fait, pour un quotidien, d'avoir défié un Président est un événement majeur qui a marqué l'histoire américaine. Cependant, si Richard Nixon est tombé, ce n'est pas seulement grâce au courage de Katherine Graham (la directrice du *Post*) ni à la persévérance des enquêteurs Bob Woodward et Carl Bernstein. En ce temps-là, un parfum de poudre flottait dans l'air. La guerre du Vietnam, les assassinats récents de John F. Kennedy et de Martin Luther King, tout cela avait accouché d'une véritable révolution dans nos consciences et nos valeurs. Les gens fumaient des joints dans les salles de rédaction (je ne blague pas !). Quelque chose s'apprêtait à basculer.

La cotation en Bourse du *Washington Post* a dégringolé dès que le journal s'est attaqué à Richard Nixon. Cela ne l'a pas empêché de continuer. Katherine Graham a choisi d'affronter l'ouragan de Wall Street. Quel journal serait capable aujourd'hui d'un tel cran ? Les grands médias sont devenus beaucoup trop puissants, beaucoup trop dépendants des entreprises qui les financent, pour aller contester la légitimité des pouvoirs établis.

Prenons maintenant un scandale contemporain, moins spectaculaire que le Watergate mais néanmoins proche des cercles du pouvoir : la tendance persistante manifestée par le FBI, ces dix dernières années, à escamoter les preuves dans différentes enquêtes sensibles, comme à Ruby Ridge, Waco ou Oklahoma City. Les accusations les plus solides, à cet égard, ne sont pas venues des grands médias. Non, ces questions dérangeantes ont été posées à la suite d'une action en justice intentée par un membre de l'extrême droite, après la diffusion d'un film lui-même réalisé par un autre membre de l'extrême droite – et alors qu'une enquête interne venait d'être ouverte au sein du FBI.

Où sont donc passés les limiers du journalisme ? Pourquoi la presse n'a-t-elle pas montré les dents face à ces scandales ? Pourquoi personne, dans les médias institutionnels, n'a-t-il appelé à des réformes radicales ? Parce que c'est impossible, tout simplement. Les journalistes gagnent beaucoup d'argent. Ils ont beaucoup investi en Bourse. Alors, ne leur demandez pas de remettre en cause l'ordre établi. C'est un phénomène sociologique incontournable. Les journalistes ont perdu, depuis belle lurette, le sens de la contestation. Ils n'ont aucune raison de se rebeller contre leurs maîtres, puisque eux-mêmes, à leur manière, sont devenus des maîtres. Quand le porte-parole du gouvernement – qui est, le plus souvent, ancien ou futur journaliste – s'adresse à eux, ils le reconnaissent comme un des leurs. En tout cas, ils se sentent bien plus proches de lui qu'ils ne le seront jamais de l'Américain moyen.

Le tournant s'est opéré à l'orée des années 1990. La nette différence de traitement accordée au troisième candidat à l'élection présidentielle, Ross Perot en 1992 et Ralph Nader en 2000, illustre à merveille ce basculement de l'état d'esprit journalistique. Ross Perot – qui est, selon moi, un authentique cinglé – a vu les médias relayer sans fin ses âneries. Il se pavanait en une des journaux les plus prestigieux. Le *New York Times* a même consacré deux portraits à son candidat à la vice-présidence, James Stockdale, qui a pu se répandre sur son expérience de la guerre ou sa passion pour Epictète. Qui se souvient, en revanche, du nom de la candidate à la vice-présidence de Ralph Nader ? On aurait du mal à trouver un seul article du *New York Times* mentionnant Winona LaDuke. Quant à savoir qui est son philosophe préféré...

Inutile de le nier, le score incroyable (19 % !) réalisé par le candidat Perot en 1992 s'explique en grande partie par le traitement de faveur que lui ont réservé les médias. A l'inverse, les 3 % recueillis par Ralph Nader en 2000 doivent beaucoup à leur désintérêt à son égard. Les journalistes ont été les premiers surpris en constatant que ce fou de Ross Perot avait empoché près d'un vote sur cinq. Huit ans plus tard, les idées de Ralph Nader (lui aussi, à sa façon, un peu fou mais plus réfléchi et responsable) ont été littéralement exclues du débat.

Je n'y vois aucun complot. Dans l'intervalle, la stabilité est devenue une valeur refuge pour les journalistes. Face aux déclarations anticapitalistes de Ralph Nader, ceux-ci étaient incapables de se montrer impartiaux : ne sont-ils pas les employés de groupes de communication tentaculaires ? Ses idées leur ont semblé absurdes, voire dangereuses.

Comment auraient-ils pu lui accorder davantage d'attention et de crédit ?

Même les chaînes de télévision publiques reproduisent cette forme de conservatisme. Jim Lehrer, par exemple, dans son *Jim Lehrer News Hour*, a joué un rôle déterminant dans la campagne de marginalisation qui a visé Ralph Nader, à l'automne 2000. Cela amène à s'interroger sur le rôle qu'est censée jouer la télévision publique dans le débat national. A-t-elle pour mission d'exclure les voix discordantes et de sélectionner les projets politiques ayant droit de cité ?

Le cas de Terence Smith, journaliste pour cette même émission, est lui aussi très illustratif. A l'été 2000, cet ancien du *New York Times* présente un sujet sur le rapport officiel consacré au crash du vol TWA 800. Les autorités soutiennent qu'une étincelle d'origine inconnue a probablement mis le feu aux vapeurs de carburant dans le réservoir central, ce qui aurait fait exploser l'appareil. Un brin provocateur, Terence Smith indique que les conclusions du gouvernement sont « *controversées* ». Mais il reste muet sur les raisons de la controverse. Cela est profondément révélateur du fonctionnement des grands médias. Ils savent que le gouvernement fait l'objet de critiques acharnées, ils en perçoivent l'écho, mais ils refusent cependant d'y croire et se montrent strictement incapables d'offrir une tribune à ces critiques. Plus aucun média n'ose dire que les autorités sont susceptibles de mentir à la population dans les affaires d'Etat.

Un soir, dans le *Jim Lehrer News Hour*, deux journalistes devisent sans fin à propos de l'enquête officielle sur la catastrophe du vol TWA 800. Considérant la version livrée par les agences gouvernementales comme digne de foi, ils sont strictement incapables d'analyser l'opinion manifestée par les médias alternatifs, ou même de tenir compte des témoignages des habitants de Long Island résidant près du lieu de l'accident.

J'ai entendu parler pour la première fois des hypothèses circulant à propos du crash lors d'un forum organisé, dans les locaux du Cercle militaire de Washington, par Accuracy In Media – un groupe réputé de droite. Bill Donaldson, un costaud rugueux, ancien pilote dans l'Aéronavale, y prononçait un discours fleuve sur l'enquête à laquelle il s'était lui-même livré. Il projetait une vidéo sur laquelle on le voyait faire chauffer du kérosène dans un récipient sur son barbecue, pour tenter ensuite, sans succès, de déclencher une mise à feu du carburant – afin de reproduire le scénario d'une explosion du réservoir d'aile central. Bill Donaldson avait surtout apporté les enregistrements audio de plusieurs témoins oculaires qu'il avait interviewés. Tous déclarent avoir vu une traînée lumineuse monter de la surface de la mer, suivie, quelques secondes plus tard, d'une boule de feu dans le ciel. Leurs témoignages, qui indiquent clairement que l'avion a probablement été touché par un missile, contredisent – c'est le moins que l'on puisse dire – la version officielle.

Intrigué, je décide de me rendre à Center Moriches à la recherche de témoins directs. En m'entretenant avec une demi-douzaine d'entre eux, je constate, à ma grande stupeur, que les autorités n'ont pas tenu compte de leurs récits, dont elles ont tiré une interprétation inversée. Ces témoins contestent fermement la version officielle, tout comme le résultat de l'animation réalisée par la CIA sans même les avoir interrogés. Vous avez bien lu : une reconstitution du crash en dessin animé, conçue par la CIA, fait figure de vérité révélée ! Dans les années 1970, les journalistes auraient vu les travaux de ce service avec la plus grande méfiance. Un film d'animation réalisé par la CIA sur la base d'un rapport rédigé par le FBI, les railleries auraient fusé !

C'est là que le bât blesse. Car si la CIA se voit ridiculisée pour sa piteuse prestation animée – à tel point que le gouvernement devra la retirer de la liste des pièces à conviction –, il faut savoir que ce processus ne doit rien aux grands médias. Ces derniers, au contraire, ne cesseront jamais d'accréditer la thèse présentée dans le film et de régurgiter la version des autorités, tout en évoquant une *« controverse »* qu'ils se garderont bien de détailler. Le grand déballage aura lieu sur Internet et, plus largement, parmi la communauté des sceptiques. En fin de compte, le dessin animé de la CIA – qui avance une théorie saugrenue selon laquelle l'avion aurait réalisé une ascension de près de mille mètres après s'être disloqué – regagnera les poubelles de la désinformation.

Mon propos n'est pas de défendre ici la théorie du missile (même si elle représente, à mes yeux, l'hypothèse la plus vraisemblable pour expliquer ce qui s'est passé le 17 juillet 1996). Je souhaite illustrer le comportement adopté par l'*establishment* journalistique quand quelqu'un s'avise de remettre en question l'intégrité des autorités. La politique de l'autruche...

Après m'être entretenu avec les témoins de Long Island, j'entreprends de présenter ce que j'ai appris à quelques ténors de la presse. Mes informations les laissent de marbre. En insinuant que le gouvernement serait capable de mentir froidement sur une question de cette importance, je heurte par trop leur vision du monde. Pour les grands médias, le scepticisme n'existe pas : CNN en tête, ils crachent leur mépris envers les « *amateurs de complots* ».

Qu'ils aient raison ou non, les sceptiques, dans l'affaire du vol TWA 800, appartiennent à un large éventail d'êtres humains, doués d'intelligence, dont l'opinion mériterait d'être prise en compte. On y trouve des organisations étiquetées à droite – Accuracy In Media ou l'association d'aviateurs en retraite de Bill Donaldson – ou à gauche – l'Organisation de recherche sur le vol 800, qui rassemble essentiellement des universitaires – ; des journaux tels que le *Village Voice*, le *Press-Enterprise*, *Insight*, *Dan's Papers* ; des anciens employés de la TWA ainsi qu'un syndicat professionnel ; la presse française aussi, qui a parfois montré un certain scepticisme envers la version des autorités américaines ; et, bien sûr, des milliers d'internautes...

Ces gens s'interrogent à juste titre. Ils soulignent, par exemple, que James Kallstrom, alors responsable de l'enquête du FBI, a assuré, lors d'une conférence de presse tenue en 1997, que tous les bâtiments naviguant dans les environs du crash avaient été identifiés. Pourtant, des enregistrements radar rendus publics par la suite montrent que le bâtiment le plus proche du site au moment du crash, qui a fui la zone à une vitesse de plus de 30 nœuds, n'a jamais été retrouvé.

Comment réagir quand tant de questions primordiales restent sans réponses ? Que penser des médias quand ils se détournent avec insistance de la vérité et se contentent des affirmations incohérentes du gouvernement. Les journalistes d'aujourd'hui sont incapables d'imaginer que les autorités puissent leur mentir. Ils s'identifient aux experts officiels, pas au public. D'ailleurs, Jim Kallstrom, qui n'a cessé de déformer les faits quand il dirigeait l'enquête du FBI sur le vol TWA 800, a ensuite été engagé par la chaîne CBS.

Mes amis qui travaillent dans les grandes rédactions sont pieds et poings liés. Il y a vingt ans, on pouvait spéculer sur l'assassinat de John Fitzgerald Kennedy sans risquer de compromettre sa carrière. Aujourd'hui, si un journaliste se hasarde à remettre en cause la version officielle du crash du vol TWA 800, il deviendra pestiféré : les autorités s'acharnent, ses confrères s'inquiètent ouvertement de sa santé mentale, il se retrouve marginalisé professionnellement... L'enjeu économique et financier est dorénavant prioritaire. Il ne faudrait pas qu'une information déplacée affecte les cours de la Bourse.

L'utilisation de la propagande et de la désinformation par l'Etat n'est pas une nouveauté. On pourra toujours se consoler en se disant qu'aux Etats-Unis, il est toujours possible d'accéder aux opinions minoritaires et contestataires. Quiconque éprouve des doutes sur la version officielle de la catastrophe du vol 800 peut prendre connaissance des arguments qui la contredisent.

Je ne peux m'empêcher d'estimer cette situation inquiétante. Deux discours cohabitent sans jamais se rencontrer. Deux visions du monde coexistent, radicalement opposées. Deux systèmes de pensée qui n'ont pratiquement rien en commun suscitent, en temps de crise, des tensions considérables dans le contrat social. Nous avons laissé se développer une « fracture de l'information ». Ce phénomène est illustré par la répartition des suffrages entre George W. Bush et Al Gore, lors de la dernière élection présidentielle : le vote démocrate se concentre dans les grandes villes et sur les côtes, le vote républicain dans les régions rurales et les petites villes. Notre pays a connu bien des fractures de ce type auparavant, et il surmontera celle-là. Mais, à titre personnel, cette situation me désole. J'ai pris mes distances avec un certain nombre de mes anciens compagnons d'Harvard, des gens de gauche qui travaillent aujourd'hui dans les médias. J'ai l'impression que nos univers se sont éloignés et que nous nous situons à présent de part et d'autre de cette ligne de fracture.

Pour ma part, je m'efforce de choisir les journaux auxquels je collabore. J'ai la chance de publier régulièrement mes articles dans un hebdomadaire new-yorkais. De temps à autre, je m'y épanche sur mon sujet fétiche, le rôle des médias à l'heure d'une économie mondialisée dans laquelle le CAC 40 et le Nikkei passent avant le premier amendement. Rares sont les médias qui rémunèrent un journaliste pour alimenter ce débat. Alors, comme il faut bien vivre, je brosse aussi quelquefois des portraits de stars. J'ai bien retenu ma leçon. Si demain une actrice m'apprend qu'elle s'est tordue la cheville sur un tournage, croyez-moi, je n'oublierai pas de lui demander si c'était la droite ou la gauche...

Philip Weiss

Journaliste demande asile éditorial

RETOUR SUR UNE ELECTION TRUQUEE

Au cours des mois précédant l'élection présidentielle américaine de novembre 2000, le gouverneur de l'Etat de Floride, Jeb Bush – frère cadet du candidat républicain à la Maison Blanche –, et sa secrétaire d'Etat, Katherine Harris, ont ordonné à la commission électorale locale de rayer de ses listes cinquante-huit mille électeurs. Prétexte invoqué : il s'agissait de repris de justice qui avaient été déchus de leur droit de vote. En réalité, seule une infime minorité d'entre eux répondaient à ce critère. Parmi les électeurs abusivement rayés des listes, 54 % étaient afro-américains. Et les autres étaient, pour la plupart, des sympathisants démocrates, blancs ou hispaniques.

Trois semaines après l'élection remportée par George W. Bush, ces révélations ont fait la une du plus grand quotidien et de la principale chaîne de télévision... de Grande-Bretagne. En Amérique, elles sont passées totalement inaperçues.

Pour m'être accroché à cette enquête, j'ai dû quitter la Californie du Sud avec femme et enfants et trouver refuge à Londres. Aussi incroyable que cela puisse paraître, sur cent mille journalistes américains chargés de couvrir la dernière élection, il ne s'en est pas trouvé un seul pour s'intéresser à ce hold-up. Rien de très étonnant à cela, d'ailleurs, quand on connaît les rédactions américaines, où des journalistes pantouflards – ruminant et recrachant leur dose de dépêches d'agences et d'articles prêts à consommer – ont, depuis longtemps, pris le pas sur les grands reporters et les enquêteurs. Le plus souvent, leurs informations leur sont fournies par les pouvoirs publics ou les stratèges en communication des grandes entreprises.

Mais revenons aux électeurs « délinquants » de Floride qui ont coûté à Al·Gore la présidence des Etats-Unis et m'ont valu de solliciter « l'asile éditorial » en·Europe. Dès que l'information est rendue publique en Angleterre, puis reprise sur Internet, je suis contacté par une journaliste travaillant pour un magazine d'actualité de CBS. Cette vedette de la chaîne américaine s'apprête à diffuser sa propre version de l'histoire. Sans le moindre scrupule, elle me soutire infos, contacts, bref, tout ce dont elle a besoin pour ficeler son reportage en un tournemain.

Je lui livre volontiers les informations qu'elle recherche et lui explique comment le cabinet de Jeb Bush a fait rayer des listes électorales, en toute illégalité, des personnes qui, conformément à la loi en vigueur en Floride, disposaient incontestablement du droit de vote. Au moins cinquante mille électeurs, presque tous sympathisants démocrates, ont été empêchés de voter.

Reste à CBS à effectuer sa part du travail en procédant à ses propres vérifications. Ce sera vite fait. Le lendemain, la journaliste me rappelle : « *Votre histoire ne tient pas la route* », m'annonce-t-elle. Comme je l'interroge sur les fondements de sa certitude, elle ajoute avec aplomb : « *Nous avons appelé le cabinet de Jeb Bush, voyons !* »

Je ne suis pas surpris outre mesure. L'habitude journalistique qui consiste à se satisfaire des déclarations lénifiantes des hommes de pouvoir est devenue le quotidien des troupeaux grégaires du journalisme américain. A la première dénégation offusquée d'un parlementaire ou d'un grand patron, l'enquête est bouclée et le dossier refermé. Définitivement.

A la décharge de ma consœur, je reconnais que le journalisme audiovisuel tel qu'il s'exerce de nos jours se trouve forcément démuni face à un sujet de cet envergure, pour au moins quatre raisons. D'abord, parce que le format d'une minute et demie habituellement dévolu aux reportages sur l'actualité nationale ne permet pas d'exposer une histoire de ce genre (la BBC m'a accordé quatorze minutes). Ensuite, l'enquête nécessite du temps : on doit examiner des montagnes de documents, passer des centaines de coups de téléphone, avoir de nombreux entretiens… Là où la BBC m'a laissé six semaines pour mettre au point mon reportage, les médias américains promeuvent des méthodes expéditives qui dissuadent de s'attarder en route. Troisièmement, la mise en évidence des irrégularités commises en Floride revient à mettre en lumière les fieffés mensonges d'hommes politiques en vue, ainsi que ceux de leurs avocats et stratèges en communication. Il est plus sage, et surtout bien moins coûteux, d'attendre que la Commission américaine des droits civils rende public son rapport sur la question. Quatrièmement, les enquêtes journalistiques comportent une part de risque incontournable : ceux qui se livrent à des manipulations électorales ne laissent que très peu d'indices derrière eux. Lorsque vous les interrogez, ils vous mentent. Révéler une vérité dissimulée est un exercice périlleux. La fréquentation des conférences de presse, assurément, comporte moins de risques pour un média d'information.

Vous pensez peut-être que, comme dans *Les Hommes du Président*, les journalistes américains passent leurs journées à traquer le scandale de la décennie. Détrompez-vous. Si Alan J. Pakula en a fait un film, c'est justement parce que le cas est exceptionnel.

Mon article sur cette élection truquée est publié dans l'*Observer* britannique[1]. Dans les jours qui suivent, je reçois près de deux mille courriers émanant d'internautes américains. La plupart remercient la Grande-Bretagne d'avoir permis que la véritable histoire de l'élection soit écrite. D'autres, en revanche, sont nettement moins cordiaux : « *Vous autres, putains de Rosbifs, croyez peut-être que l'Américain moyen est aussi ignare qu'un sujet britannique !* » Suivent quelques commentaires salaces sur Sa Gracieuse Majesté…

Dans ce flot de correspondances, mon rédacteur en chef ne relève qu'une seule mise en demeure. Elle émane de Carter-Ruck, le cabinet d'avocats le plus réputé du Royaume-Uni en matière de diffamation. Ses ténors sont chargés des intérêts de la Barrick Gold, une compagnie canadienne exploitant des mines d'or. Fondée par le marchand d'armes saoudien Adnan Khashoggi, la Barrick

---

1. L'*Observer* et le *Guardian* appartiennent au même groupe de presse. Quand il évoque le *Guardian*, l'auteur se réfère au groupe.

Gold a employé George Bush senior jusqu'en 1999. Les avocats de Carter-Ruck menacent de porter plainte contre tout journal qui s'aventurerait à évoquer les rapports entre la Barrick et George Bush en termes défavorables. Qui sont donc ces Canadiens qui peuvent s'offrir les services de l'ancien Président des Etats-Unis, et ainsi bénéficier de son carnet d'adresses ?

Contrairement aux journaux américains, la presse britannique se passionne pour l'épisode. J'y ai moi-même consacré un article après avoir découvert qu'en 1999, la Barrick Gold avait racheté une mine tanzanienne – apparemment aidée en cela par M. Bush père. Or trois ans plus tôt, l'ancien propriétaire de la mine avait laissé enterrer vivants une cinquantaine de mineurs qui occupaient les lieux. Dans mon article, je cite un rapport d'Amnesty International faisant état de cet événement révoltant, ainsi que le démenti de la Barrick Gold. Mais voilà que la compagnie minière et son richissime président exigent que mon journal publie un rectificatif affirmant que personne n'est mort dans cette mine.

Tandis que la pression s'accroît, je découvre les subtilités du droit britannique. En Angleterre, un journaliste ne peut se retrancher derrière des citations. Autrement dit, je ne peux pas me contenter d'invoquer les témoignages recueillis par une organisation de défense des droits de l'homme. Je dois moi-même établir, de première main, que des mineurs ont été enterrés vivants en Tanzanie. Je me tourne alors vers les chargés de mission d'Amnesty International, qui refusent de m'apporter le moindre soutien. Sur les conseils de leurs avocats, ils préfèrent garder le silence et iront même jusqu'à autoriser la Barrick Gold à déclarer que la prestigieuse ONG l'a mise hors de cause.

Je carbure au soda énergétique et au chlorure de potassium. Mon article sur l'élection américaine a déclenché des réactions en chaîne et les nuits blanches se succèdent. Eprouvé, je suis parfois à deux doigts de me résoudre à rédiger un démenti. Ma rédaction engage alors Tundu Lissu, un avocat spécialisé dans la défense des droits de l'homme. Celui-ci se rend en Tanzanie, d'où il rapporte des éléments accablants : des témoignages, les photographies d'un cadavre, des films vidéo réalisés pendant l'exhumation des corps de la mine. Lorsque, comme il se doit, la Barrick Gold prend connaissance de ce que Tundu a trouvé en Afrique, elle le menace de poursuites.

Le *Guardian* traîne les pieds. Préventivement, je laisse entendre à mon rédacteur en chef que, si d'aventure il s'avise de répercuter les mensonges dictés par le cabinet Carter-Ruck, je n'hésiterai pas à porter plainte pour atteinte à ma réputation de journaliste. Cette menace – un pur bluff – produit un effet dissuasif. Le journal ne cède pas ; et en décembre, la Barrick Gold porte plainte contre nous.

Pendant ce temps-là, aux Etats-Unis, le magazine en ligne *Salonmagazine.com* publie mon article sur l'élection présidentielle. Dès lors, l'information est reprise par plusieurs journaux, dont le *New York Times*, et par quelques radios. Les journalistes politiques continuent pourtant de m'éviter. Même le *Washington Post*, qui coédite habituellement certains articles du *Guardian*, me fuit.

Le nombre de connexions enregistrées sur le site Internet de *Salon* – qui décernera à la première partie de mon enquête le prix du « meilleur reportage politique de l'année » – témoigne de l'intérêt que rencontre le récit des bidouillages électoraux en Floride. Mais qu'advient-il du deuxième volet de mon enquête ? Sur son site, le magazine californien annonce depuis plusieurs jours qu'il doit paraître sous quarante-huit heures...

Dans cette seconde partie, je reviens en détail sur la façon dont Jeb Bush a enfreint les dispositions légales en refusant d'inscrire sur les listes électorales plus de cinquante mille citoyens. Parmi ces électeurs, 90 % sont des sympathisants démocrates. A elle seule, cette manœuvre a permis à George W. Bush de remporter l'élection.

A l'époque, Al Gore n'a pas encore baissé les bras. Le deuxième volet de l'enquête – s'il paraît sans retard – peut contribuer à faire basculer l'élection. Mais le rédacteur en chef de *Salon* m'annonce que le chef du bureau de Washington estime que rien n'étaye mes allégations : « *Nous avons vérifié auprès du cabinet de Jeb Bush, qui dit que...* » J'ai déjà entendu ça quelque part ! J'appelle le chef en question, qui me répond, arrogant : « *Sachez que j'ai travaillé pour le* Washington Post. *Et, croyez-moi, le* Post *ne publierait jamais cet article.* » Il se trompe en partie. Le *Post* le publiera... bien plus tard.

Alors que je m'évertue à faire connaître l'affaire du scrutin truqué, une multinationale utilise la législation britannique sur la diffamation pour m'asphyxier et me faire taire. Tout le monde ne sait pas que la liberté de la presse n'est pas garantie en Grande-Bretagne, l'un des rares pays démocratiques où aucun texte ne protège la liberté d'information. Nous autres, Américains, nous nous félicitons du premier amendement de notre Constitution, et c'est pour cela que nous fêtons le 4 Juillet. Les Britanniques, eux, se passent très bien de la liberté de la presse.

J'ai découvert cette particularité en 1999, lorsque mon journal a encouru des poursuites au titre de la loi relative aux secrets d'Etat. Le *Guardian* avait publié dans son courrier des lecteurs une anodine correspondance signée d'un ancien agent du MI-5. Or, au Royaume-Uni, on ne rigole pas avec la sécurité de l'Etat : la publication du moindre document émanant d'un ancien agent des services de renseignements – ne serait-ce qu'une carte de vœux – y est considérée comme un délit très grave. Le rédacteur en chef m'a expliqué à cette occasion qu'il n'était en rien défavorable à cette loi qui prévoyait pourtant de sanctionner les contrevenants d'une peine de prison illimitée. Je me suis alors souvenu que les Britanniques sont des sujets et non des citoyens. La nuance n'est pas mince.

Faute de protéger constitutionnellement la liberté d'expression et d'information, la Grande-Bretagne est devenue l'eldorado des plaintes pour diffamation. Les éditions du *Guardian*, par exemple, reçoivent près de trois assignations par jour – soit un millier par an. Cette pression judiciaire se traduit par une liste de plus en plus fournie de sujets tabous. La loi britannique aboutit à privatiser la censure : puisque aucun journal ne dispose de moyens financiers lui permettant de faire face à autant de procès et d'éventuelles condamnations, chacun choisit l'autocensure. Un collègue britannique renommé m'a d'ailleurs conseillé un jour de signer tout ce qu'on me présenterait et de ne pas m'en faire. En Angleterre, tout le monde raisonne ainsi.

Floyd Abrams, un avocat qui assure la défense du *New York Times* aux Etats-Unis et en Europe, m'a expliqué une autre particularité du droit anglais. Ici, on ne peut pas se prévaloir d'une quelconque « exception de vérité » pour démontrer ce que l'on a écrit. Les photos des cadavres de mineurs tanzaniens que j'ai rassemblées ne me seront d'aucune utilité. Ce n'est pas tout : au Royaume-Uni, une personne poursuivie pour diffamation, lorsqu'elle présente les arguments de sa défense, s'expose à de nouvelles sanctions du tribunal pour avoir réitéré ses propos diffamatoires. L'univers de Kafka n'a rien à envier à la loi sur la presse en vigueur en Grande-Bretagne.

D'autant que les avocats de la Barrick Gold enrichissent cet arsenal juridique d'une innovation inédite. Désormais, la compagnie canadienne prétend subir un grave préjudice du fait de la republication de mes articles sur un site Internet que j'ai créé aux Etats-Unis. Si je ne supprime pas mon article sur Papa Bush et la Barrick du Web, menacent ses conseils, c'est le *Guardian* qui en fera les frais. Le service juridique du quotidien me supplie de retirer l'écrit litigieux, non seulement dans sa version anglaise mais aussi dans sa traduction espagnole. Je ne cède pas.

Mes persécuteurs n'ont pas dit leur dernier mot. Le cabinet Carter-Ruck fait savoir que je serai poursuivi en mon nom propre au Royaume-Uni pour avoir diffusé l'article sur mon site Internet américain – puisqu'il peut être consulté depuis la Grande-Bretagne. Voici comment l'Internet, instrument au service de la liberté éditoriale, peut aussi devenir l'autoroute électronique de la répression.

Ces mises en demeure réitérées sont dissuasives. L'agence Interpress Service (IPS), de Washington, qui a envoyé un reporter en Tanzanie, reçoit sans tarder une note de la Barrick Gold la menaçant de poursuites si jamais elle fait la moindre allusion aux allégations de massacre. IPS ne publiera jamais d'article. Ses avocats estimeront que l'agence, qui dispose de quelques clients au Canada – un pays qui a hérité des lois anglaises sur la diffamation – ne peut se permettre de prendre un tel risque.

En ce qui me concerne, je refuse de capituler sans combattre. En juillet, j'alerte les associations de défense des droits de l'homme à travers le monde. Des milliers de lettres de soutien inondent la rédaction. Quant à mes collègues, la plupart compatissent même s'il s'en trouve un pour souligner que n'importe quel autre journaliste aurait été viré sur-le-champ.

La tension est palpable. A ma grande satisfaction, le rédacteur en chef s'obstine cependant à refuser de signer la rétractation qui nous est demandée. Ce n'est pas de gaieté de cœur, comme en témoigne un de ses messages : « *Nous allons dépenser des centaines de milliers de livres sterling pour cette putain d'histoire sans intérêt que tu t'obstines à défendre. J'espère que tu es satisfait !* »

Sur l'autre rive de l'Atlantique, la saga électorale continue.

En février 2001, parti pour la Floride avec une équipe de tournage de la BBC, je déniche un feuillet estampillé « secret » et « confidentiel » dans le contrat qui lie l'Etat de Floride à l'entreprise que les services de Jeb Bush ont sollicitée pour « nettoyer » les listes électorales. J'ai désormais entre les mains la preuve incontestable que les responsables républicains savaient pertinemment que leur opération allait déposséder du droit de vote des milliers d'électeurs – afro-américains pour la plupart. Je découvre également un e-mail édifiant qui m'indique qu'une publication locale, l'*Orlando Sentinel*, a flairé une manœuvre peu avant le scrutin. Les autorités de Floride n'ont pas eu à se fatiguer pour parvenir à détourner les journalistes de leur piste : un seul démenti officiel a suffi.

Accompagné d'un cameraman, je m'apprête à interviewer le directeur du département des élections pour la Floride. Dès que je pose sur la table le feuillet « confidentiel », l'homme de Jeb Bush détache son micro et pique un cinquante mètres pour aller se réfugier dans son bureau – ce dont la caméra ne perd pas une miette. Cette séquence ravira le public britannique, tout comme celle dans laquelle les responsables de la société chargée d'expurger les listes passent aux aveux.

Malgré ces perles, les médias américains se désintéressent de nos découvertes. Le magazine télévisé de la BBC auquel je collabore, *Newsnight*, a passé des accords de diffusion avec ABC *Nightline*, qui est en quelque sorte son pendant outre-Atlantique. Parmi les vingt mille internautes américains qui ont regardé l'émission de la BBC sur le Web – un record –, certains bombardent ABC de courriers l'engageant à diffuser le reportage de *Newsnight*, ou du moins à en rendre compte.

Finalement, *Nightline* préférera envoyer sa propre équipe passer deux jours en Floride. Après quoi ABC diffusera un reportage expliquant, en substance, que les bulletins de vote sont très complexes et que les Noirs ne sont pas vraiment au fait des modalités du scrutin. Bref, selon la chaîne, les Noirs américains sont bien trop bêtes pour perforer correctement un bulletin de vote. Le sujet ne contient pas un mot sur le fait que l'appareillage du – très blanc – comté de Leon recrachait automatiquement les bulletins erronés pour permettre aux électeurs de les corriger ; tandis que celui du – très noir – comté de Gadsden était programmé pour avaler les bulletins mal perforés – ce que notre reportage établit sans conteste.

Pourquoi la chaîne ABC est-elle passée sciemment à côté du scoop des listes électorales expurgées ? Pas besoin d'aller y voir une vaste conspiration républicaine. Il suffit de se rappeler sur quoi repose l'enquête journalistique : du temps, de l'argent et une certaine prise de risques. Des ingrédients qui font dramatiquement défaut aux médias américains.

Retour en Angleterre, où mes « affaires minières » ne s'arrangent pas. Le *Guardian* ne compte pas sacrifier un demi million de livres sterling pour défendre bec et ongles ma version d'un improbable massacre commis dans une mine tanzanienne. En juillet cependant, je reçois un soutien inespéré : des associations bombardent le siège de la Barrick Gold de pétitions l'enjoignant de mettre un terme à ses pressions et d'autoriser une enquête indépendante sur le massacre. Pour la première fois, la compagnie semble perdre un peu de sa superbe.

Un accord se profile entre la firme et mon journal. Mais à quel prix ? Irons-nous jusqu'à nier l'existence de ces cadavres pour éviter une lourde condamnation, donnant à ce mensonge contraint force de vérité ? Pendant que l'équipe d'Amnesty International s'évertue à rester en dehors du jeu, les associations Les Amis de la Terre (Pays-Bas), Corner House (Royaume-Uni) ainsi que le Syndicat national des journalistes de Grande-Bretagne décident, courageusement, de mettre les pieds dans le plat. Ces organisations ont recours à une disposition légale, rarement utilisée, qui permet à des tiers de contester une décision de justice susceptible d'aller à l'encontre de l'intérêt général. Présentant au juge les preuves qu'elles ont récoltées au sujet du massacre, ces organisations lui demandent de ne pas statuer sur l'affaire. A la surprise générale, le magistrat fait droit à leurs arguments. Le journal se contente de formuler des excuses symboliques à la Barrick Gold, laquelle enrage d'avoir échoué à lui soutirer une déclaration niant le massacre de la mine.

Je n'ai pas le temps de savourer cette victoire que, déjà, la ruine se profile. Même dans la tradition judiciaire britannique, il est rare que l'on menace un journaliste de poursuites alors que l'on vient de régler le différend à l'amiable avec son journal : la Barrick Gold n'en a cure, qui annonce sans aucun état d'âme aux avocats du *Guardian* qu'elle prévoit de me traîner personnellement devant les tribunaux anglais. Tout dépendra de la façon dont je me comporterai aux Etats-Unis et au Canada, précisent ses conseils. Un chantage éhonté à la docilité !

Il n'en fallait pas plus pour m'inciter à franchir un nouveau palier. Aussi sec, j'interviens sur la radio de Toronto, la ville où le siège de la Barrick Gold a élu domicile. J'évoque les moyens de pression déployés à mon encontre par la compagnie minière, tout comme sa gêne à l'idée de voir évoqué l'épisode de la mine tanzanienne.

A l'heure où j'écris ces lignes, je ne sais toujours pas à quelle sauce je serai mangé par les amis de Papa Bush. Et le sort de l'avocat Tundu Lissu est encore moins enviable que le mien : après que la presse a révélé l'affaire en Tanzanie, il a été accusé de sédition pour avoir mis la cassette vidéo en circulation...

Les semaines passent, et je ne désespère toujours pas de publier mon enquête sur l'élection truquée de Floride. Le deuxième volet de ce dossier finit par obtenir asile dans *The Nation* (que ce journal réputé frondeur en soit remercié !).

Ma patience semble payer. En mai 2001, la Commission américaine des droits civils s'apprête à rendre public son rapport sur les résultats du scrutin dans l'Etat de Floride. Ses conclusions sur l'éviction abusive de plusieurs milliers d'électeurs s'appuie, pour une large part, sur les révélations de la BBC. Les contre-interrogatoires des témoins sont menés à partir des documents que nous avons produits.

Le mois suivant, un bonheur n'arrivant jamais seul, le *Washington Post* publie à la une mon article sur le nettoyage des listes électorales et m'ouvre ses colonnes pour un petit commentaire. Malgré un sérieux retard à l'allumage, le prestigieux quotidien revient dans la course. En apparence seulement. Quitte à paraître ingrat, je dois en effet signaler que le *Post* a publié seulement en juin cet article qu'il avait sous le coude depuis sept mois. Pendant que le recompte des bulletins s'effectuait, il n'a pas pipé mot de cette affaire d'une importance capitale pour l'issue du scrutin. Puis, quand la Commission des droits civils a rendu sa décision, le quotidien s'est abrité derrière l'imprimatur officielle.

Et puis il y a eu le 11 septembre 2001. Ce jour-là, le verbiage journalistique a commencé à faire tache d'huile avant même que les deux tours du World Trade Center ne s'effondrent. Aux Etats-Unis comme ailleurs, le journalisme récompense avant tout les forts en gueule, ceux qui sont capables de livrer des commentaires immédiats – mêmes ineptes – devant les soubresauts de l'actualité. La mèche toujours parfaitement gominée, notre Tom Brokaw national s'est montré particulièrement loquace. Il ne savait pas qui avait commis cet attentat mais il en connaissait le mobile : une volonté délibérée de s'en prendre aux symboles de l'Amérique. De l'autre côté de l'Atlantique, avec des *a priori* inverses, certains de mes collègues du groupe *Guardian* ont eu tout aussi vite fait de désigner des coupables. Eux attribuaient les attaques terroristes aux juifs (par le truchement de « *l'Etat impérialiste d'Israël* ») et rabâchaient à l'envi qu'il était grand temps que les Américains comprennent pourquoi le monde entier les vouait à la détestation.

J'ai passé cette journée dans les faubourgs de New York, muet de stupeur, dévoré par l'inquiétude en songeant à mes amis du cinquante-deuxième étage de la tour numéro un, où j'ai travaillé de nombreuses années. Une question me hante : non pas celle du *pourquoi* mais plutôt du *comment*. Comment le FBI et la CIA, et au-delà l'ensemble de l'appareil de renseignements américain, doté de budgets faramineux, ont-il pu passer à côté de cela ? Au cours des mois suivants, j'apporterai à cette interrogation une réponse terrifiante : parce qu'ils ont reçu l'ordre de fermer les yeux.

Plusieurs sources bien placées – des escrocs et des trafiquants d'armes pas des plus fréquentables, je dois le reconnaître – confient à mon équipe de chercheurs qu'avant le 11 septembre, l'Etat américain a balayé d'un revers de main des éléments de preuve impliquant les milliardaires saoudiens dans le financement des réseaux d'Oussama Ben Laden. Pour le *Guardian*, nous découvrons des documents confirmant que les enquêtes du FBI et de la CIA ont été entravées par l'administration Clinton, puis étouffées par George W. Bush, car elles risquaient de contrarier les intérêts saoudiens.

Une fois encore, c'est en Grande-Bretagne que l'affaire fait la une. Pas aux Etats-Unis. Là-bas, un journaliste de télévision qui se risquerait à évoquer le dossier serait convoqué sur-le-champ par sa hiérarchie, qui lui intimerait l'ordre de ne pas chercher plus loin. Rien ne filtrerait. Et le journaliste n'aurait plus qu'à choisir l'exil éditorial...

Greg Palast

D'abord la sentence,
et ensuite les preuves

L'AFFAIRE BOBBY GARWOOD

D ans son discours d'adieu à la nation, en 1961, le Président Dwight D. Eisenhower mettait en garde ses concitoyens contre le danger que pouvait représenter la mainmise du complexe militaro-industriel sur la politique du gouvernement. Son avertissement ne faisait pas allusion au quatrième pouvoir. Peut-être l'ancien chef de l'Etat pressentait-il que la seule évocation d'un complexe militaro-industriel *et* médiatique suffirait à compromettre le débat qu'il espérait susciter. Même à cette époque, considérée aujourd'hui comme une sorte d'âge d'or pour la liberté d'expression, aucun thème d'ampleur nationale ne pouvait être débattu sans l'appui des médias dominants.

Eisenhower n'ignorait pas que les journalistes aiment se voir comme les héroïques défenseurs de la vérité – c'est l'image que leur a collée Thomas Jefferson en avançant le concept de quatrième pouvoir. Or, quand on tient sa corporation en très haute estime, comment admettre que celle-ci appartient à un lobby potentiellement nocif et qu'une vigilance de tous les instants est nécessaire pour en maintenir, tant bien que mal, l'intégrité.

« *Seuls des citoyens avertis et au fait des réalités seront à même de veiller à ce que la gigantesque machine industrielle et militaire de la Défense respecte nos méthodes et nos objectifs pacifiques, afin que sécurité et liberté puissent prospérer de concert* », déclarait Eisenhower. En l'absence d'une presse totalement libre et indépendante, sans le moindre lien avec ce fameux complexe de l'armement, son souhait reste une gageure. Après tout, c'est sous son propre mandat qu'on a vu se répandre l'hystérie maccarthyste. A l'époque, les médias n'ont pas su jouer leur rôle de contre-pouvoir face au sénateur anticommuniste, à l'ego boursouflé, qui en était l'orchestrateur intouchable. Quand j'étais journaliste à *60 Minutes*, nous étions tous très fiers de savoir que le seul de nos confrères à avoir eu le courage et l'intégrité d'alerter ses concitoyens sur la démagogie de Joseph MacCarthy et de s'affronter à lui, Edward R. Murrow, avait appartenu à CBS. Aucun d'entre nous n'avait accordé d'importance au fait que ce même Murrow avait payé son audace au prix fort. En dépit d'un début de carrière prometteur, il avait ensuite été mis au placard.

Avec sa campagne d'intimidation des médias, le maccarthysme annonçait le temps où la presse, à quelques exceptions près, s'intégrerait sans heurt au complexe militaro-industriel dont se méfiait tant Eisenhower. Cinq ans à peine s'étaient écoulés depuis son fameux discours quand les journalistes ont répercuté docilement les conclusions de la commission Warren sur l'assassinat de John Fitzgerald Kennedy, allant jusqu'à diffamer systématiquement quiconque osait douter que Lee Harvey Oswald ait été l'unique tireur. Quand, à la fin des années 1980, le cinéaste Oliver Stone a osé se mêler d'une enquête que les journalistes auraient dû mener vingt ans plus tôt, il a été qualifié d'obsédé des théories du complot alors même que sa première version du script de *JFK* n'était pas encore achevée. A l'époque, le chef de file de l'offensive anti-Stone n'était autre que le prestigieux *Washington Post.*

La presse a fait sienne la devise de la Reine de cœur dans *Alice au pays des merveilles* : « *D'abord la sentence, et ensuite les preuves.* » Chargés, à l'origine, par Thomas Jefferson de veiller à ce que les citoyens soient au fait des réalités de leur époque, les médias modernes se sont inventé une nouvelle raison d'être : pérenniser leur propre existence et asseoir leur influence. Comme l'a si bien dit Marshall MacLuhan, « *le médium est devenu le message* ».

J'ai eu toutes les peines du monde à admettre que les médias auxquels je m'étais dévouée depuis mes débuts soient capables d'user de leur immense pouvoir pour calomnier de simples citoyens et piétiner impunément leurs droits inaliénables à la vie, à la liberté et à la poursuite du bonheur. C'est pourtant ce que j'ai découvert à travers le cas de Robert R. Garwood, un marine qui a été retenu prisonnier pendant quatorze ans par les communistes vietnamiens avant d'être condamné pour collusion avec l'ennemi à son retour aux Etats-Unis.

C'est en 1979, alors que je travaille pour une émission d'information canadienne, que j'entends parler de Bobby Garwood pour la première fois. Les dépêches le présentent comme un déserteur accusé de haute trahison par les autorités américaines, plus particulièrement par le corps des Marines. Cette affaire me passionne d'autant plus qu'à l'issue de quelques conversations téléphoniques avec des représentants des Marines à Washington, j'apprends que ce déserteur ne s'est pas contenté de passer idéologiquement dans l'autre camp. Des officiers de haut rang m'affirment qu'il s'agit du premier marine de l'Histoire à avoir pris les armes contre ses compatriotes. A regret, je suis rapidement obligée de décrocher de l'affaire : les Canadiens ne se sentent guère concernés par les tribulations vietnamiennes de Bobby Garwood. Je continue toutefois à me tenir informée à travers les médias américains.

Le procès en cour martiale bénéficie d'une couverture retentissante. Sur les centaines d'articles que je dévore à l'époque, l'un – paru le 21 décembre 1979 – attire plus particulièrement mon attention. Il souligne *« la complexité de la situation en coulisse »*, précisant qu'un grand nombre d'ambiguïtés pèsent sur cette affaire et que *« les témoignages recueillis lors de l'audition préliminaire à Camp Lejeune ont été largement déformés. Par conséquent, la perception qu'en a le public est confuse. A cela s'ajoute le sentiment troublant que l'on est en train de punir injustement un ancien prisonnier de guerre »*. Comme tous les autres articles, celui-ci dépeint Bobby Garwood sous les traits d'un traître notoire. *« Mais contrairement à d'autres cas de collaboration en Corée et au Vietnam,* souligne l'auteur, *Garwood est accusé d'avoir rejoint les rangs ennemis en tant que combattant armé d'une guérilla qui a directement pris part à des actions hostiles contre ses compatriotes américains. Aussi pénible que soit cette affaire, si les chefs d'inculpation sont reconnus, on ne peut faire comme si les circonstances pouvaient justifier la conduite de l'accusé. »*

A l'issue du procès, personne ne doute de la culpabilité de Bobby Garwood. Chacun s'accorde à dire que cet homme, qui a endossé le costume du traître absolu, a bénéficié d'un traitement équitable de la part des autorités, d'autant qu'il était à l'origine accusé de désertion – un délit passible de la peine de mort devant un peloton d'exécution. Tout ce que je lis dans les journaux me conduit à penser que si cette accusation a été oubliée, c'est par souci de panser les plaies profondes causées par la guerre du Vietnam. Quand je repense aujourd'hui à ma naïveté de l'époque, je suis atterrée. J'étais encore profondément convaincue de pratiquer un journalisme libre et indépendant. J'imaginais que les stars des médias devaient être les meilleurs d'entre nous. Comme le chantait Paul McCartney, *« j'étais tellement plus jeune à l'époque »*.

En 1985, productrice pour *60 Minutes*, sur CBS, j'ai à nouveau l'occasion de me pencher sur le dossier Garwood. L'ancien marine invoque désormais publiquement un élément que les médias n'ont jamais abordé durant son procès. Au *Wall Street Journal*, il déclare qu'il a recueilli des informations de première main prouvant que d'autres prisonniers américains sont restés internés au Vietnam longtemps après la fin de la guerre. Le 22 mars 1985, alors que j'assiste à une conférence de presse au Club national de la presse de Washington, j'ai la surprise de l'entendre s'exprimer aux côtés d'anciens combattants aux états de service exemplaires.

Avec ces hommes, je découvre une histoire fort différente de celle qui a été rendue publique lors du procès. Une histoire intimement liée à un autre dossier sur lequel j'ai travaillé pour *60 Minutes*. Sous le titre *Vivants ?*, j'ai en effet consacré un reportage aux soldats portés disparus au Vietnam et aux prisonniers de guerre. Mes sources présentent toutes un parcours impressionnant. Elles comptent dans leurs rangs des experts de renom tels que le général Eugene Tighe, l'ancien directeur de la Defense Intelligence

Agency (DIA, la sécurité militaire). Mais aussi des prisonniers de guerre revenus sains et saufs au pays, comme le capitaine de vaisseau Red McDaniel, qui a été décoré de la plus haute distinction de l'US Navy pour actes de bravoure. Ces informateurs – plus que crédibles – affirment que des prisonniers de guerre américains (au nombre de trois mille cinq cents environ) ont été retenus par le régime communiste vietnamien après la guerre. Ils devaient servir d'otages afin que les Etats-Unis versent les trois milliards de dollars de dommages de guerre promis par Richard Nixon avant sa chute. Un fait m'a semblé particulièrement convaincant à l'appui de leur thèse : sur les trois cents prisonniers détenus au Laos par le Pathet Lao, allié des communistes vietnamiens, aucun n'a été libéré en 1973 !

Pourquoi le gouvernement américain a-t-il annoncé que tous les prisonniers étaient rentrés à cette date, avant d'affirmer quatre ans plus tard que les disparus étaient tous décédés à l'exception du colonel de l'US Air Force Charles Shelton – un militaire emblématique ? Comment comprendre qu'aucun journaliste ne se soit demandé pourquoi tous les hommes inscrits sur la liste des prisonniers, en particulier ceux qui étaient retenus au Laos, n'avaient pas été relâchés ? Les journalistes ont pris pour parole d'évangile la version officielle selon laquelle rien ne prouvait que l'on ait abandonné des prisonniers de guerre à leur sort en 1973.

Les médias occultent également la bataille que se sont livrée les agences américaines de renseignements sur cette question. Cette lutte fratricide a opposé les partisans de l'Humint, le renseignement humain (généralement des vétérans qui croient à la validité de ce type d'informations, qu'elles soient collectées par des espions soudoyés ou par des volontaires), et ceux qui considèrent cette technique comme inutile et dévalorisante et pour qui seul l'espionnage technologique a droit de cité. Le général Tighe reconnaît les mérites des satellites ultramodernes, qui lui ont offert certains renseignements précieux sur l'emplacement des prisonniers de guerre américains, mais lorsqu'il était aux commandes de la DIA, il a fait de l'Humint sa priorité (ses sources étaient, pour l'essentiel, des Sud-Vietnamiens). Or Bobby Garwood a justement été aperçu à de nombreuses reprises dans les camps vietnamiens et plusieurs témoins prétendent avoir été longtemps internés avec lui. L'un d'entre eux n'est autre que le général Lam Van Phat, qui commandait la région militaire de Saigon jusqu'à l'effondrement de 1975.

Le retour du soldat Garwood n'arrange pas le gouvernement. Il est la preuve vivante que les communistes vietnamiens ont gardé des prisonniers après le retrait américain. Des milliers d'hommes en fait, que tout le monde s'est empressé de déclarer morts au mépris des indices fournis par les anciens combattants et les spécialistes du renseignement, lesquels n'ont cessé de mettre en avant les présomptions convergentes accréditant l'idée que des GI aient pu être encore en vie. Le Congrès a lui aussi activement contribué à étouffer l'affaire. Depuis 1975, deux commissions d'enquête parlementaires ont conclu, sur la base des déclarations des autorités de Hanoi, qu'« *il n'y avait plus d'Américains au Vietnam* ».

Des renseignements fiables établissent que le Viêtcong a autorisé des membres de l'Organisation de libération de la Palestine (OLP) à interroger, mais surtout à torturer, des prisonniers américains livrés à leur sort. Bobby Garwood lui-même affirme qu'avant d'être autorisé à quitter le Vietnam, il a été interrogé par l'OLP. On lui a fait comprendre que lui et sa famille subiraient des représailles si jamais il faisait état de la présence de l'organisation palestinienne au Vietnam à son retour aux Etats-Unis. L'information est donc soigneusement étouffée, comme toutes celles qui contredisent la version officielle sur les prisonniers de guerre. Le général Tighe, qui répugne à porter un jugement désobligeant sur une institution à laquelle il a consacré sa vie, attribue avec pudeur ce déni à toute épreuve à « *l'état d'esprit bureaucratique* ».

De son côté, la presse se « source » auprès d'agences gouvernementales qui, sous couvert de commentaires *off the record*, tournent en dérision quiconque s'inquiète du sort des prisonniers. Volontiers ironique, elle rabaisse les sceptiques au rang de fouille-merdes un peu dingos, de vétérans incapables de se réadapter à la vie en société ou encore d'épouses ou de parents qui ne parviennent pas à faire leur deuil. Parmi les grands journalistes qui s'intéressent à la guerre du Vietnam, aucun n'imagine qu'une histoire de cette ampleur aurait pu lui échapper. Ne disposent-ils pas de sources au plus haut niveau ? Dans cette affaire, c'est justement ce qui leur a joué un tour. De fait, les témoins qui sont en mesure de confirmer la véritable histoire ne comptent pas parmi les officiers les plus prestigieux du contingent américain au Vietnam. Ils sont de modestes soldats. De ceux dont Donna Shalala, membre du cabinet de Bill Clinton, dira qu'ils n'étaient « *ni les meilleurs ni les plus brillants* ». Beaucoup sont des appelés qui ont finalement opté pour la carrière militaire.

A l'exception de Bernard Fall et de Keyes Beach, les journalistes qui se sont rendus célèbres pour leur traitement du conflit ont surtout dénoncé les excès des combattants américains. Bobby Garwood, à ce titre, est un bouc émissaire tout désigné : milieu défavorisé, parents divorcés, élevé dans un sordide *mobile home*, un passé de délinquant juvénile... Il ne peut qu'appartenir à la meute de ces soldats « *égorgeurs d'enfants et chasseurs de niakoués* » que les reporters se sont complu à dénoncer tout au long de la guerre. Le porte-parole du gouvernement, qui ne peut plus invoquer les charges examinées par la cour martiale, faute de preuves, alimente l'hostilité de la presse. Il attise l'animosité à l'encontre de Bobby Garwood, et discrédite sa parole en le traitant ouvertement de déserteur et de traître. Les journalistes ne tiennent aucun compte du soutien que le général Eugene Tighe apporte à ses déclarations.

En 1985, parallèlement à mon enquête sur les prisonniers de guerre, j'entreprends de creuser l'affaire Bobby Garwood. C'est à cette époque que je propose à un célèbre journaliste-écrivain, qui a dévoilé certaines des plus graves dérives de l'administration Nixon, de jeter un coup d'œil à la retranscription du témoignage du général Tighe devant une commission du Congrès. Sa réponse me laisse muette : « *Je sais de source sûre qu'Eugene Tighe en est aux premiers stades de la maladie d'Alzheimer.* » Avec ma collaboratrice Nellie Lide, nous avons passé des heures à nous entretenir avec le général. A l'évidence, c'est l'un des esprits les plus vifs qu'il nous ait été donné de rencontrer. La calomnie est tellement grossière ! Je vais bientôt découvrir par quel canal elle se répand...

Connu pour son rôle d'intermédiaire officiel entre le Conseil de la sécurité nationale (NSC) et les familles des soldats disparus, le colonel Richard Childress est également conseiller à la Maison Blanche. Il a intégré le NSC en 1961, en tant que responsable des Affaires politiques et militaires en Asie du Sud-Est. Dans la mesure où il n'a jamais suivi de formation militaire, d'aucuns estiment qu'il travaillait forcément pour la seule autre agence gouvernementale qui accorde le rang de colonel à certains de ses membres : la CIA. Au terme d'une série d'appels téléphoniques que l'épouse de Red McDaniel qualifiera d'insistants, Richard Childress accusera ce dernier – l'une de mes sources d'information – de troubler la version officielle en remuant l'affaire des prisonniers. Dans le feu de la conversation, il admettra que des prisonniers américains sont toujours en vie au Vietnam.

Décidée à interviewer le colonel Childress, je tente à plusieurs reprises de le joindre par téléphone. En vain. J'ai déjà réussi à m'assurer la participation de Bobby Garwood et Eugene Tighe à *60 Minutes* quand Richard Childress me rappelle enfin, à mon bureau de Washington. *« Vous faites un reportage sur les prisonniers de guerre ? »*, lance-t-il sans même me saluer. Avant que j'aie eu le temps d'acquiescer, il se met à dénigrer la plupart des témoins que j'ai rencontrés. Et sur sa lancée, il propage la rumeur que colportent mes confrères sur la santé mentale du général Tighe. Je suis sur la défensive. J'imagine déjà les moyens qu'il a dû déployer pour obtenir des informations aussi précises sur les interviews que je réalise. Sentant sans doute mon effroi, mon interlocuteur modifie légèrement son approche. *« Vous placeriez les prisonniers qui se trouvent encore là-bas en danger de mort... »*

S'il m'était resté le moindre doute, avant l'appel de Richard Childress, sur l'opportunité d'engager ce documentaire, cette révélation fracassante aurait suffi à me l'ôter. La conversation se termine sur une ultime intimidation : si je m'obstine à enquêter sur ce sujet, je vais au devant de très gros ennuis.

Grâce, en grande partie, à la participation du général Tighe, notre documentaire est finalement diffusé en décembre 1985, sous le titre *Vivants ?*. Tous les moyens ont été utilisés pour faire capoter le projet mais les pressions incessantes des services de renseignements, et plus particulièrement du NSC et de la DIA, n'y ont pas suffi. A plusieurs reprises, on a discrètement conseillé aux directeurs de la chaîne de ne pas diffuser l'interview du général Tighe. Le responsable des opérations clandestines du Pentagone a approché des journalistes de la rédaction pour leur livrer sa version des événements. Même le directeur de l'information de CBS a eu droit, lors d'un cocktail, à un aparté avec un ancien conseiller de la Maison Blanche en matière de sécurité nationale. Ces pressions-là sont subtiles. On évoque des questions sensibles, liées à la sécurité du pays. On en appelle à la responsabilité des médias... Les responsables de CBS, heureusement, sont trop malins pour se laisser embobiner par une campagne de diffamation orchestrée contre un militaire aux états de service irréprochables. Le général Tighe est connu dans le monde entier comme l'un des meilleurs agents de renseignements que les Etats-Unis aient jamais eus. Sa crédibilité est incontestable.

Lors de la diffusion, l'émission fait grand bruit au Congrès. Elle sera à l'origine de la création d'une commission d'enquête de la DIA sur les prisonniers de guerre et les disparus qui sera confiée au général Tighe. La commission compte des spécialistes éminents comme le général Robinson Risner, un as de l'aviation emprisonné pendant six ans dans une ancienne forteresse coloniale française surnommée le Hanoi Hilton. Elle conclura que des Américains ont été abandonnés après 1973, et surtout que tout laisse à penser que la plupart d'entre eux sont encore en vie. Les conclusions de la commission seront immédiatement classées secret défense, sans la moindre explication publique[1].

Malgré les recommandations de la commission Tighe suggérant au Pentagone d'embaucher Bobby Garwood pour creuser la question des prisonniers, les autorités continuent de diffuser des versions déformées de son affaire. En entretenant l'image d'un soldat dévoyé, le gouvernement veille à ce que personne ne s'intéresse à ce que Bobby pourrait déclarer sur les Américains que l'on a abandonnés au Vietnam. L'ex-commandant de l'armée de terre Mark Smith, un ancien prisonnier lui aussi, estimera plus tard que, pour tous ceux qui voulaient maintenir fermé le couvercle sur cette vérité, *« Robert Garwood a fait office de victime sacrificielle »*.

En dépit de tous mes efforts, je ne suis jamais parvenue à convaincre mes producteurs de consacrer un reportage entier à l'histoire de Bobby. Pas même lorsque j'ai réussi à remettre la main sur un film le montrant au Vietnam et prouvant qu'il y avait bien été fait prisonnier. Sa condamnation en cour martiale, ainsi que les ravages produits par la propagande officielle, tout cela suffit amplement à rebuter les médias. C'est finalement à travers un livre que je parviendrai à mener mon projet à bien. *Spite House : The Last Secret of the War in Vietnam*[2] sera publié en 1997.

---

1. Les membres de la commission Tighe recommanderont que la DIA recrute Bobby Garwood pour travailler sur la question des prisonniers disparus, suggestion qui sera évidemment écartée.
2. W.W. Norton & Company.

Simple fantassin, Bobby Garwood fait probablement exception dans les rangs des prisonniers américains au Vietnam. Il jouit d'une aptitude naturelle pour la langue nationale, que lui enseigne, en même temps que de nombreux conseils de survie, l'un de ses compagnons d'infortune : le capitaine William F. « Ike » Eisenbraun, des Forces spéciales. Ce dernier lui recommande notamment de chercher à s'évader par tous les moyens, pourvu que cela ne soit pas dommageable aux autres prisonniers. Faisant valoir ses connaissances en mécanique, on confie à Bobby la réparation des véhicules américains éparpillés dans tout le Vietnam. Il bénéficie d'une liberté de mouvement limitée et peut se déplacer partout où l'on a besoin d'un mécanicien. Jamais sans surveillance, toutefois.

A l'affût du premier moyen d'évasion qui pourrait se présenter, il parvient à persuader ses gardiens de le laisser se procurer pour leur compte différents produits uniquement disponibles dans les hôtels fréquentés par des Occidentaux – auxquels les Vietnamiens n'ont pas accès. Ainsi, ils pourront revendre savon, cigarettes, caviar, etc., et en tirer de substantiels bénéfices. Tout ce qu'il demande en échange, c'est une ration supplémentaire de cigarettes ou de nourriture. A l'occasion de l'un des rares déplacements qu'il effectue à Hanoi, Bobby parvient de cette manière à faire passer un SOS au diplomate finlandais Ossi Rahkonen, qui le transmet lui-même à la BBC et à la Croix-Rouge. Ce dernier ne commet pas l'erreur de remettre le petit mot aux autorités américaines, comme l'ont fait auparavant d'autres destinataires des messages de détresse de Bobby. Il a également la présence d'esprit de se tourner vers la BBC plutôt que vers les médias américains, qui défendent envers et contre tout la thèse du gouvernement avançant qu'il ne reste plus un seul prisonnier américain en vie au Vietnam – pas même un déserteur.

La BBC annonce dans une dépêche qu'un prisonnier américain nommé Bobby Garwood se trouve encore au Vietnam, ce qui ne manque pas de plonger dans l'embarras les politiciens et les bureaucrates qui ont soigneusement refermé le dossier. S'ils veulent maintenir l'édifice du mensonge, il doivent coûte que coûte discréditer ce revenant et faire d'un soldat héroïque, qui a survécu à l'un des plus tristement célèbres systèmes carcéraux de la planète, un traître et un criminel. Il leur faut aussi convaincre l'opinion que cet homme est plus blâmable que les planqués qui se sont soustraits au tirage au sort – et qui ont tous été amnistiés –, encore plus condamnable que ces civils américains favorables aux Nord-Vietnamiens qui ont ouvertement appelé à abattre les avions de combat de leur propre pays, ou même que ce colonel des Marines qui a aidé l'ennemi à torturer ses camarades alors qu'il était prisonnier au Hanoi Hilton... Bref, il faut persuader les Américains que Robert R. Garwood a rejoint volontairement les rangs nord-vietnamiens pour se battre contre ses compatriotes. Cela ne peut se faire sans la complicité, consciente ou inconsciente, des médias. Au début de 1979, avant même que Bobby ne quitte le Vietnam, le gouvernement laisse filtrer aux principaux journaux une information selon laquelle un déserteur américain a été aperçu à Hanoi...

Quand Bobby rentre enfin à la maison, après quatorze années passées dans les geôles vietnamiennes, il est déconnecté du monde. Sa connaissance de l'histoire américaine s'est arrêtée le jour de sa capture, en 1965. Quant à sa foi en son pays, cette foi que les Marines lui ont inculquée, elle demeure intacte. En 1973, ses geôliers ont diffusé, par les haut-parleurs du camp, le discours d'Henry Kissinger déclarant que tous les prisonniers américains du Vietnam étaient rentrés au pays. Mais Bobby s'est convaincu que les communistes avaient trompé le gouvernement américain. Si la Maison Blanche avait su qu'ils étaient là, se disait-il, elle aurait réagi sans tarder. Jamais il n'aurait imaginé qu'en s'évadant, il porterait un coup fatal à l'histoire officielle. Ni qu'il représenterait une menace pour tous ceux qui avaient conclu la paix tout en sachant qu'ils abandonnaient des soldats à leur sort. Beaucoup de soldats.

Conservés dans les archives de la bibliothèque présidentielle Jimmy Carter, des mémos datant de 1979 indiquent que *« Garwood prétend savoir que d'autres Américains sont vivants au Vietnam »*. Cette information-là n'est pas transmise à la presse, mais les journalistes auraient pu la dénicher sans peine s'ils avaient cherché à approfondir les révélations de la BBC. Cela les aurait menés directement à Ossi Rahkonen, qui a recueilli le témoignage de Bobby Garwood. Mais les médias se contentent de la version officielle. *« Garwood a fait passer une note avec son nom et son matricule à des touristes occidentaux à Hanoi,* écrit *Newsweek* le 2 avril 1979. *"Je veux rentrer chez moi", a-t-il dit au touriste. »* L'hebdomadaire ajoute que Bobby Garwood a également déclaré qu'il se trouvait, avec d'autres prisonniers américains, dans un camp de travail. Mais personne n'y prête attention. Comment le détenu d'un camp de travail aurait-il été en mesure d'approcher des touristes à Hanoi ? Non, décidément, il ne peut s'agir que d'un déserteur.

L'histoire des prisonniers doit rester secrète. A l'origine, ces hommes ont été retenus par les communistes vietnamiens pour s'assurer que les Etats-Unis tiendraient leur promesse – officieuse – de verser 4,5 milliards de dollars de dommages de guerre. Mais en 1979, ils ne sont plus que des pions sans valeur. Des morts vivants. Car Washington n'a pas versé la somme promise – et n'a d'ailleurs jamais eu l'intention de le faire[1]. Le régime d'Hanoi, qui n'a lui-même jamais respecté la convention de Genève sur le traitement des prisonniers de guerre, décide que les survivants pourront toujours servir comme main-d'œuvre forcée, et éventuellement comme moyen de pression contre les Etats-Unis. A vrai dire, aucun des deux camps ne peut s'offrir le luxe de voir la vérité éclater au grand jour. Pas plus les Vietnamiens que les Américains : désespérément en quête de reconnaissance diplomatique et de partenaires économiques, ils en payeraient le prix fort. L'affaire des prisonniers de guerre est une véritable affaire d'Etats, une bombe dont le souffle pourrait défaire des gouvernements entiers. Aucun effort ne sera ménagé pour prévenir une telle issue.

Le procès de Bobby Garwood est le plus long qui se soit jamais tenu devant une cour martiale américaine. Plusieurs millions de dollars ont été dépensés durant la phase d'instruction, ce qui n'a pas empêché les enquêteurs de passer – sciemment ? – à côté des vérités les plus aveuglantes. Par exemple, le fait que Bobby ait pu commettre un acte de désertion en temps de guerre aurait dû en étonner plus d'un. En effet, quiconque se donne la peine d'étu-

---

1. La lettre convenant de cet accord financier, adressée le 1er février 1973 par le Président Nixon au Premier ministre vietnamien Pham Van Dong, ne sera connue que quatre ans plus tard.

dier ses états de service peut s'apercevoir qu'il est censé avoir déserté alors qu'il n'était qu'à quelques jours de la quille. Cela n'a jamais été évoqué publiquement.

Pendant le procès, l'accusation appelle à la barre le lieutenant-colonel John A. Studds, qui commandait la compagnie de Bobby Garwood, et Charles B. Buchta, officier responsable du parc automobile de l'unité au moment de sa capture. Tous deux savent parfaitement que Bobby a disparu alors qu'il était chargé, très officiellement, d'une mission en tant que chauffeur. Cela ne les empêche pas d'affirmer sous serment qu'il serait parti sans autorisation. Autrement dit, il aurait déserté. En revanche, quand Billy Conley, chauffeur lui aussi à la IIIᵉ MAF, à l'état-major tactique du corps des Marines, se présente spontanément devant le tribunal pour attester que Bobby a bien été envoyé en mission commandée, les journaux n'y consacrent pas une ligne. Cette certitude est pourtant restée gravée dans la mémoire de Bill Conley : c'est lui qui aurait dû, ce jour-là, effectuer cette mission à la place de son camarade.

Quand l'accusation de désertion est abandonnée, aucun journal ne cherche à savoir pourquoi. Personne ne se tourne vers Billy Conley. Personne ne se demande si Charles B. Buchta et John A. Studds auraient pu subir des pressions. Les médias, au contraire, se croient obligés de rappeler systématiquement, à l'instar du *New Republic* du 2 février 1980 que, *« bien que Garwood soit sous le coup d'accusations qui pourraient entraîner son exécution, le corps des Marines tient à ce qu'il bénéficie d'un jugement équitable... »*.

L'histoire dont Bobby Garwood est dépositaire le dépasse. Il est un simple soldat des US Marines resté prisonnier au Vietnam pendant quatorze ans. Il n'a pas de fortune ni d'amis haut placés. Ce qui lui a permis de tenir, tout au long de sa détention, c'est sa foi inébranlable dans la bienveillance de son pays et dans la liberté de la presse. Jamais il n'aurait cru qu'après la diffusion de la dépêche de la BBC dévoilant son existence, le Département d'Etat américain adresserait aux journaux des mémos rédigés pour l'occasion indiquant, par exemple, qu'il est « *peu probable que le soldat Garwood ait pu quitter son camp de prisonniers sans une aide vietnamienne* ». Ou encore « *que l'on ne peut exclure qu'il ait agi à la demande, ou sur ordre, des communistes vietnamiens* ». Toujours selon le Département d'Etat, il est vraisemblable « *que le Vietnam, dans sa tentative de parvenir à la normalisation, utilise Garwood comme un moyen de manipuler les Etats-Unis* ».

D'autres sources gouvernementales vont jusqu'à expliquer, dans un *Rapport au secrétaire adjoint à la Défense chargé du commandement, du contrôle, des communications et du renseignement,* que des officiers généraux de l'armée nord-vietnamienne leur ont confié, à l'occasion de réunions bilatérales, qu'Hanoi n'avait pas eu d'autres solutions que de renvoyer Bobby. Il ne leur était d'aucune utilité, se montrait « *oisif* », s'était fait remarquer comme « *fauteur de trouble* »... Bref, il était tout sauf un prisonnier modèle.

Désinformation toujours.

Le retour de Robert R. Garwood dans le monde libre a été méticuleusement orchestré. On veut donner l'image d'un homme qui aurait toujours eu le choix entre rester au Vietnam et en repartir. C'est pourquoi il débarque à Bangkok, sa première étape, à bord d'un avion français[1]. A son

---

1. En 1973, tous les prisonniers américains, même les traîtres notoires comme le colonel des Marines qui avait torturé ses compatriotes, sont rentrés à bord d'appareils américains.

arrivée aux Etats-Unis, il est tenu à l'écart des journalistes surexcités qui l'accueillent en hurlant : *« Que pensez-vous du fait que les Marines vous considèrent comme un déserteur ? »* Bobby trouve la question absurde, mais un cordon de militaires l'empêche d'y répondre. Le 9 avril 1979, *Time* écrit que *« les Marines, en attendant le résultat de l'enquête officielle diligentée par l'*US Navy*, accusent Garwood de désertion, d'incitation à déposer les armes et d'intelligence avec l'ennemi. S'il passe en cour martiale pour ces chefs d'inculpation et qu'il est condamné, il risque la peine de mort »*.

Pourtant, les accusations de désertion seront abandonnées à la suite du témoignage de Billy Conley. Devant la justice militaire, la thèse selon laquelle Bobby Garwood aurait changé de camp et mené au combat les troupes ennemies contre ses anciens camarades s'effondre. Cela n'empêche pas les insinuations de prospérer. A l'audience, le procureur, le capitaine Werner Helmer, profite de la moindre occasion pour prendre à partie Vaughn Taylor, l'un des avocats de l'accusé. Il croit bon de lui détailler les horribles forfaits commis par son client, qui auraient *« fait tant de mal à nos troupes »* au Vietnam. Il annonce notamment qu'un marine ayant perdu la vue lors d'une attaque du Viêt-cong prétendument conduite par Bobby Garwood était prêt à venir témoigner. Selon Werner Helmer, ce marine serait en mesure de l'identifier formellement à la voix. Vaughn Taylor le prend au mot. Il exige que le procureur produise témoins et pièces à conviction ou qu'il se taise. L'autre choisit la seconde solution.

Bobby Garwood comprend que le piège est en train de se refermer sur lui. La procédure est jouée d'avance. Même ses défenseurs, convaincus qu'il a été victime de terribles manipulations mentales de la part des communistes vietnamiens et qu'il souffre de troubles posttraumatiques, semblent douter de sa parole. « *Les avocats de Garwood ne contestent pas la teneur des accusations* », souligne le *Washington Post*. Epuisé, résigné, Bobby se replie sur lui-même. Mais en juin 1980, la perspective d'un témoignage providentiel ravive son espoir d'acquittement.

A cette date, il apprend par les journaux qu'un transfuge nord-vietnamien a témoigné devant le Congrès américain. Sur les photographies qui sont publiées, son visage est masqué par un casque de moto mais Bobby le reconnaît aussitôt : il s'agit de Tran Van Loc, l'ancien chef de la police secrète communiste. Celui-ci présidait le tribunal qui a statué sur le sort de chaque prisonnier de guerre. D'origine chinoise, le colonel Van Loc a fui le Vietnam pendant la guerre sino-vietnamienne de 1979. Les informations dont il est dépositaire sont tellement importantes aux yeux des Américains que le meilleur spécialiste du Vietnam à la DIA s'est rendu en personne à Hong Kong pour le débriefer. Bobby Garwood se met à espérer que son ancien ennemi confirmera sa version des faits. Tran Van Loc sait bien, lui, qu'il n'a jamais déserté. Aussi, il persuade ses avocats d'organiser une confrontation avec le transfuge. L'opposition forcenée de l'accusation, ainsi que la clause de protection des témoins, rendent la démarche ardue.

Lorsqu'il entendra l'ancien chef de la police secrète vietnamienne nier avoir jamais connu un prisonnier de guerre du nom de Bobby Garwood, Vaughn Taylor comprendra que son système de défense est voué à l'échec. Son dernier recours est d'invoquer les troubles psychiatriques de son client. Ce n'est que dix ans plus tard qu'il découvrira que Bobby a dit vrai mais que le gouvernement a fait pression sur Tran Van Loc. Déposant sous serment devant la commission spéciale du Sénat sur les prisonniers de guerre, ce dernier racontera en effet comment il a été approché, par l'intermédiaire du service chargé d'assurer sa protection et sa subsistance, par un officier qui lui a ordonné de mentir sur le cas Garwood. L'aveu, malheureusement, vient trop tard. La réputation de l'ancien marine a été irrémédiablement entachée. Bob Smith, sénateur républicain du New Hampshire et vice-président de la commission spéciale, aura beau déclarer : « *Je crois Bobby Garwood* », les médias resteront de marbre.

Le gouvernement a encouragé le témoin Van Loc à mentir et l'a dissuadé de témoigner en faveur de Bobby. Malgré cette évidence, la suspicion qui imprègne l'opinion publique a du mal à se dissiper. Tranchant avec la prose habituellement diffusée par ses confrères, le *New York Daily News* finira cependant par poser cette question sacrilège : « *Un ancien prisonnier de guerre a-t-il été injustement condamné ?* »

Mais revenons au procès en cour martiale. Dans l'incapacité de prouver que Bobby Garwood a déserté ou agi en collusion avec l'ennemi pendant la guerre du Vietnam, l'accusation modifie radicalement sa stratégie. Par un revirement spectaculaire, le ministère public affirme désormais que celui-ci a bel et bien été fait prisonnier. Mais ne croyez pas que ce soit pour le réhabiliter : on l'accuse désormais d'avoir collaboré de façon ignoble pendant sa détention. Les témoins à charge cités par l'accusation ont eux-mêmes un pedigree très chargé. Selon le *Washington Post* du 29 décembre 1979, « *les cinq anciens prisonniers de guerre qui doivent témoigner contre Garwood ont reconnu avoir collaboré avec leurs geôliers [et] exécuté tous les ordres que ces derniers ont formulé ».* Bref, ces témoignages dégagent un fort relent de manipulation. Comme le soulignera devant les journalistes, sur les marches du palais de justice, le Dr Edna Hunter – qui dirigeait l'unité du Pentagone chargée des prisonniers de guerre en 1973 –, aucun des soldats qui accablent Bobby Garwood aujourd'hui n'avait fait allusion au moindre comportement répréhensible de sa part lors de son débriefing, en 1973.

Edna Hunter désire ardemment témoigner, mais depuis le témoignage du colonel Van Loc, les avocats de Bobby ne cherchent même plus à contrer le procureur Helmer. Persuadés que leur client est en proie à de graves troubles mentaux, ils se fixent comme objectif de convaincre les jurés que, quels que soient les actes qu'il ait pu commettre, il les a accomplis sous la contrainte. Depuis qu'on lui a lavé le cerveau, il souffrirait de crises de démence...

Sur la base des déclarations d'anciens prisonniers ayant eux-mêmes collaboré avec l'ennemi[1], Bobby Garwood est condamné. On lui reproche d'avoir dénoncé ses camarades, de les avoir interrogés, notamment sur des questions militaires, et d'avoir servi de gardien pour le compte du Viêt-cong. Il est également condamné pour coups et blessures à l'encontre d'un prisonnier américain, ce qui l'atteint encore plus profondément que tous le reste : jamais il n'a fait souffrir un seul de ses camarades. Cette

---

1. Les témoins qui accablent Bobby Garwood auront droit à quelques arrangements peu ordinaires. Par exemple, un officier sera autorisé à substituer à son témoignage sous serment, dans le dossier du procès en cour martiale, une déclaration écrite. Dans le même temps, des témoignages à décharge ne seront jamais versés à la procédure.

dernière accusation émane de David Harker, un ancien prisonnier qui l'a pourtant vigoureusement défendu à son retour aux Etats-Unis. *« Ne crucifiez pas Garwood »*, avait-il imploré en une d'un journal. *« S'il est coupable, nous le sommes tous »*, déclarait-il à l'époque aux médias. Mais devant la cour martiale, David Harker tient un tout autre discours : il affirme que Bobby Garwood l'a frappé pendant sa détention. *« Dans mon souvenir*, témoigne-t-il, *il m'a frappé avec le dos de sa main. Je ne sais plus si c'était avec le poing ou avec la main ouverte mais il m'a frappé dans les côtes. Puis il a dit quelque chose du genre : "Tu vas payer pour ce qui est arrivé à Russ !" Je revois encore l'expression de dégoût qui déformait son visage... »*

Russ Grisset est le meilleur ami de Bobby parmi les prisonniers. Marine lui aussi, il a été battu à mort pour avoir volé le chat du commandant du camp, qu'il a mangé avec quelques compagnons dont David Harker. Bobby a découvert la mort de son ami en rentrant de corvée. Il s'est montré furieux que les autres soldats aient laissé Russ porter le chapeau au lieu d'être solidaires et d'accepter la punition en groupe – ce qui leur aurait valu un châtiment moins sévère. Selon lui, ce que l'accusation présente comme des coups et blessures n'était qu'une bourrade destinée à écarter David Harker de son chemin afin de s'approcher au plus vite de Russ.

Bien des années plus tard, au moment de la préparation du documentaire *Vivants ?* j'interrogerai David Harker sur sa volte-face à l'égard de Bobby Garwood. Tout ce qu'il acceptera de me dire, c'est qu'il tient pour acquis que ce dernier s'est rendu coupable d'autres crimes qui n'ont jamais été évoqués en cour martiale. Il ne souhaite pas en dire plus. Je lui demande si l'accusation l'a persuadé de témoigner en ce sens. Pas de réponse. Bobby Garwood a-t-il servi de bouc émissaire afin de dissimuler le triste sort de ses camarades prisonniers ? Toujours le silence... Aucun des journalistes qui ont rencontré David Harker n'aura jamais la curiosité d'apporter des réponses à ces questions, qui resteront en suspens. Pourtant, le colonel R.E. Switzer en personne, qui a présidé la cour martiale, conviendra que Bobby Garwood a, de toute évidence, été victime d'une injustice. « *Nous n'avons jamais pu connaître la vérité parce que nous n'avons jamais voulu entendre sa version* », me confiera-t-il dix ans plus tard, quand je l'interrogerai pour mon livre *Kiss the Boys Goodbye : How the United States Betrayed Its Own Pows in Vietnam*[1].

Ne disposant d'aucune preuve solide contre Bobby Garwood, le jury rend à son encontre un verdict que l'on peut qualifier de clément, mais qui n'en est pas moins infamant. Jusqu'à ce que l'appel du jugement soit rendu, il est contraint de demeurer dans le corps des Marines, sans toutefois avoir le droit de percevoir sa solde. Il est rétrogradé au rang le plus bas et privé de tout dédommagement. Il ne verra pas la couleur des 148 000 dollars correspondant aux quatorze années qu'il a passées en prison. En outre, il ne bénéficie d'aucune aide juridictionnelle pour régler les honoraires de ses avocats. Jamais les médias ne se demanderont si ce procès en cour martiale et la condamnation infligée par les Marines sont conformes à la Constitution.

Comme les dissidents dans l'ex-Union soviétique, Robert Garwood devient un « non-citoyen ». Un clandestin dans son propre pays. Atteint de troubles posttraumatiques et de plusieurs maladies contractées en détention,

1. E.P. Dutton, 1990.

il ne bénéficie d'aucune couverture sociale et ne dispose d'aucun des droits élémentaires garantis à tout citoyen américain. Quand on lui annoncera, à tort, qu'il n'a pas le droit de vote, il ne s'en étonnera même pas. Tant qu'il reste affecté au corps des Marines, il lui est par ailleurs interdit d'exercer un emploi. Aussi, tenu de s'acquitter de plusieurs centaines de milliers de dollars d'honoraires et de frais de justice, il accepte de travailler comme homme à tout faire pour un de ses avocats.

Combien de fois les autorités ont-elle violé la Constitution dans l'affaire Garwood ? Rarement le quatrième pouvoir aura eu autant de raisons de monter au créneau. Pourtant, les médias n'ont pas bougé, réservant un « non-traitement » au « non-citoyen ».

Malgré le statut de paria qui lui est imposé, Bobby Garwood s'efforce de continuer à vivre. En 1986, il obtient enfin l'autorisation de quitter les Marines. Grâce à ses talents de mécanicien, il parvient à vivoter. Et surtout, il rencontre l'amour de sa vie en la personne de Cathy Ray, qui deviendra son épouse[1]. *« Dieu m'a pris quatorze années de ma vie mais il me les a rendues avec Cathy »*, résume-t-il.

Parallèlement, il décide de se consacrer aux autres prisonniers américains qui sont restés au Vietnam. Dans sa croisade pour informer l'opinion publique, il peut compter sur le soutien énergique du général Tighe[2]. Ce dernier l'a d'ailleurs débriefé officieusement avec l'aide de Chris Gugas, un spécialiste du détecteur de mensonges. Cette séance a permis de rassembler des informations de valeur qui, selon Eugene Tighe, ne sauraient avoir été inventées.

---

1. Celle-ci est décédée en 2000.
2. Décédé en 1993.

Après quoi, ce dernier a incité la DIA à procéder enfin à sa propre analyse. A la fin de leur débriefing, les agents qui interrogent Bobby lui affirment qu'il n'a rien à craindre de leur service tant qu'il se taira : « *Estimez-vous heureux. Vous êtes rentré, pas les autres…* »

Aux yeux de Bob Hyp[1] et du général Tighe, ce débriefing contribue à la réhabilitation de Bobby Garwood. Cette victoire n'aura toutefois aucun impact sur la propagande gouvernementale. Les Marines continuent de le considérer comme un traître. Et la presse, qui ne s'intéresse plus guère à la question des prisonniers de guerre, ne s'attarde pas sur cet épisode.

Au printemps 1993, les journalistes manifestent un bref regain d'intérêt pour Bobby Garwood quand le sénateur Bob Smith, vice-président de la commission spéciale du Sénat sur les prisonniers de guerre, envisage de se rendre au Vietnam afin de vérifier par lui-même la crédibilité de son témoignage. Devant la DIA, l'ancien marine a décrit en détail l'emplacement des camps où il est resté détenu, une information corroborée par des preuves dont dispose la commission d'enquête. Bob Smith souhaite que Bobby l'accompagne durant ce séjour et qu'on lui accorde à cette occasion une protection. Mais d'autres sénateurs, tels que l'ancien prisonnier de guerre John McCain, s'y montrent résolument hostiles. Le général Tighe, quant à lui, déconseille fermement à Bobby de partir sans escorte. Il pense que ses anciens geôliers n'hésiteront pas à le liqui-

---

1. Pendant la rédaction de *Kiss the Boys Goodbye*, mon éditeur a été contacté par Bob Hyp, l'agent de la DIA qui avait débriefé Tran Van Loc à Hong Kong. Celui-ci, qui a également participé à l'interrogatoire de Bobby Garwood, annonce qu'il me fera parvenir des documents qui l'innocentent catégoriquement. Je ne recevrai jamais rien. Bob Hyp mourra d'un infarctus avant d'avoir pu m'envoyer quoi que ce soit.

der et que le gouvernement américain ne lèvera probablement pas le petit doigt.

Au début du mois de juillet 1993, Bobby se résout à accompagner le sénateur dans son périple sans gardes du corps. Il tient à collaborer, mais il a surtout une raison personnelle de retourner sur les lieux de son calvaire. Il espère obtenir des Vietnamiens qu'ils l'autorisent à rapatrier la dépouille de son ami et mentor Ike Eisenbraun, le capitaine des Forces spéciales qui lui a appris à parler vietnamien et à survivre dans l'enfer des camps. L'emplacement de sa tombe, que Bobby a lui-même creusée, est resté gravé dans sa mémoire. Dans les mois qui précèdent son départ, il contacte diverses agences militaires. Mais à Washington comme à Hanoi, on refuse de l'aider dans ses démarches.

Au Vietnam, Bobby Garwood conduit le sénateur Smith sur une île qui, apparemment, n'a jamais été habitée. Dans ses débriefings à la DIA, il a décrit l'emplacement précis des bâtiments de la prison qui était située là, jusqu'à la couleur des briques et de divers matériaux de construction. En parcourant le site, désormais désert, les Vietnamiens affichent un petit air de défi. Ils commettent toutefois l'erreur de laisser Bobby déambuler quelques minutes sans surveillance. Soudain, l'ancien prisonnier appelle Bob Smith. Sous des buissons, il a découvert un entassement de briques et de gravats qui correspondent exactement aux descriptions qu'il en a faites. Les Vietnamiens sont furieux. La délégation américaine craint un instant que Bobby soit empêché de quitter le pays, mais la présence d'un parlementaire suffira à dissuader toute initiative en ce sens. Avant même son retour aux Etats-Unis, le sénateur convoque une conférence de presse à Bangkok pour faire part de ses découvertes.

Pour la énième fois, la presse se montre sceptique, voire hostile, tant vis-à-vis de Bobby Garwood que de Bob Smith. Cette fois, les journalistes s'abreuvent aux sources vietnamiennes sans faire preuve d'aucun esprit critique. Pas la moindre allusion n'est faite à la découverte d'un ancien camp de prisonniers. En revanche, les déclarations de Ho Xuan Dich, le directeur du service vietnamien chargé de suivre le dossier des disparus américains, sont abondamment reproduites. Celui-ci prétend que Bobby Garwood s'est vu accorder le rang d'officier subalterne vietnamien et qu'il « *a entretenu de bonnes relations avec d'autres officiers vietnamiens* ».

Durant ce séjour, Bobby a été approché par un certain colonel Thai (probablement un pseudonyme : *thai* signifie *guerre* en vietnamien), qui n'est autre que l'ancien responsable du camp des prisonniers américains. Au moment de sa libération, c'est Thai qui lui avait prédit que jamais personne ne croirait à son histoire. Il l'avait de plus averti que les Vietnamiens comptaient des agents sur tout le territoire américain, qui le tiendraient à l'œil. Désormais, l'homme se présente à lui comme un ami.

Vaughn Taylor a photographié la rencontre entre le colonel Thai et Bobby Garwood. Il a immortalisé l'instant où ce dernier, la rage au cœur, pointe un index vengeur sur son interlocuteur : il lui reproche d'avoir torturé ses amis, provoquant la fureur du Vietnamien. Des mois plus tard, lors d'une rencontre avec Patricia O'Grady-Parsels, la fille d'un pilote américain porté disparu, Thai prendra à contre-pied la version des autorités américaines et vietnamiennes, en soulignant que Bobby Garwood a toujours été considéré comme un criminel de guerre. Selon lui, ce dernier n'a jamais cédé à la rééducation et a toujours adopté une « *mauvaise attitude* ». Il a même fallu le séparer des autres prisonniers pour éviter qu'il les contamine. C'est pour ces raisons que sa sentence n'a été commuée qu'en 1973...

La triste histoire de Bobby Garwood au pays de Kafka a-t-elle finalement permis de sensibiliser la population américaine au sort des prisonniers de guerre abandonnés en 1973 ? Eh bien oui. Aussi étonnant que cela paraisse, la vérité a fini par se répandre d'un bout à l'autre de l'Amérique. Abraham Lincoln disait qu'on ne peut pas tromper tout le monde indéfiniment. Aujourd'hui, il pourrait préciser : même avec l'aide obstinée des médias, le gouvernement ne peut pas tromper tout le monde indéfiniment.

En 1998, Bobby et moi sommes invités à nous adresser à plus de deux cent mille vétérans réunis au Mémorial du Vietnam. Comme chaque année, ils sont venus en famille de tous les coins du pays pour commémorer le souvenir des soldats tombés au combat et rappeler qu'ils n'ont pas oublié les disparus. La veille, le *Washington Post* a consacré sa une au défilé des vétérans. C'est peut-être pour cela que les chaînes de télévision sont venues si nombreuses.

Debout sous la bruine, ces milliers de vétérans ont tous été convaincus autrefois que Bobby Garwood s'était battu contre eux aux côtés de l'ennemi. Ils l'ont haï pour cela. Ils ont appris avec déception qu'il ne terminerait pas devant le peloton d'exécution. Mais depuis, ils se sont informés sur la guerre du Vietnam. Peut-être davantage que des anciens combattants américains ne s'étaient jamais renseignés sur la guerre à laquelle ils avaient participé. Ils l'ont fait dans une atmosphère fraternelle, chacun tirant les leçons de l'expérience de l'autre. Qu'ils aient été simples soldats, commandos, infirmiers, généraux, ils ont publié des bulletins d'information reproduisant le moindre article consacré au Vietnam par la presse nationale. Ils ont fait circuler les copies de documents tels que le rapport de débriefing de Bobby Garwood. Quelques-uns, comme le colonel Ted Guy, l'officier le plus gradé à avoir commandé des prisonniers dans le tristement célèbre camp de la Plantation, ont même bataillé pied à pied contre les émissaires du gouvernement et les agents des services de renseignements qui ont été chargés de répandre la calomnie et la désinformation sur certains aspects de cette guerre.

Lorsque Bobby s'approche du micro, il a droit à une accolade de la part d'une garde d'honneur composée d'anciens combattants sud-vietnamiens – certains avec le rang de général – qui ont partagé son sort dans les camps de prisonniers. Une fois sur l'estrade, il salue la foule, qui se met à hurler : « *Bienvenue chez toi !* » ou encore : « *On t'aime, Bobby !* » Submergé par une profonde émotion, il continue de saluer la foule massée autour du monument aux morts, incapable de dire un mot. Les secondes s'écoulent sans que les vivats ne faiblissent, quand un homme, voyant que Bobby peine à prendre la parole, se détache de la foule et s'approche. C'est un colosse, probablement un ancien combattant, à en juger par le crochet de métal qui remplace l'une de ses mains. Il se place au côté de Bobby et lui passe un bras autour des épaules, comme s'il voulait l'aider à tenir debout. Mais celui-ci reste muet. Un deuxième homme les rejoint, puis un troisième. Ainsi entouré, Bobby se détend et parvient à lâcher quelques phrases. La foule à ses pieds fait silence. Au cours de sa brève allocution, il évoque son amour pour son pays, et aussi les ténèbres qui obscurcissent son cœur et celui de tous les vétérans. Ces ténèbres d'où ressurgit, chaque jour, le souvenir des camarades qu'ils ont laissés derrière eux, les morts comme les vivants. Les trois hommes serrent Bobby dans leurs bras comme un frère. Leur frère d'armes.

Je remarque le ruban bleu autour de leur cou. Au bout pend une décoration toute simple : l'aigle américain au-dessus d'une étoile. Il s'agit en fait de la plus haute distinction militaire qu'un soldat puisse recevoir aux Etats-Unis : la médaille d'honneur. Toute la scène est filmée. Journaliste de télévision aguerrie, je sens bien que mes confrères ont forcément mis en boîte un superbe reportage sur le Jour du souvenir. Rien, pourtant, ne sera diffusé aux informations du soir. Pas plus le lendemain. Ni les jours suivants.

Malgré le silence assourdissant des médias, cette cérémonie marque une grande victoire pour Bobby Garwood. Sans doute la première qu'il ait remportée depuis sa libération. Ce jour-là, deux cent mille vétérans lui ont ouvert leur cœur. En leur âme et conscience, ils ont accepté d'admettre cette vérité, si pénible que personne, pendant vingt ans, n'avait voulu la regarder en face. Depuis lors, ils continuent à en entretenir la flamme. Grâce à eux, Bobby Garwood a enfin retrouvé sa famille.

Monika Jensen-Stevenson

L'enquête télé
entre grand spectacle
et grands procès

L'AFFAIRE O.J. SIMPSON ET LES HOPITAUX
CHARTER

L'enquête télévisée connaît des temps troublés. Soumise à deux grands bouleversements, elle perd chaque jour du terrain. D'un côté, elle cède le pas devant les enquêtes-spectacles, ces grands feuilletons médiatico-judiciaires qui, de JT en talk-shows, finissent par occuper tout l'espace. De l'autre, les menaces judiciaires qu'elle voit peser sur elle, avec à la clé des dommages et intérêts faramineux, confortent l'influence des avocats dans le processus de décision éditoriale. Mon parcours à la télévision m'a permis de toucher du doigt ces deux évolutions et d'en mesurer les répercussions sur l'exercice quotidien du journalisme d'enquête. De nos jours, une chaîne consacre l'essentiel de ses moyens aux sujets les plus racoleurs. O.J. Simpson, Monica Lewinsky ou le petit Elian sont des valeurs sûres, qui mobilisent des rédactions entières pendant des mois. En permanence sur la brèche, tous les sens en éveil, traquant l'anecdote croustillante qui le distingue-rait des concurrents, le journaliste qui se consacre à ces mises en scène *people* en viendrait presque à croire qu'il enquête réellement. Dans le même temps, son confrère qui dispose d'un dossier soigneusement étayé portant, par exemple, sur la présence de déchets radioactifs dans les réserves d'eau douce pourra toujours s'accrocher pour obtenir un budget de tournage...

J'en parle d'autant plus volontiers que j'ai consacré des mois à plein temps à l'affaire O.J. Simpson. Filon privilégié des journaux télévisés, déclinée sur tous les modes, la saga a dominé le top 50 de l'information pendant un temps record. Même s'il est de bon ton d'en parler aujourd'hui avec dédain, au sein d'une profession qui s'y est engloutie à l'époque avec ferveur, je dois avouer pour ma part que je me suis rapidement prise au jeu[1].

Dès le lendemain du meurtre, je suis chargée par ma chaîne de couvrir l'affaire « *Ministère public contre Simpson* ». Je m'y consacrerai pendant seize mois, jusqu'au jour du verdict. Observatrice privilégiée, je constaterai les dérives alimentées par les chaînes de télé : des journalistes qui achètent des informations ou offrent de luxueux « cadeaux de remerciement » à leurs interviewés ; d'autres qui « dérobent » des informations à leurs confrères

---

1. Le 12 juin 1994, Nicole Brown Simpson, l'épouse d'O.J. Simpson, et Ronald Goldman sont retrouvés assassinés. Suspecté du double meurtre, l'ancien footballeur vedette prend la fuite. Après une course poursuite diffusée en direct sur toutes les chaînes du pays, il est arrêté. En dépit des lourdes suspicions pesant sur lui, O.J. Simpson sera acquitté le 3 octobre 1995, à l'issue d'un procès que les télévisions retransmettront en intégralité. Seize mois plus tard, il sera pourtant reconnu civilement coupable de la mort de Ronald Goldman, et condamné à verser 8,5 millions de dollars de dommages et intérêts.

et se les approprient. Bref, une meute sans foi ni loi dédiée au culte de l'audimat.

Les rédactions sont prêtes à se jeter sur tout ce qui pourrait venir pimenter leur mise en scène quotidienne du feuilleton Simpson. C'est ainsi qu'un jour, ma chaîne me demande de retrouver coûte que coûte un infirmier qui, selon un tabloïd britannique, aurait eu une liaison avec Nicole Simpson plusieurs années avant sa mort. Mon chef de service exige que je reste en planque huit heures par jour en bas de l'appartement du type, à Beverly Hills. Je n'ai pas de voiture, si bien que je devrai faire le pied de grue pendant deux semaines à l'affût de son passage. Au bout de quelques jours, ses voisins s'enquièrent de mon confort : ils viennent m'apporter du thé le matin et de la limonade l'après-midi, nous discutons, ils me parlent de leurs enfants... Toujours pas de trace de mon infirmier, dont je finis par découvrir qu'il est parti en vacances. Lorsqu'il se décide enfin à rentrer, il ne présente plus aucun intérêt aux yeux mon rédacteur en chef, qui décide de m'envoyer sur un autre scoop...

Alors, me direz-vous, pourquoi me suis-je à ce point laissée emballer par l'affaire O.J. Simpson ? Eh bien, parce qu'en dépit des absurdités médiatiques qui l'ont émaillée, je pense qu'il s'agit d'une des grandes enquêtes criminelles de notre temps. Pas seulement du fait de la célébrité de l'homme accusé des meurtres, mais parce que cette chronique judiciaire, que tant d'Américains ont suivie, minute par minute, a acquis force de symbole pour notre pays. A l'annonce du verdict d'innocence, partout aux Etats-Unis, les Blancs sont restés muets de stupeur tandis que les Noirs se sont congratulés. Les deux communautés se connaissent-elles vraiment si bien que ça ?

Davantage soucieux de mettre en scène quelque raccourci tapageur (la violence conjugale existe-t-elle aussi dans les hautes sphères ? La police, majoritairement blanche, peut-elle se montrer impartiale envers un suspect noir ? Un jury majoritairement noir est-il susceptible de condamner une célébrité noire ? Les analyses ADN sont-elles suffisantes pour inculper quelqu'un de meurtre ?), les médias passeront à côté des enjeux sous-tendus par cette histoire. Durant seize mois, articles et reportages déclinent en boucle l'une ou l'autre facette de l'affaire O.J. Simpson, jusqu'à saturer l'opinion : les refuges pour femmes battues, les sociétés secrètes au sein des forces de l'ordre, le trafic de drogue, la sélection des jurés, les nombreuses autopsies bâclées par le service médicolégal de Los Angeles, les affaires – tout aussi nombreuses – torpillées par le laboratoire criminel du FBI, les connexions entre le milieu sportif et la Mafia, les employés de maison en situation irrégulière... Comme on s'en doute, le temps d'antenne restant pour d'autres reportages en a été réduit d'autant. Un mois après le début de l'affaire, la chaîne ABC s'est risquée à interrompre la retransmission en direct du procès pour reprendre la diffusion de ses sitcoms. Aussitôt, son taux d'audience a accusé un fléchissement impressionnant. La leçon en a immédiatement été tirée.

Un jour, au bureau de Los Angeles, nous sommes plusieurs à regarder les informations du soir quand Jeff Greenfield, le principal correspondant politique d'ABC, remarque une erreur grossière dans un reportage. *« Vous avez entendu ça ? demande-t-il, un peu gêné. Personne n'a remarqué ? »* Et la rédactrice en chef de lui répondre : *« La politique, c'est ton truc. Nous, on bosse sur O.J. »* Le plus grave, c'est qu'elle a en partie raison : depuis des mois, nous ne travaillons plus que sur un seul dossier ; nous écartons de l'antenne tous les autres sujets, bon ou mauvais ; nous débauchons les journalistes engagés sur d'autres projets... Chaque matin, ABC diffuse un flash sur O.J. Chaque soir, même topo. Sans compter l'édition nocturne. Et bien sûr, une bonne dose d'O.J. dans chacune des émissions hebdomadaires.

L'influence de cette affaire sur les chaînes américaines survivra à l'acquittement d'O.J. Simpson, puisqu'elle est encore perceptible dans la façon de concevoir l'information télévisée. Le sujet du jour a droit, désormais, à une couverture bien plus large qu'autrefois. Et s'il se distingue un tant soit peu, il sera décliné tout au long de la semaine dans les émissions de la chaîne. D'ailleurs, l'affaire O.J. ne s'arrête pas avec le verdict du procès pénal. Il y aura ensuite le procès civil, la bataille judiciaire pour la garde des enfants, sans compter les confessions tardives de quelques-uns des avocats de la star, qui affirmeront avoir toujours douté de son innocence.

Mon travail sur O.J. Simpson me vaudra un prix de journalisme. J'en suis d'ailleurs un peu redevable à Johnnie Cochran, le prestigieux avocat de l'ancien footballeur. Celui-ci, en effet, possède un tic verbal qui lui fait répéter sans cesse le prénom de son interlocuteur quand il est soumis à une interview sans concession. *« C'est une bonne question, Helen,* avait-il l'habitude de me répondre, au plus fort de l'affaire. *Je ne suis pas certain de pouvoir y répondre maintenant, Helen... »* Au bout d'un an de ce traitement, quelques personnes, au siège d'ABC, finissent par s'apercevoir qu'une certaine Helen, qui apparaît sur tous les directs, pose des questions extrêmement pointues pour *ABC News*. Dès lors, je suis invitée à New York pour une série d'entretiens d'embauche. Je supplie mes interlocuteurs de m'affecter à une véritable enquête. Et ça marche. Je décroche un poste dans l'émission de Peter Jennings.

Vous vous rappelez peut-être qu'en 1995, les géants du tabac ont réussi à mettre une chaîne de télévision à genoux. Menacé d'une action en justice intentée par Philip Morris, qui lui réclame dix milliards de dollars de dédommagement, ABC News présente ses excuses à la firme après la diffusion d'un reportage qui décrit les manipulations effectuées par les producteurs de cigarettes pour modifier leur niveau de nicotine. ABC fera l'objet de violentes critiques pour avoir plié. Un peu partout on s'alarme des pressions inquiétantes qui s'exercent sur la liberté d'informer et l'on pronostique la mort prochaine du journalisme d'enquête.

C'est au beau milieu de cette panique que Peter Jennings choisit de se lancer dans une émission spéciale consacrée aux méthodes inavouables des producteurs de tabac : informations biaisées, corruption, intimidations... Les responsables d'ABC sont emballés. Le projet se voit attribuer un budget colossal, ainsi qu'un effectif de neuf personnes – dont moi. La chaîne peut d'ores et déjà annoncer à la presse qu'ABC News n'a pas dit son dernier mot.

Au même moment, l'émission de CBS 60 Minutes doit renoncer, sous la menace d'un procès, à diffuser une interview de Jeffrey Wigand, l'homme qui, le premier, a dénoncé les agissements coupables de l'industrie du tabac. Les médias se mettent à hurler de plus belle et le sujet en devient brûlant. Walt Bogdanich, l'auteur du reportage à l'origine de l'action en justice diligentée contre ABC – avec qui je collabore dans le cadre du reportage sur le tabac engagé par Peter Jennings –, est l'objet de multiples sollicitations. ABC, qui le désavouait peu auparavant, le supplie à présent de rester. Quelques mois plus tôt, Walt semblait destiné à un quelconque placard, et voici que les plus grandes émissions rampent à ses pieds ! Illustration saisissante de la relation d'amour-haine qui lie les directeurs de rédaction aux fouille-merdes.

J'ai assisté un jour à une conférence sur le journalisme d'enquête. Je me souviens en particulier de la contribution d'Ira Rosen, de *Prime Time Live*, et de Neil Shapiro, de *Dateline*, devant une assistance d'au moins mille cinq cents personnes. Leur intervention s'intitulait : *Ce que veulent vraiment les patrons*. Avec tout le respect que je dois à ces deux illustres confrères, j'ai peur que le simple fait de poser cette question revienne à se soumettre par avance à des impératifs extra-journalistiques. Un journaliste qui s'interrogerait en priorité sur « ce que veut vraiment son patron » ferait bien de se chercher un autre job.

Même le plus acharné de ses partisans doit bien reconnaître que le journalisme télévisé a profondément muté, et que cette évolution ne s'est pas vraiment faite dans le sens de l'intérêt général. Si le Watergate, les Pentagon Papers et My Lai ont, dans les années 1960 et 1970, paré la profession d'atours séduisants, les sujets accrocheurs privilégiés depuis deux décennies ont relégué les journalistes, dans les sondages de popularité, juste après les garagistes.

Pour finir de se convaincre de l'actuelle soumission du journalisme aux intérêts de l'Amérique des affaires, il est nécessaire de revenir sur l'affaire Food Lion. En 1992, l'émission d'ABC *Prime Time Live* diffuse un reportage sur les conditions sanitaires déplorables qui affectent la chaîne de supermarchés Food Lion, où l'on va jusqu'à reconditionner des produits périmés. Deux journalistes ont filmé, en caméra cachée, dans des supermarchés de Caroline du Nord et du Sud. Les images qu'ils ont « dérobées » constituent la pièce maîtresse de l'émission.

A la diffusion du reportage, Food Lion assigne ABC. Ses avocats axent leur plainte non pas sur la question de savoir si *Prime Time Live* a dit ou non la vérité mais sur les méthodes déployées par ses reporters. Ces derniers n'ont pas décliné leur qualité de journalistes : ils se sont fait passer pour des ouvriers et ont filmé les employés sans autorisation. L'argument fait mouche. Le jury de Greensboro, en Caroline du Nord, condamne ABC à verser 5,5 millions de dollars de dommages et intérêts à Food Lion. Le jugement produit un effet dissuasif sur bon nombre de journalistes, et pas seulement à ABC. Si un enquêteur doit travailler à visage découvert en toute circonstance, il ne peut, par conséquent, infiltrer un milieu où ont cours des activités illégales. Et s'il ne peut apporter la preuve de ces activités, il lui est impossible d'en démontrer l'existence.

En appel, les dommages et intérêts seront ramenés à deux dollars symboliques. Mais les journalistes à l'origine du reportage n'en ont pas fini avec cette histoire. Tandis qu'ABC se mure dans le silence, Food Lion engage les services d'un cabinet de relations publiques qui répand dans tout le pays la rumeur selon laquelle les reporters auraient orchestré des mises en scène délictueuses en prenant au piège des employés. Qui plus est, ils se seraient abstenus de faire figurer dans leur sujet des informations favorables à la chaîne de supermarchés. Sans être en mesure de prendre parti, je sais d'expérience qu'il convient de se méfier des controverses alimentées par les agences de relations publiques spécialisées dans la « gestion de crise » pour le compte des grandes entreprises. C'est ce type d'agence qui a apporté la « preuve scientifique » que les cigarettes ne sont pas nocives ou que les émissions de gaz à effet de serre sont parfaitement écologiques...

A l'époque de l'affaire Food Lion, je collabore avec une petite équipe de reporters qui réalisent des documentaires pour Ed Bradley. En 1998, nous lançons une grande enquête en Caroline du Nord, à quelques pas du tribunal qui a épinglé ABC, à l'aide de caméras cachées. Pourquoi cette provocation ? Franchement, je crois qu'à CBS, mes chefs sont désireux d'en découdre avec la jurisprudence Food Lion. *« S'ils veulent nous traîner en justice, nous serons prêts »*, déclare un jour Linda Mason, la vice-présidente, responsable des programmes. *« C'est pour plaider un jour ce genre d'affaire que nous avons entamé des études de droit »*, renchérissent les avocats de la chaîne, Rick Altabef et Jonathan Sternberg. Quant à Ed Bradley, qui a à peu près tout vu dans sa carrière, cette perspective n'est pas pour l'inquiéter.

Quelque temps plus tôt, j'ai entendu parler d'un garçon de Greensboro décédé dans un établissement appartenant à Charter Behavioral Health Systems, la plus grande chaîne d'hôpitaux psychiatriques du pays. Il est mort par étouffement après que des aides-soignants lui ont enroulé une serviette autour de la bouche et un drap autour de la tête, tout en lui attachant les bras et les jambes à une table. D'autre part, je me suis entretenue avec un homme dont la fille, adolescente, a séjourné à l'hôpital Charter de Charlotte, en Caroline du Nord. Celle-ci avait fugué pendant quelques jours et, à son retour, ses parents l'y avaient fait admettre pour une courte période. Ils ont commencé à s'inquiéter lorsque le médecin a cessé de leur répondre au téléphone. Puis ils ont réellement paniqué quand le personnel leur a annoncé qu'ils n'étaient plus autorisés à rendre visite à leur fille aux heures habituelles. Quand ils ont enfin pu la revoir, elle était groggy, le corps couvert d'ecchymoses. Ils ont interpellé une infirmière, exigeant de savoir ce qu'il lui était arrivé. La femme les a regardés et leur a déclaré que dans sa situation – mère célibataire –, elle ne pouvait prendre le risque de perdre son emploi. Elle a ensuite sorti un carnet de sa poche, et sur une des pages elle a inscrit cet avertissement : « *Sortez votre fille d'ici au plus vite !* »

J'ai la certitude que nous tenons là un sujet d'enquête passionnant. Aussi nous mettons-nous en relation avec un assistant social, un type remarquable du nom de Terrance Johnson, qui accepte de se faire embaucher dans un hôpital Charter pour notre compte, où il officiera équipé d'une caméra cachée. Au départ, il accepte de jouer le jeu par curiosité. Deux mois plus tard, son enthousiasme s'est émoussé. Les images qu'il nous rapporte disent pourquoi. On y voit des enfants brutalisés quotidiennement. Des médecins inscrivant des informations mensongères dans les dossiers de leurs patients. Et même une infirmière donnant à Terrance un cours de fraude, lui expliquant comment s'y prendre pour que les assurances payent le prix fort : « *Je ne mens pas vraiment,* se justifie-t-elle. *Simplement, j'insiste sur le côté négatif... parce que c'est comme ça que les assurances crachent au bassinet.* »

De l'avis de tous, nous détenons de quoi réaliser un documentaire exceptionnel. De même, nous sommes unanimes à considérer qu'il est nécessaire de préserver l'anonymat des enfants hospitalisés. Ce sont les deux seuls points sur lesquels nous parviendrons à nous entendre. La phase du montage se transforme en véritable séance de torture. Pendant plusieurs mois, les rédacteurs en chef et les avocats de la chaîne coupent consciencieusement les cheveux en quatre : que doit-on conserver ? Que doit-on laisser de côté ? Où s'arrête la négligence et où commencent les mauvais traitements à enfant ? Lorsqu'ils visionnent nos images, ce ne sont pas des êtres humains que voient Rick et John mais des menaces de procès.

Je ne comprends pas cette extrême prudence. Peu importe que Charter nous attaque ! Ce médecin, par exemple, qui a menti face à la caméra : lui aussi pourrait nous traîner devant les tribunaux. Et l'infirmière qui explique comment elle avait l'habitude de frauder : *idem*. Et les psychologues stagiaires. Et les patients mineurs. Et leurs parents… *« Il y a des risques de procès partout*, s'amuse Rick en déployant les bras au-dessus de sa tête. *Je les vois, là, ils flottent tout autour de nous… »*

La principale question que nous devons trancher est de savoir si nous pourrons indiquer à l'antenne le nom du groupe Charter. Je ne plaisante pas. Après avoir, pendant des mois, collecté des preuves de fraudes et de mauvais traitements dans ses hôpitaux à travers tout le pays, après nous être entretenus avec nombre de sources internes, après avoir filmé dans l'enceinte même de l'un de ces établissements, nous en sommes encore à nous demander s'il faut ou non révéler aux téléspectateurs les dysfonctionnements évidents des hôpitaux Charter. A quoi bon diffuser un tel reportage si nous taisons le nom des établissements concernés ?

Comprenant que le projet lui-même risque de se

trouver compromis si nous ne réglons pas ce problème avec tact, nous concoctons une nouvelle version spécialement adaptée aux œillères des avocats : pendant une heure et demie, des spécialistes, des policiers, des magistrats déclarent à l'unisson, jusqu'à l'écœurement, que Charter se trouve dans l'illégalité et que tout cela est scandaleux. Généralement, on s'efforce, dans un documentaire, de réduire ce type d'intervention au strict nécessaire. Cette fois, nous sentons que ce compromis est incontournable, même s'il aboutit à alourdir notre sujet. Le subterfuge fonctionne au-delà de nos espérances puisque, dès le premier visionnage, Rick et John estiment que nous pouvons citer le nom de Charter.

Deuxième obstacle : le « masquage ». Je passe des journées entières dans un studio de postproduction afin de rendre méconnaissables les enfants apparaissant à l'image, mais nos avocats ne veulent pas en entendre parler : ils exigent que leur visage soit rendu absolument méconnaissable, au point que leur propre mère serait incapable de les reconnaître. Leur corps, leurs vêtements, rien ne doit pouvoir être identifié.

J'admets, bien sûr, les inquiétudes liées au respect de la vie privée des familles. Mais nous nous heurtons à un sérieux problème. Comment pouvons-nous démontrer que le personnel de l'hôpital maltraite physiquement les patients si nous sommes dans l'incapacité de montrer leur corps à l'image ? Dans une scène, par exemple, un garçon déjà blessé est sanglé sur une table tandis qu'un infirmier lui tord le bras. Comment montrer cela sans que l'on voie l'enfant ? A l'arrivée, l'image ne représente qu'imparfaitement le martyre du pauvre garçon, mais elle permet malgré tout de comprendre ce que son bras a subi.

L'élaboration du reportage se fait dans une ambiance

tendue. Altercations verbales, hurlements, menaces... Chacun à tour de rôle monte sur ses grands chevaux. Lors d'une réunion, un soir, je raccroche au nez des avocats et quitte la pièce en larmes. Avec le recul, je n'arrive pas à croire que ça me soit vraiment arrivé. Un collègue m'avouera par la suite que tout le monde s'en est trouvé soulagé. Les pleurs de l'unique femme présente ont offert à tous les hommes un moyen honorable de se sortir d'une discussion particulièrement pénible.

Juste avant la date prévue pour la diffusion du reportage, Charter nous assigne en référé. Soudain, nous éprouvons pour nos avocats une adoration sans bornes. Ils deviennent nos champions. Nos héros. Ils sont parvenus à nous préserver de tous les pièges juridiques. Qu'il s'agisse de leurs suggestions de coupes ou d'ajouts, ou encore de leurs conseils sur le masquage des visages, ils nous ont sauvé la mise. Charter n'obtiendra pas le sursis à diffusion exigé, et l'entreprise préférera s'abstenir de porter son contentieux devant les juges du fond. L'affrontement n'aura pas lieu sur le terrain judiciaire mais médiatique.

A la suite de notre reportage, les autorités fédérales ont commencé à fermer des hôpitaux Charter un peu partout dans le pays. Aussi CBS décide-t-elle de diffuser une version réactualisée du documentaire l'année suivante. Nous en avertissons les dirigeants de Charter, qui font appel à Powell Tate, un cabinet de relations publiques de Washington, pour les aider à affronter ce nouvel orage.

Nous en constatons très vite les méfaits. C'est ainsi qu'une harpie multiplie les appels téléphoniques vindicatifs : *« Ce n'est pas du journalisme !* s'emporte-t-elle. *Et nous allons le faire savoir ! »* Ensuite, Powell Tate nous envoie des pages et des pages de prétendues *« preuves »* censées *« infirmer »* nos informations et qui, en fait, ne prouvent rien du tout. Cette stratégie pose cependant un problème à CBS car la durée de l'émission ne permet pas de réfuter chacune des allégations qui nous sont opposées. Or les conseillers de Charter ont adressé à tous les médias du pays un rapport intitulé *Les faits que CBS a refusé de montrer*, qui réunit l'ensemble de leurs arguments.

Peu importe que ce rapport soit un ramassis de fausses accusations et d'excuses oiseuses. Tant que nous n'en faisons pas état à l'antenne, nos détracteurs sont susceptibles de prétendre que nous cherchons à dissimuler certains faits à l'opinion publique (Food Lion avait utilisé le même type d'argument face à ABC). Mais Powell Tate a oublié Internet. Nous ne disposons pas du temps d'antenne suffisant pour rendre compte des centaines d'inepties dont ils nous abreuvent, mais nous avons CBS.com.

Nous reproduisons en ligne tous les documents que nous a transmis Powell Tate. Après quoi nous en réfutons méthodiquement la teneur, ligne à ligne. La tâche est fastidieuse mais elle marque la défaite de Charter. Le seul article à ma connaissance qui ait jamais été consacré au rapport de Powell Tate est paru dans le *New York Times* : il décrit l'usage créatif que nous avons su faire de notre site Internet dans le but de réfuter les accusations portées contre l'une de nos émissions.

Durant mon enquête sur Charter, une anecdote savoureuse est venue me rappeler que la roulette de l'information spectacle continuait de tourner. L'affaire Monica Lewinsky a remplacé, dans les gros titres, l'affaire O.J. Simpson et la meute de mes confrères s'ébroue vers un nouveau gibier. Ce 9 février 1998, peu après midi, le ban et l'arrière-ban des médias audiovisuels campent devant le domicile du père de Monica Lewinsky, à Brentwood, quand un 4 x 4 imposant se fraye un chemin au milieu de la foule. Le conducteur passe la tête au dehors : c'est O.J. Simpson. *« C'est la maison Lewinsky ? »*, questionne-t-il, avant de bavarder un moment avec les reporters sans provoquer autre chose qu'un intérêt poli. Quelques mois plus tôt, les mêmes auraient vendu leur mère pour lui soutirer une interview.

Helen Malmgren

Si tout le monde s'endort, je m'en fous !

LES DANGERS DU GREGARISME

La procédure de destitution de Bill Clinton bat son plein. Larry Flynt, le directeur de la revue porno *Hustler*, fait la tournée des plateaux de télévision : il fustige les *« Républicains puritains »* et promet des révélations d'un moment à l'autre – un scoop scabreux dénonçant les infidélités conjugales d'un adversaire du Président. Avec Mike Wallace, je révise le scénario d'une prochaine édition de *60 Minutes* lorsque Don Hewitt, le producteur exécutif de l'émission, passe la tête par la porte du bureau. *« Si tu veux Larry Flynt, je peux te l'avoir »*, annonce-t-il. Mike relève à peine la tête en lui répondant : *« Ça ne m'intéresse absolument pas. »* L'autre hausse les épaules et tourne les talons, tout en opinant : *« Moi non plus... »* Je n'en crois pas mes oreilles. Larry Flynt est ce qu'en télévision, on appelle « un coup » : c'est une personnalité bouillonnante qui peut faire exploser l'audimat. En assistant à la scène, je me dis que je travaille sans doute dans un endroit à part. Face à moi, deux vieux de la vieille se détournent avec dédain de cette « pépite » malgré l'intérêt bien connu du public pour les histoires mêlant sexe et pouvoir. Je suis très fier de travailler avec ces messieurs. Pourtant, je comprends instantanément qu'il est temps pour moi, après trente-huit ans de bons et loyaux services, de quitter définitivement *CBS News*.

Un proverbe africain dit qu'il ne faut pas se moquer du crocodile avant d'avoir traversé le marigot. Maintenant que j'ai atteint l'autre rive, j'espère que vous me pardonnerez ces quelques traits d'ironie...

Je n'ai pas cherché à devenir journaliste. Après des études de production cinématographique, je me destinais plutôt au montage. En septembre 1962, pensant qu'il s'agissait d'une maison de production comme une autre, j'ai postulé à *CBS News*. On m'a tout d'abord affecté à une série de documentaires historiques, *The Twentieth Century*, présentée par Walter Cronkite. Semaine après semaine, nous faisions revivre la révolution russe, les années folles, ou reconstituions une bataille de la Seconde Guerre mondiale. C'était du beau travail, réalisé avec un grand soin du détail à partir de recherches pointilleuses. Mis à part le graphisme vieillot et le jargon propre à la guerre froide, l'émission est restée culte. Le jeune homme que j'étais la considérait surtout comme un tremplin vers une carrière dans la production cinématographique.

Quatorze mois plus tard, John F. Kennedy était assassiné à Dallas. Chacun se rappelle Walter Cronkite retirant ses lunettes, réprimant un sanglot et annonçant officiellement à l'antenne la mort du Président. Ce jour-là, je me suis rendu compte que Walter était bien plus que l'homme tronc le plus célèbre du pays. C'était l'heure du déjeuner.

Des murmures ont empli la cafétéria du centre de diffusion de CBS. Les gens se sont levés de leurs chaises et ils ont quitté la pièce. Certains s'affairaient déjà d'un bureau à l'autre, mobilisés par l'information. « *Normal,* me suis-je dit, *je suis à* CBS News. » C'est durant ce week-end si particulier, en regardant, comme tous les Américains, le traitement consacré à cet événement, que j'ai réellement compris où j'avais mis les pieds.

Un an plus tard, je suis provisoirement affecté à la série documentaire CBS *Reports.* L'équipe rédactionnelle est constituée d'hommes (à l'époque, les femmes sont absentes de l'univers journalistique) qui ont appris leur métier dans la presse écrite. Excellents professionnels, ils s'initient à l'audiovisuel. Ma situation est inverse : je suis formé à l'audiovisuel mais je n'entends rien au journalisme. Nous nous complétons à merveille.

Pour ma première émission, je participe à un documentaire intitulé *Le Dilemme du divorce.* Il s'agit d'un film d'une heure sur les lois archaïques – que l'assemblée parlementaire de l'Etat de New York envisage justement de réformer – qui régissent alors le divorce. Le réalisateur, Warren Wallace, est un homme sympathique et intelligent, à la méthode éprouvée. Après avoir étudié son sujet pendant quelques mois, il filme des situations et des entretiens afin d'illustrer les thématiques qui se dégagent de son travail préparatoire. Ensuite, documents en main, nous visionnons ensemble les séquences qui ont été tournées. Warren me précise les thèmes qu'il veut traiter et les images qu'il est important de montrer. J'assemble alors les plans selon l'ordre qui me semble correspondre le mieux à la trame de l'histoire, puis je lui soumets le montage. Toujours extrêmement soucieux de rester fidèle à ce qu'il a constaté et filmé, Warren m'indique ce qui fonctionne et ce qu'il faut reprendre, après quoi il rédige le scénario. La plupart des producteurs de la vieille école travaillent de cette façon. J'ai le sentiment de suivre le cursus d'une école dont je serais le seul étudiant.

Ce documentaire est l'étincelle qui me décide à me lancer dans le journalisme. Après la diffusion, Warren m'annonce en effet qu'un sénateur de l'Etat de New York lui a confié que l'émission avait fait basculer l'opinion des parlementaires, lesquels ont massivement voté en faveur de la réforme du divorce. Je suis euphorique. Pour la première fois, je goûte aux délices de l'influence journalistique. Et déjà, j'en suis accro. Je ne mesurerai que bien plus tard les risques entraînés par cette dépendance.

Dans les années 1960 et 1970, CBS News est l'une des quatre seules émissions politiques du paysage audiovisuel américain. Nous avons énormément d'influence et nous le savons. A vrai dire, nous nous considérons un peu comme des tenanciers de bordel car, à l'époque, une chaîne de télévision est assurée d'engranger de coquets bénéfices. Mais nous sommes également conscients de notre mission de service public : informer et rester impartiaux. Une mission qui recouvre des concepts très vagues, tant la frontière est parfois mince entre enquête et polémique. Pour mon bonheur, je suis pris en main très tôt par les dirigeants et quelques journalistes de CBS News, qui prennent le temps de guider mes pas.

La chaîne est alors dirigée par deux présidents : Fred Friendly et Richard Salant. Le premier est le principal pionnier des informations télévisées aux Etats-Unis. Quant au second, il est, de l'avis général, un grand professionnel. C'est lui qui a codifié les règles et usages qui régissent aujourd'hui notre métier. Auparavant, aucune charte n'existait à CBS News pour définir la méthode de travail et la déontologie des journalistes. Nous respections de vagues principes, édictés au cours des années 1950 au fil des notes de service. Mais s'il nous arrivait de passer outre, nous savions que nous ne risquions pas grand-chose. Par exemple, dans certains documentaires et journaux télévisés d'époque, on aperçoit quelques séquences un peu trop mises en scène, avec des interviews saucissonnées au point de déformer les propos de l'intervenant. Depuis que Richard Salant a édicté sa charte, chaque employé de la rédaction de CBS News se voit remettre à son embauche un grand livre blanc définissant les usages en vigueur. Par exemple, dans le cas d'une interview tournée avec une seule caméra, on a l'habitude de pratiquer deux cadrages successifs : l'interviewé est d'abord filmé seul ; puis, pour les besoins du montage, le journaliste relit ses questions face à la caméra. Richard Salant exige que désormais la personne interviewée reste dans la pièce jusqu'à la fin du tournage pour s'assurer que les questions sont posées exactement de la même façon que pendant l'interview. Il proscrit également la musique des bandes son de documentaires, estimant qu'il s'agit d'un artifice trop facile pour monter un sujet en sauce. Des dizaines de règles de ce genre sont imposées. Et gare à celui qui se fait prendre à les transgresser !

Je rencontre Richard Salant pour la première fois lors du visionnage d'un sujet tourné pour l'émission *The 21st Century*, une série scientifique d'anticipation. C'est un concept difficile à mettre en œuvre en télévision car nous ne disposons pas de beaucoup d'images. Nous arrivons à peine à soutenir l'attention du téléspectateur en jouant sur le montage et l'animation, renforcés par les interviews de futurologues. Un jour, une séquence montre un ballet de planètes sur fond musical. Rien d'extraordinaire à vrai dire, mais le tout passe bien à l'écran. Au visionnage pourtant, Richard exige un commentaire explicitant les images. J'en suis horrifié. Une voix off ruinerait purement et simplement l'esthétisme de la séquence. Je ne réagis pas immédiatement, mais dès qu'il s'absente du bureau je laisse exploser ma colère : « *Pourquoi devons-nous soumettre nos films à ce type ? Ce n'est tout de même pas un avocat qui va nous apprendre à réaliser un documentaire !* » Un brin paternaliste, Burton « Bud » Benjamin, le producteur exécutif, me pose la main sur l'épaule et me répond : « *Tu sais, camarade, tous les matins en arrivant au boulot, avant de prendre son café, Richard Salant s'assoit à son bureau. Juste au-dessus de son fauteuil, il y a un gros trou sur lequel trône une vache. Eh bien, chaque matin, la vache lui chie sur la tête. Or tu ne l'entendras jamais se plaindre. Il ne viendra jamais s'essuyer sur ton costard. Alors, donne-lui ses deux lignes de commentaire et bénis-le !* »

La vache dont parle Bud, avec son langage imagé, n'est autre que l'entreprise CBS Inc. Si Richard Salant est un patron de chaîne hors pair, c'est surtout parce qu'il sait dissuader les administrateurs de venir fourrer leur nez dans les affaires de la rédaction. Fred Friendly, lui aussi, écope de sa dose quotidienne de bouse de vache : les ingérences incessantes de la direction ont le don de le mettre hors de lui. Mais Richard Salant a l'art et la manière de tenir ces messieurs à distance sans que personne ne s'en aperçoive. Lorsqu'on me demande mon avis sur CBS News à l'époque, j'ai l'habitude de répondre qu'il n'y avait pas de meilleur endroit où travailler. Avec le recul, je réalise ce que cette situation devait à Richard Salant.

Quelque temps plus tard, nous consacrons un documentaire à l'aide alimentaire que Lyndon Johnson envisage de faire parvenir en Inde, où la famine menace. Richard propose d'insérer à l'image une cartographie indiquant le trajet d'un cargo entre Houston, au Texas, et Poona, en Inde. « *Indispensable ! Il ne faudrait tout de même pas que nos téléspectateurs oublient que la terre est ronde* », ironise Winston Burdette, un collaborateur de l'émission. Encouragé par son audace, j'en rajoute une louche : « *Dans le genre assommant, difficile de faire mieux...* » Que n'ai-je pas dit là ! Richard n'a pas l'habitude d'élever la voix et il ne hausse pas davantage le ton ce jour-là. Sans même quitter son fauteuil, il se retourne et nous lance : « *Assommant ? Et alors ? Je vous rappelle que nous ne sommes pas là pour amuser la galerie mais pour informer le public. Si tout le monde s'endort, je m'en fous ! Je veux voir cette carte à l'image, point.* »

Je dis souvent en plaisantant qu'Ed Murrow (un journaliste réputé des années 1940 et 1950) a quitté CBS juste au moment où j'y suis arrivé, et que le service de l'information n'a cessé de décliner depuis. A vrai dire, le responsable actuel, Andrew Heyward, diffuse une programmation bien plus riche et moins coûteuse que tout ce dont nous pouvions rêver à l'époque. Mais de nos jours, plus personne n'oserait prétendre s'en foutre « *si tout le monde s'endort* ». Les rédactions des réseaux télévisés sont désormais étroitement contrôlées par des hommes d'affaires dont l'objectif principal est justement d'empêcher le téléspectateur de s'endormir. Une info un tant soit peu soporifique est interdite d'antenne. Qu'un magazine d'information fasse un mauvais taux d'audience et il disparaît aussitôt.

Quand *Nightline*, la grande référence du journalisme

télévisé, consacre cinq soirées à une rétrospective du mandat de Bill Clinton à la Maison Blanche, les quatre premières portent essentiellement sur les scandales (Jennifer Flowers, Paula Jones et Monica Lewinsky), l'échec d'une réforme (la couverture santé universelle) et une bataille budgétaire (la faillite de l'Etat). Le cinquième volet aborde les bombardements sur l'ex-Yougoslavie et la capitulation de Slobodan Milosevic. Autant de sujets passionnants, enrichis d'anecdotes livrées par des proches de la Maison Blanche, du type : *« Quand j'ai entendu la cassette de Jennifer Flowers, mon sang s'est glacé »*, dixit George Stephanopoulos, le conseiller fétiche de Bill Clinton.

En revanche, cette rétrospective ne fait pas la moindre allusion à l'obstination partisane de l'ancien chef de l'Etat, qui a permis aux républicains de voter l'abolition de la loi sur l'*habeas corpus* des tribunaux fédéraux ; rien non plus sur la loi draconienne sur l'immigration qu'il a ratifiée ; ni sur son zèle à considérer que la mondialisation constitue désormais le moteur de la politique étrangère ; pas un mot sur le différend qui l'a opposé à son propre parti à propos de l'Accord de libre échange nord-américain (Alena) ; aucune allusion au fait qu'en apportant son soutien à l'Organisation mondiale du commerce (OMC), l'ancien Président a contribué à durcir les accords du GATT ; rien sur son lâchage de l'économie mexicaine ; rien sur ses initiatives pour ramener la paix en Irlande du Nord ; rien sur ses gestes d'ouverture et d'apaisement à l'égard de la Corée du Nord ; rien sur son pari en faveur de Boris Eltsine – initiative qui a peut-être empêché un retour des communistes au pouvoir ; rien sur son combat contre le démantèlement de la loi sur l'eau, et j'en passe... Comment expliquer ces impasses ? Cinq soirées spéciales, voilà qui laisse le temps de traiter un sujet en profondeur, surtout quand deux grands professionnels tels que Ted Koppel et le producteur exécutif Tom Bettag sont aux commandes. La réponse est simple : même une émission de l'envergure de *Nightline* doit sacrifier l'information sur l'autel de l'audimat. Si je m'autorise cette critique envers ce qui reste à mes yeux, de très loin, la meilleure émission politique du paysage audiovisuel américain, c'est pour montrer que personne n'est à l'abri de ce genre de pression.

C'est particulièrement flagrant pour les informations régionales, un domaine dans lequel le sensationnalisme sanguinolent a toujours fait recette. Désormais, il existe un moyen bien plus subtil d'obliger le téléspectateur à rester scotché devant son écran : des bandes-annonces racoleuses dont les formules chocs sont censées le garder captif. Souvent, l'exercice décline les prédictions apocalyptiques, du genre : « *Si vous ne regardez pas notre émission, vous allez mourir, dans la misère de surcroît, et peut-être même que vos proches n'assisteront pas à votre enterrement à cause d'un méchant orage... !* » Ou de manière plus réaliste : « *Un tueur en série se cache-t-il dans votre cave ? Etes-vous surendetté sans même vous en douter ? La météo prévoit-elle de la neige ?* » D'abord cantonnée aux périodes d'audimétrie – ces semaines tests pendant lesquelles sont effectuées les mesures comparatives d'audience entre chaînes –, cette formule est devenue la règle. Les histoires de meurtre et d'incendie, qui tiennent le haut du pavé, ont toutes les chances de faire la une. Quant au titre mystère que j'ai évoqué, en guise de *serial killer* il fait référence au stachybotris, une moisissure qui affecte les caves de certains bâtiments – bien que la probabilité en soit extrêmement faible – et peut, dans une infime minorité de cas, se révéler mortelle. Cette histoire de champignon assassin est un « marronnier » très prisé des informations régionales, que l'on ressert trois ou quatre fois l'an sous diverses formes. Quant à la deuxième accroche, elle porte sur les sociétés de crédit susceptibles de vous causer bien des soucis en commettant des erreurs sur vos relevés – un autre « marronnier », décliné jusqu'à plus soif. Enfin, comme il se doit, l'incontournable question météo connue pour passionner les foules : neigera-t-il cette semaine ? Eh bien non, pas vraiment, en tout cas ni demain, ni après-demain, ni le jour suivant mais il est possible que d'ici quatre ou cinq jours on constate quelques précipitations, mais pas d'accumulation du manteau neigeux à proprement parler.

La formule se prête à toutes les variantes possibles : les Caddie de supermarché tueurs (le client précédent y a peut-être déposé ses microbes), les poulets tueurs (une volaille mal cuite suffit à vous faire contracter la salmonellose), les canettes de boisson gazeuse tueuses (la languette a pu être contaminée par des bactéries venues des éclaboussures d'une autre canette), les poignées de porte tueuses (de la morve aux excréments, vous n'imaginez pas tout ce qu'on trouve, à dose infinitésimale, sur une poignée de porte !)... Il va sans dire que depuis l'attentat contre le World Trade Center, les Cassandre du JT ont l'embarras du choix pour renouveler leurs accroches.

Les chaînes locales ont également une prédilection pour nos amies les bêtes. Rien de tel en effet pour tenir le téléspectateur en haleine. Cette tradition découle d'une formule ancienne, rodée pendant la guerre du Vietnam, que l'univers très masculin des salles de rédaction a baptisée avec poésie : *« Pioupious, cabots, marmots et gros lolos. »* Autrement dit : une histoire de guerre, un sujet sur les chiens, un autre sur l'éducation et quelques affaires croustillantes pour corser le tout. Depuis, les chiens continuent de faire l'actualité.

Je dois à deux personnes ma carrière de journaliste télé à CBS News : Tom Spain et Irv Drasnin. Réalisateur de documentaires plusieurs fois couronné par la profession, Tom est un homme exceptionnel, qui se distingue notamment par son courage. Il m'a toujours engagé à réaliser mes reportages en me fiant à mes convictions et à les défendre bec et ongles contre quiconque tenterait de les dénaturer. Bien qu'il ne soit âgé que de quelques années de plus que moi, je le considère comme un maître. Depuis ma première conférence de rédaction jusqu'à l'ultime séquence que j'ai réalisée pour *60 Minutes*, son approche et sa méthode ont toujours influencé ma façon d'aborder un reportage. Tom est un précurseur de la sociologie de l'image, c'est-à-dire, avant tout, un bon citoyen-journaliste. La première leçon qu'il m'a apprise tient en quelques mots : *« Les gens sont plus importants que la télévision. »* Cela signifie qu'il convient de les traiter, et de relater leurs histoires, de la façon dont nous aimerions être traités nous-mêmes. Deuxième grande leçon : les acteurs d'un reportage se montrent d'autant plus ouverts et sincères que notre propre sincérité leur permet de comprendre qui nous sommes et ce que nous cherchons. La troisième leçon, sans doute la plus importante, édicte que la plupart des histoires ne sont ni tout blanc ni tout noir mais offrent un dégradé de nuances de gris. Leurs protagonistes le savent d'instinct, et ils craignent qu'un journaliste ignore cette complexité – ou pire, s'en contrefiche. Ces trois adages valent pour de nombreux types d'enquête. J'ai pu le vérifier en préparant, avec Tom, un reportage sur les hôpitaux psychiatriques.

Nous sommes en 1978. A cette époque, marquée par l'antipsychiatrie, nombreux sont ceux qui préconisent de substituer aux énormes hôpitaux de nouvelles structures d'hébergement et de soins. L'HP a une image désastreuse, à mi-chemin entre *La Fosse aux serpents* et *Vol au-dessus d'un nid de coucous*. Aucun, cependant, ne peut se prévaloir d'une réputation aussi déplorable que le Creedmoor Psychiatric Center du Queens, à New York. Cet établissement, qui a perdu son agrément deux ans plus tôt, vient de le retrouver. C'est donc là que nous choisissons de mener notre enquête. Tom est chargé de la réalisation et moi du montage, et nous devons produire le reportage ensemble. Le producteur associé, Peter Schweitzer, qui est encore très jeune, possède un talent naturel pour la narration audiovisuelle.

En premier lieu, nous passons beaucoup de temps avec le nouveau directeur du centre, le Dr Bill Werner, qui a permis au Creedmoor de récupérer son agrément. Nous savons que nous aurons besoin de son soutien pour pousser les portes de l'établissement. *« Comment vous y êtes-vous pris pour retrouver si vite l'agrément ? »*, demandons-nous d'emblée. Sa réponse est aussi directe que notre question : *« J'ai fixé deux règles d'or à mon personnel : ne frappez pas les patients et ne couchez pas avec eux. Pour le reste, vous pouvez vous montrer aussi créatifs que vous le souhaitez. »* Son regard nous transperce, guettant une réaction. Nous nous jaugeons mutuellement.

Par la suite, nous retournons le voir à plusieurs reprises afin de lui expliquer loyalement ce que nous avons l'intention de faire. Au bout de quelques visites, il nous confie un passe du bloc d'internement et nous autorise à débarquer à l'improviste. Nous sommes libres de parler

avec qui nous voulons, sans restriction. Nous n'en revenons pas. Pourquoi le Dr Werner prend-il un tel risque ?
Parce que, nous explique-t-il, sa conviction est que les
patients seraient mieux soignés en ambulatoire. Et il veut
que le contribuable sache exactement où va son argent.
Nous comprenons que nous avons gagné sa confiance. Le
médecin est persuadé que si nous consacrons suffisamment
de temps à enquêter sur les problèmes que connaissent les
grandes institutions psychiatriques, nous aboutirons à la
même conclusion que lui. Apparemment, Bill Werner a parfaitement compris que la meilleure façon de s'assurer la
bienveillance des journalistes consiste à leur ouvrir
grandes les portes.

Nous passons les quatre mois suivants à Creedmoor. A
observer. A lier connaissance avec les patients et les soi-
gnants du bloc jusqu'à ce que plus personne n'ait de réticence à nous laisser filmer dans ces lieux. De temps en
temps, Tom apporte sa caméra et la promène sur les visages
pour que les gens s'y habituent. Plus nous passons de temps
dans l'hôpital, mieux nous comprenons à quel point la
désinstitutionnalisation est délicate. En effet, l'internement
semble difficile à contourner dans le cas de certains patients
parmi les plus gravement atteints. Lorsque nous estimons
avoir bien perçu toutes les nuances de gris et évité les
réponses toutes faites, nous commençons à filmer.

Bill Moyers, qui doit présenter notre reportage dans
son émission, passe de temps à autre à Creedmoor pendant notre phase de recherche. Dans l'ensemble, il nous
laisse travailler comme nous l'entendons. Chacun sait que
Bill Moyers est un journaliste consciencieux et un homme
brillant, mais ce qu'on sait moins c'est qu'il est également
un excellent reporter de terrain, doué d'une vivacité d'esprit

hors du commun. A sa première visite, nous l'accompagnons jusqu'à la porte du bloc en lui conseillant de se laisser guider par sa curiosité naturelle et son instinct. *« Inutile de te retourner pour dire "action", nous serons là »*, lui précisons-nous. Ce jour-là, tout se déroule bien. La fois suivante aussi et celle d'après également. Pourtant, j'ai le sentiment que malgré les mois que nous y avons passés, malgré nos discussions nombreuses avec le personnel, certains à Creedmoor se méfient encore de nous.

Jusqu'à ce jour où une vieille femme, prise d'une crise psychotique, devient violente et doit être maîtrisée. Deux infirmiers la plaquent délicatement au sol, l'immobilisent et la calment. Tom est dans le couloir. Sa caméra sur l'épaule, il est prêt à filmer, pourtant il se détourne de la scène. Je n'en reviens pas. Qu'est-ce qu'il lui prend ? En fait, Tom saisit immédiatement que les deux infirmiers en question sont les plus dévoués du bloc et que ce type d'incident, exceptionnel, n'est en rien représentatif de la vie quotidienne au centre hospitalier. A l'écran, une scène de ce type dégagerait une violence insoutenable, et surtout donnerait une vision erronée du bloc. Je me rends compte aujourd'hui qu'une certaine école préconise de tout montrer et de laisser le téléspectateur assembler tant bien que mal les pièces du puzzle. Mais un documentariste travaillant pour un service d'informations télévisées et ne disposant que d'une heure d'antenne se doit de donner une vision fidèle en évitant l'écueil du sensationnalisme. En presse écrite, les mots permettent de nuancer un propos. Tandis qu'une séquence filmée peut donner une fausse impression d'objectivité et aboutir à induire le public en erreur sans que le journaliste puisse lui suggérer de ne pas croire en ce qu'il voit. L'attitude de Tom n'échappe pas au personnel de Creedmoor. Mabel Taylor, une infirmière qui a participé à l'immobilisation de la vieille dame, nous avoue qu'elle se méfiait encore un peu de nous jusque-là, mais que cet épisode est venu balayer ses réticences. Désormais, la voie est libre.

Après un an de recherche, de tournage et de montage, nous parvenons à la conclusion que les problèmes inhérents à l'internement psychiatrique et aux traitements en ambulatoire relèvent davantage de la pesanteur du système hospitalier que des patients eux-mêmes. Intitulé *Anyplace But Here* (*N'importe où sauf ici*), notre documentaire rafle quatre Emmy, le prix Christopher (décerné par une organisation catholique qui récompense les émissions qui « *allument des bougies plutôt que de maudire l'obscurité* »), le prix de la critique du Festival international du film de Monte-Carlo pour les émissions d'information et le prix de l'Association américaine de santé mentale. Mais ma véritable fierté n'est pas là : notre plus belle récompense, ce sont les gens que nous avons filmés qui nous la décernent en nous témoignant à quel point le reportage est fidèle à leur réalité quotidienne. Les patients, leurs proches, les psychiatres, le personnel soignant, les assistantes sociales, toutes ces personne qui ne sont jamais d'accord sur rien s'accordent pour une fois sur ce point. Hélas ! le Dr Werner décède d'une crise cardiaque juste avant la diffusion. Je veux croire qu'il aurait partagé leur avis. Les retombées dépassent d'ailleurs le cadre de Creedmoor. Des professionnels nous annoncent qu'ils comptent utiliser notre film pour la formation des assistants psychiatriques, afin de leur donner une vision réaliste de ce qui les attend. La voilà, ma fierté.

N'allez pas en déduire pour autant qu'en cet âge d'or de l'information télévisée, tout allait pour le mieux dans le meilleur des mondes. Quelques mois après l'émission, le vice-président chargé des documentaires appelle Tom Spain et lui reproche d'avoir tourné mille huit cents mètres de bobine de plus que prévu. Peu lui importe si son réalisateur a, en deux émissions, raflé les prix de journalisme les plus prestigieux de la planète. Tom réplique avec calme qu'il avait besoin de ces deux heures et demie supplémentaires pour boucler son reportage. En raccrochant, il se tourne vers moi et lâche : « *C'est le dernier film que je fais pour ces types-là.* » Il tiendra parole.

Comparé à Irv Drasnin, Tom Spain est un pur documentariste. Il choisit généralement des sujets qui peuvent se passer de commentaires trop développés et exploite les temps forts de l'histoire et l'intensité des témoignages pour rythmer le film et maintenir l'attention du public. Irv est, lui, un pur journaliste arrivé au documentaire par le biais des informations télévisées. Il a une préférence pour les dossiers pointus, qui exigent une longue recherche et une bonne maîtrise du sujet avant de commencer le travail de terrain. Ma première collaboration avec lui remonte à 1974. Nous travaillons alors sur *The Guns of Autumn* (*Les Fusils de l'automne*), un documentaire de quatre-vingt-dix minutes sur la chasse. Je suis chargé du montage et Meg Clarke de la recherche documentaire – sa contribution dépassera largement cette attribution. Bien décidés à ne pas filmer des « viandards » (ces chasseurs brutaux qui ne respectent ni les lois du sport ni les règles de sécurité), Irv, Meg et David Lowe Jr, le producteur associé, passent trois mois sur les sentiers d'Amérique, caméra au poing. Ils filment une chasse au bison en Arizona (autorisée pour réguler l'espèce), une chasse au cerf dans le Colorado (le paradis du chasseur solitaire), des chasses au canard et à l'oie en Pennsylvanie (autorisées dans le respect des quotas), deux chasses à l'ours dans le Michigan – l'une avec des chiens, l'autre dans une décharge publique – et une chasse d'animaux exotiques d'élevage dans un ranch du Texas. Les péripéties survenues durant ce reportage suffiraient à remplir un livre, mais je laisse à Irv le soin de l'écrire. Je me contenterai pour ma part d'une seule anecdote.

Dès que *The Guns of Autumn* est prêt, une séance de visionnage est organisée à CBS *Reports*. Quand les lumières se rallument, notre patron, Bill Leonard, qui est à l'époque vice-président des programmes politiques à CBS *News*, ne tarit pas d'éloges. Tandis qu'Irv accepte les compliments avec modestie, je ne peux m'empêcher d'y mettre mon grain de sel :

« *Les chasseurs vont adorer ce film…*

– *Tu veux rire ?* s'insurge Bill.

– *Pas du tout. Ça se passe exactement comme ça. C'est une image fidèle de leur sport.*

– *Ecoute, soit tu es le plus gros naïf que la terre ait jamais porté, soit tu es vraiment un indécrottable enfoiré.* »

Il voit juste. Avant même la diffusion du film, nous recevons cinq mille lettres qui, sans exception, descendent en flammes notre travail. Beaucoup sont formulées à l'identique, ce qui nous laisse à penser que cette campagne de protestation est orchestrée, pour partie, par la National Rifle Association (NRA). Je ne vois vraiment pas ce que les chasseurs trouvent à nous reprocher. Un seul aspect, dans ce que nous montrons, ne figure pas dans les reportages d'*American Sportsman* : les animaux qui s'effondrent sous les balles. Pourtant, un déluge de procès s'abat sur CBS *News*, à qui l'on réclame quelque trois cent cinquante millions de dollars de dommages et intérêts. Selon toute vraisemblance, la plupart de ces poursuites sont également téléguidées par la NRA.

Préparant sa défense, dans le cadre de ce qui s'annonce comme une boucherie judiciaire, la chaîne demande à Meg et Irv de réunir dans un mémoire tous les éléments dont ils disposent à l'appui de leur enquête. Ceux-ci rendent un dossier de cent trente-deux pages sur les différents types de chasses pratiqués aux Etats-Unis. Au terme de ce procès fleuve, CBS est condamnée au dollar symbolique. Les avocats de la chaîne ont préféré ne pas se défendre sur l'un des griefs, considérant l'assignation sur ce point manifestement dilatoire. Le juge, qui a pris fait et cause pour le demandeur, a trouvé la stratégie arrogante et demandé au jury de statuer contre CBS. Mais ce dernier n'inflige à la chaîne qu'une condamnation au dollar symbolique, une décision qui signifie que l'affaire ne présente aucun intérêt et n'aurait jamais dû être renvoyée devant la justice. Les cent trente-deux pages rédigées par mes collègues ont permis de contrer chacune des attaques. Personne n'est en mesure de prouver que les séquences du film ne seraient pas représentatives de la chasse en Amérique. Cet épisode m'enseigne qu'un journaliste n'est jamais trop précautionneux, et qu'il ne doit pas s'écarter de ce qu'il peut prouver rigoureusement. Durant toute ma carrière, à chaque fois que je rédigerai un scénario, j'aurai en tête l'image d'Irv Drasnin, derrière mon épaule, m'avertissant : « *Es-tu certain de pouvoir justifier ce que tu avances ?* »

Au contact d'Irv, j'apprends aussi à quel point il est important d'effectuer ses propres recherches et de ne croire qu'à ce que l'on a soi-même constaté. Une règle qui peut sembler une lapalissade mais dont de nombreux journalistes ont tendance à s'affranchir. En 1976, après avoir produit une séquence de magazine télévisé, je décroche le titre de producteur associé-rédacteur. En d'autres termes, le monteur que j'étais devient journaliste. Irv me propose de collaborer avec lui sur un film qu'il entend consacrer à la guerre civile en Rhodésie (l'actuel Zimbabwe). L'occasion est trop belle. A moi, l'Afrique exotique ! Une guerre civile, qui plus est. Ernest Hemingway n'a qu'à bien se tenir, Maurice Murad débarque !

Irv, Meg et moi-même dévorons tout ce qui a été publié sur le sujet. Nous passons dix jours à Londres, où nous rencontrons des informateurs qui connaissent bien la situation sur place. Et puis c'est le départ. A peine avons-nous fini de vider nos valises, à l'hôtel Monomatapa de Salisbury, que notre cameraman, David Green, propose d'aller au bar de l'hôtel Meikle. C'est là que les journalistes occidentaux ont l'habitude de se retrouver, et David estime qu'une petite virée nous permettra de prendre la température. Irv refuse tout net, nous interdisant même de mettre les pieds dans ce bar. Je suis effondré. Si un envoyé spécial ne peut même plus retrouver ses confrères autour d'une bonne bière, à la fin de sa journée, pour aborder des histoires de guerre, il y a vraiment de quoi se flinguer. Malgré tout, je comprends son raisonnement : dès que les journalistes commencent à fonctionner en groupe, que ce soit à Washington, Salisbury ou Shanghai, ils finissent toujours par recycler les mêmes informations. Au bout d'un moment, plus personne ne rend compte de ce qu'il a réellement vu : la paresse s'installe et chacun tend à considérer comme un fait établi ce qui a été écrit par son voisin. Irv souhaite que nous oubliions tout ce que nous avons lu, ce qu'on nous a dit, et que nous nous efforcions de comprendre par nous-mêmes ce qui se passe dans le pays.

J'aurai l'occasion de vérifier bien des fois que lors-qu'un groupe de journalistes couvre un événement, tous les articles envoyés aux rédactions se ressemblent. Le cas est particulièrement flagrant à l'occasion d'une campagne électorale : tout le monde partage la même vision, ce qui débouche souvent sur la publication d'informations fallacieuses. A la dernière présidentielle américaine, par exemple, Al Gore a descendu une rivière en kayak pour une série de photos écolos. Le Comité national républicain s'est alors empressé de diffuser un communiqué de presse déplorant que les directeurs de campagne du candidat démocrate aient réclamé, pour l'exercice, l'ouverture des vannes du barrage situé en amont, au prix d'un énorme gaspillage en eau. Dès le lendemain, la presse publiait cette version des faits, qui se révélera par la suite calomnieuse. En réalité, les vannes du barrage en question sont ouvertes chaque jour. Ironie du sort, le jour où les photos ont été prises, on a relâché moins d'eau que d'habitude. Comment la presse a-t-elle osé reprendre cette histoire sans la vérifier ? Je ne saurais le dire, mais j'imagine que les journalistes l'ont trouvée trop vendeuse pour ne pas s'en emparer. Dès lors qu'un seul d'entre eux était prêt à la publier, les autres ne pouvaient se permettre d'être en reste. Au besoin, ils pourraient toujours recourir au bon vieil *erratum*.

Cette dérive constitue l'un de mes principaux démêlés avec le journalisme tel qu'il se pratique aujourd'hui : c'est ce que j'appelle « la malédiction des coupures de presse ». Je suis persuadé que dans une vingtaine d'années, il se trouvera un journaliste pour écrire un article sur la campagne présidentielle de 2000. Dans ce cas, je mets ma main au feu qu'il citera la descente en kayak comme l'une des grandes bavures de la campagne d'Al Gore. Il aura consulté les coupures de presse de l'époque (ou une base de données sur Internet), sera tombé sur l'histoire, n'aura pas vu le correctif paru quelques jours plus tard... et le cancan continuera d'être colporté jusqu'à la fin des temps.

Il n'est pas toujours facile de résister à la tentation de reprendre à son compte le travail d'un confrère. En 1977, Tom Spain, Peter Schweitzer et moi-même devons réaliser un documentaire sur l'immigration mexicaine clandestine. Avant de partir en reportage, nous tombons sur un article, paru en une du *New York Times*, qui explique que des milliers de Mexicains sont massés derrière la frontière californienne, attendant le moment idéal pour passer aux Etats-Unis. Les centres de détention sont censés être pleins à craquer, et la patrouille frontalière dépassée par les événements. Sur la foi de ces informations, nous nous empressons de rejoindre le poste frontière de Chula Vista. Nous n'y rencontrons que six Mexicains, qui ont l'air de s'ennuyer ferme. Inquiets de voir fondre leurs réserves de cigarettes, ils ne demandent qu'à être renvoyés du côté mexicain aussi vite que possible.

Les patrouilleurs des services de l'immigration nous expliquent que depuis quelques semaines, les affaires sont plutôt calmes – ce que nous constatons en les accompagnant dans leur ronde. Comment le *Times* a-t-il pu publier un tel article ? Nous appelons la rédaction du prestigieux quotidien new-yorkais, qui nous explique qu'elle a trouvé l'info dans un article du *Los Angeles Times* et nous assure qu'elle corrigera cette erreur. Mais entre-temps, un autre chroniqueur ayant lu le *New York Times* aura peut-être repris l'information. D'autres journaux auront peut-être envoyé un reporter sur place... Le *New York Times* n'usurpe pas sa réputation de journal de référence : ses journalistes comptent parmi les meilleurs du monde. Le problème n'est pas qu'ils commettent des erreurs, nous en faisons tous. Ce qui est plus grave, c'est que tant de leurs confrères prennent pour argent comptant tout ce qui se publie dans ce journal, comme si chaque information était de première main.

En 1980, on me demande de produire une heure de bobine pour une série documentaire de cinq heures intitulée *La Défense des Etats-Unis*. Je m'intéresse à l'état de préparation de nos forces conventionnelles et à leur budget de fonctionnement. Une partie de ce temps est consacrée à ce que l'on appelle alors la Force de déploiement rapide (FDR). Il s'agit d'un corps regroupant des soldats de l'armée de terre, de la marine et de l'armée de l'air qui est placé sous les ordres du commandement Sud. La légitimité de ce corps interarmes est contestée, car sa mission se confond avec celle des Marines. Selon le *New York Times*, la FDR disposerait d'un budget annuel de cinq milliards de dollars, ce qui, au vu de ses effectifs, paraît plutôt modeste.

C'est d'ailleurs ce qui met la puce à l'oreille de la productrice associée, Margaret Drain (aujourd'hui productrice exécutive de *The American Experience*, sur PBS). Au moment d'effectuer ses recherches, celle-ci a l'habitude de vérifier minutieusement le moindre détail. Elle dit souvent que si un documentaire d'une heure apporte cinq révélations, le contrat est rempli. Au Pentagone, Martha déniche une source bien placée qui lui confie – hors micro – que le budget réel de la FDR avoisinerait plutôt les vingt-trois milliards de dollars. Après avoir recoupé l'information, elle l'évalue quant à elle à un minimum de dix-neuf milliards de dollars par an. Lorsque le reportage est bouclé, nous le montrons à notre patron, Roger Coloff. Le lendemain, celui-ci nous avertit que notre estimation du budget de fonctionnement de la FDR serait erronée et que le chiffre exact serait cinq milliards de dollars. Il l'a lu dans le *New York Times* ! Nous lui expliquons comment nous en sommes arrivés à ce chiffre et lui révélons l'identité de notre informateur. Convaincu, Roger nous donne alors son feu vert.

Si je raconte cet incident, ce n'est pour plastronner après avoir rectifié une info du *Times* mais parce que quelques mois plus tard, un hebdomadaire reviendra à la charge, affirmant que la FDR absorbe chaque année cinq milliards de dollars de l'argent des contribuables. Le journaliste a apparemment été victime de « la malédiction des coupures de presse ». Il n'est pas le seul : jamais je ne lirai le chiffre de dix-neuf milliards de dollars dans aucun autre article consacré à la FDR, tout le monde s'en tenant aux écrits du *New York Times*. Si le projet de mise sur pied d'une force de déploiement rapide redevenait d'actualité à l'état-major et qu'un journaliste consacre un rappel aux expériences menées durant les années 1980, quelles données financières pensez-vous qu'il retiendrait ?

Pour un journaliste, savoir s'affranchir du conformisme médiatique est un véritable défi. A l'époque où nous préparons notre enquête sur la Défense américaine, par exemple, les médias rabâchent que l'absence de préparation de nos forces armées s'expliquerait avant tout par le très faible niveau des nouvelles recrues. La conscription n'existe plus et nous ne sommes pas en guerre. Le moral des troupes serait au plus bas. Au contact de soldats de l'armée de terre, de la marine et du corps des Marines (l'armée de l'air compte un pourcentage démesuré d'officiers), nous constatons que le niveau des recrues est pourtant excellent. En revanche, celles-ci sont dirigées par des officiers désabusés qui n'ont aucune promotion à espérer, faute de guerre. D'autre part, nous avons lu dans de nombreuses revues que la 82e division aéroportée, un corps d'élite, serait très mal entraînée. Mais en suivant des manœuvres de l'Otan en Europe, appelées opération Reforger, nous constatons l'extraordinaire efficacité des hommes de cette division, dont le niveau, largement équivalent aux meilleures unités allemandes et britanniques, donne toute sa mesure sur le terrain.

Pourquoi donc la désinformation se porte-t-elle si bien ? D'après moi, soucieuse de décrocher des rallonges budgétaires et de recruter de nouveaux effectifs, l'armée a tout intérêt à faire circuler ce type de rumeurs. Et les journalistes ont souvent tendance à prendre au sérieux les confidences des « experts », alors que ceux-ci ont généralement une idée derrière la tête. Dans ce cas précis, je pense que beaucoup de mes confrères se sont laissé embobiner par le fait que la critique de l'armée provenait de sources militaires.

Aux Etats-Unis, ce phénomène est encore plus marqué dans le domaine de l'éducation. Depuis quelques années, nous entendons dire que notre système d'enseignement public ne fonctionne pas. C'est dans ce contexte que j'entame une série de reportages sur les lycéens devant passer leur bac en l'an 2000. Dans le cadre de mes recherches, je sillonne le pays et visite des écoles de toutes origines : quartier pauvres des grandes villes, banlieues bourgeoises, campagne. Je passe un trimestre entier à filmer une classe de troisième à Joppatowne, dans le Maryland ; puis un autre avec une classe de seconde à Franklin, dans le Tennessee. Je consacre encore une heure de reportage à des élèves des quatre coins du pays. S'il est une chose qui me saute aux yeux, c'est que nos écoles publiques marchent plutôt bien.

Au bout de quelques mois passés au lycée de Joppatowne, je demande au proviseur, Tom Ackerman, pourquoi on parle tant de la détérioration de l'enseignement public alors que, dans l'ensemble, j'ai vu des enseignants créatifs et travailleurs et des élèves sérieux et bien élevés. Celui-ci m'explique que tout le monde a intérêt à taper sur l'école publique : les enseignants, pour obtenir des augmentations de salaire ; les proviseurs, pour doper leurs budgets ; le conseil de gestion, pour maintenir la valeur des titres de l'école en obligations ; les organisations religieuses, pour attirer les élèves (et donc les subsides) vers leurs établissements confessionnels ; les parents des quartiers défavorisés, pour promouvoir le principe des écoles publiques à recrutement sélectif ; et aussi l'opposition politique, toujours à la recherche d'un bâton pour battre le parti au pouvoir. Pas étonnant, avec tout ça, que nous ne trouvions aucun « expert » pour prétendre que l'école publique se porte bien !

Tom Ackerman m'invite à réfléchir. Il suffit de regarder l'Amérique pour constater que nous nous en tirons très bien par rapport au reste du monde. Si notre système est si catastrophique, comment se fait-il que chaque année, nos physiciens, nos chimistes, nos économistes ou nos écrivains raflent des prix Nobel ? D'après lui, ce n'est pas un hasard si nous bénéficions du niveau de vie le plus élevé du monde. Soit, mais comment explique-t-il que nos élèves arrivent loin derrière les Chinois, par exemple, dans les évaluations comparatives ? Sa réponse est simple : les Chinois, qui présentent de meilleurs résultats à 18 ans, ne sont jamais testés à 23 ans. Or à cet âge-là, ils sont épuisés par les préparations d'examens alors que les jeunes Américains entrent dans leur phase de créativité. L'objectif ultime de l'éducation, ajoute-t-il, n'est pas d'apprendre pour le plaisir, mais bien d'améliorer sa qualité de vie. Et effectivement, les étudiants que nous pourrons interroger en Chine par la suite reconnaîtront volontiers que leur système scolaire ne laisse que très peu de place à la créativité.

Très souvent, on entend également déplorer que, dans les évaluations internationales, les élèves américains n'obtiennent qu'une faible moyenne comparativement à d'autres pays. Comment pourrait-il en être autrement ? Un échantillon statistique de la population scolaire américaine regroupe des enfants issus des quartiers privilégiés comme défavorisés. De plus, les écoles américaines accueillent chaque année des dizaines de milliers d'enfants d'immigrants légaux et de clandestins. Dix pour cent de la population américaine est d'origine étrangère. A cet égard, il serait intéressant de comparer notre situation avec celle d'autres pays qui se situent dans la petite moyenne : l'Angleterre, l'Allemagne, le Canada, la Norvège, la Suisse, Israël, Hong Kong ou la Russie, par exemple. A propos de la Russie justement, il y a quarante ans l'amiral Hyman Rickover prédisait que les Russes nous supplanteraient, dans la mesure où les programmes scientifiques de leurs écoles sont aussi rigoureux que les nôtres sont laxistes. Il y a fort à parier qu'à l'époque, pour construire sa flotte de sous-marins nucléaires, cet officier avait besoin de recrues dotées d'une solide formation en physique. En dépit de cette sombre prédiction, je découvre au cours de ces deux années passées avec les élèves de la promotion 2000 que l'avenir des Etats-Unis est en de bonnes mains, grâce à un excellent système d'enseignement public.

Mais revenons à nos moutons, car mon propos ne porte pas sur l'éducation. Le cas de désinformation qui suit illustre les dangers du grégarisme.

En octobre 1995, juste avant le cinquième anniversaire de la guerre du Golfe, je suis chargé de réaliser un documentaire d'une heure sur ce conflit et ses conséquences. Pour mémoire, quelques années plus tôt le Président George Bush senior a mis brutalement fin à la guerre alors que, sur le terrain, ses généraux s'évertuaient à le convaincre qu'il leur suffisait d'une journée supplémentaire pour prendre Bagdad sans rencontrer la moindre résistance. Nous savons maintenant que la famille de Saddam Hussein avait déjà fui le pays et que le raïs irakien avait fait préparer un avion pour s'enfuir au cas où les forces de la coalition continueraient d'avancer. La décision d'arrêter la guerre au terme de cent heures (une initiative purement politique suggérée par Colin Powell) a, de fait, condamné dix-neuf millions d'Irakiens à vivre pendant une décennie supplémentaire sous la férule d'un dictateur brutal.

A plusieurs reprises déjà, j'ai tenté de pénétrer en Irak. Mes parents, tous deux juifs séfarades, sont nés et ont grandi à Bagdad et j'ai très envie de voir la terre où ont vécu mes ancêtres. Toutes mes demandes de visa ont jusque-là été refusées. Avec un passeport indiquant ma profession, je n'ai pas grand espoir de mettre un jour les pieds dans ce pays. Cependant, au moment où l'on me charge de ce projet, Saddam Hussein invite justement des journalistes originaires du monde entier à venir assister à l'élection présidentielle irakienne. Cette fois-ci, nos visas sont accordés. A cette époque, l'Irak est soumis aux sanctions des Nations unies depuis cinq ans et les médias multiplient les sujets sur les souffrances endurées par le peuple irakien. Le récit le plus terrible évoque cinq millions d'enfants irakiens morts de faim à cause des pénuries générées par les sanctions. *« Les salauds, ils sont en train de tuer mon peuple !* », me dis-je. Par le passé, il m'est déjà arrivé de refuser de traiter certains sujets dans lesquels j'étais trop impliqué affectivement pour garder ma neutralité, et peut-être aurais-je dû renoncer à celui-ci. Mais l'envie de voir la ville de mes parents l'emporte sur la raison.

Aucun avion n'est alors autorisé à atterrir à Bagdad. Le seul moyen de rejoindre la capitale irakienne est de passer par Amman, en Jordanie, puis de rouler vingt-cinq heures en autocar à travers le désert. En arrivant à Bagdad, je remarque immédiatement quelque chose de bizarre. *« On ne dirait pas que cette ville est sous embargo »*, fais-je remarquer à ma collègue Deirdre Naphin. Les gens vont et viennent normalement dans les rues, des camions transportent des biens de consommation courante, les étals des marchés croulent sous des piles de fruits et légumes et les passants sont aussi bien habillés que dans n'importe quelle autre capitale de la région.

Nous nous rendons ensuite au ministère de l'Information. Tous les journalistes ayant traité le Moyen-Orient savent combien il est difficile, une fois dans un pays, de travailler convenablement. Mais nous avons la chance d'être accompagnés d'un cameraman déjà venu en Irak. Celui-ci nous oriente vers l'interlocuteur réputé le plus coopératif du ministère (je ne citerai aucun nom car, aujourd'hui encore, tous ceux qui nous ont aidés, même sans le vouloir, pourraient en subir les conséquences). Lorsque cet homme nous demande ce que nous voulons, je réponds tout de go : *« Je veux voir la famine là où elle existe : dans les hôpitaux, à la campagne, dans les villes, dans le Nord, dans le Sud, à Kerbela, Najaf, Mossoul, Bassora ou Bagdad. Il faut que nous montrions ça à nos compatriotes… »* L'Irakien hoche la tête : *« Bien sûr, bien sûr. Vous la verrez, Inch'Allah… »*

Pendant plusieurs jours, notre attente est infructueuse. Fort heureusement, nous avons tant de choses à filmer dans la ville que nous ne restons pas inactifs. Je suis frappé par l'abondance de produits alimentaires dans les magasins ou dans les restaurants. Nous apprenons que le gouvernement a mis en place un programme alimentaire attribuant à chaque famille une ration de riz, d'huile, de thé, de sucre et, pour ceux qui ont de jeunes enfants à nourrir, de lait en poudre. Le responsable du Programme alimentaire mondial (PAM) nous accorde une interview. Il assure qu'aucune famine ne sévit en Irak. Son organisation ne conduit d'ailleurs aucun projet dans ce pays. Qu'en est-il, en ce cas, des 500 000 enfants irakiens morts de faim ? Notre interlocuteur m'explique qu'il s'agit du nombre d'enfants présentant un risque de dénutrition, tout en précisant que ses services n'ont, pour l'heure, constaté aucune famine. Le responsable du PAM ajoute que Saddam Hussein a lancé un vaste programme d'irrigation destiné à l'exploitation des terres désertiques et que, de toute façon, l'Irak produit suffisamment de fruits et légumes pour couvrir les besoins de sa population. Nous interrogeons par la suite une représentante de Care, une organisation non gouvernementale spécialisée dans l'aide humanitaire et le développement. Très sensible aux problèmes de la population irakienne, cette femme nous confirme qu'aucun programme d'aide alimentaire n'existe pour l'instant mais que, si l'Etat irakien cessait de distribuer ses rations, les enfants figureraient parmi les premières victimes.

L'autorisation de visiter un hôpital nous est enfin accordée. Il s'agit de l'hôpital Saddam Hussein, à Bagdad, un établissement pédiatrique où, nous assure-t-on, nous constaterons les conséquences de la pénurie alimentaire.

Nous sommes cornaqués par un membre du ministère de l'Information qui surveille scrupuleusement nos faits et gestes. Je suis frappé par la saleté du lieu, des mégots de cigarettes jonchent le sol. On nous conduits vers l'aile où sont soignés les troubles nutritifs. Là, nous ne trouvons que trois patients : deux bébés prématurés et un enfant âgé de 4 ans. Leurs mères sont à leur chevet. La première, vêtue à l'occidentale, veille son bébé, allongé dans une couveuse. Appartenant de toute évidence à la petite bourgeoisie locale, elle a l'air en bonne santé. Par chance, elle parle l'anglais. Je lui demande si la naissance prématurée de son enfant est due à la malnutrition. *« Pas du tout, j'ai mangé à ma faim »*, me répond-elle après quelques hésitations. En fait, elle ignore pourquoi son enfant est né avant terme. Une femme en djellaba est assise près de la deuxième couveuse, le regard absent. Elle ne parle pas l'anglais et je ne maîtrise pas suffisamment l'arabe pour l'interroger.

Les médecins nous annoncent que ces trois cas relèvent de la malnutrition. L'enfant le plus âgé souffre, nous a-t-on dit, de kwashiorkor, un syndrome de dénutrition dû à une grave carence en protéines. Il n'a pourtant ni les cheveux orangés ni le ventre gonflé – deux symptômes caractéristiques. En revanche, son corps est couvert de taches brunes de la taille d'une pièce de monnaie, autre symptôme de la maladie. En général, le lait en poudre suffit à améliorer l'état du malade : cette famille n'a peut-être pas obtenu sa ration. La femme qui s'occupe de lui ne parle pas non plus l'anglais, aussi je dois me contenter du diagnostic fourni par le médecin. Il me paraît cependant étrange que dans une ville aussi peuplée que Bagdad, on recense seulement trois cas de malnutrition. N'importe quel hôpital new-yorkais en compte davantage. Je demande à Deirdre d'interviewer le médecin afin d'accaparer son attention. Dès que la caméra commence à tourner, je m'éclipse discrètement et explore les étages de l'hôpital, cherchant d'autres cas de dénutrition. Je ne croise que de jeunes patients relevant de la pédiatrie générale.

Nous partons alors pour la campagne – officiellement pour couvrir le scrutin présidentiel. D'abord à Najaf, puis à Kerbela. Inlassablement, je cherche les signes de la disette. Je suis d'autant plus aguerri qu'en 1987, j'ai eu le triste privilège de réaliser un reportage sur la famine en Ethiopie. Toujours rien. Pas même à Kerbela, où Saddam Hussein a réprimé par des bombardements une rébellion antigouvernementale sans même épargner les mosquées. Sous les décombres de la ville anéantie, je ne trouve aucun indice d'une éventuelle famine. Il est grand temps pour nous de ne croire qu'à ce que nous voyons.

Nous finissons par admettre qu'aucune crise alimentaire ne frappe l'Irak. Seulement une crise financière due à l'inflation. Le problème n'est pas de trouver de la nourriture mais de pouvoir se l'offrir. Pendant la guerre Iran-Irak, pour pouvoir acheter les armes nécessaires, Saddam Hussein a inondé le marché de dinars irakiens. Il a fait fonctionner sans vergogne la planche à billets, allant jusqu'à utiliser des photocopieurs couleur. Désormais, cent dinars ne valent plus que dix-sept cents. Fin 1995, les restrictions que subit l'Irak sont tout autant dues aux retombées du conflit contre l'Iran qu'aux sanctions des Nations unies. La nourriture ne manque pas mais les Irakiens doivent, pour pouvoir l'acheter, gager leurs biens personnels ou les troquer sur les marchés aux puces contre des bons d'alimentation.

L'Irak de Saddam Hussein est dans une situation qui ressemble par bien des aspects à celle de l'Ethiopie de

Mengistu. La pénurie relève d'abord d'une volonté politique : en contrôlant l'offre alimentaire, on contrôle le peuple. Comme Mengitsu, Saddam Hussein distribue la nourriture aux Irakiens selon son bon vouloir, sachant que la crainte d'une famine est une puissante arme politique (il n'échappe à personne que pendant l'élection présidentielle irakienne, les cartes de rationnement alimentaire distribuées par l'Etat servent aussi de carte d'identité aux électeurs). Quant aux sanctions des Nations unies, il suffit d'aller faire un tour à la frontière jordanienne ou turque pour constater avec quelle facilité elles sont enfreintes. Si le roi Hussein de Jordanie s'attache à ne laisser passer aucun matériel pouvant être utilisé ou détourné à des fins militaires, il ferme en revanche les yeux sur tout le reste. Je vois des semi-remorques chargés d'énormes machines de terrassement faire la navette entre la Jordanie et l'Irak. A la frontière turque, là aussi, aucun véhicule n'est contrôlé. Du matin au soir, on assiste à un ballet ininterrompu de camions chargés d'immenses containers : ils entrent en Irak à vide et en ressortent chargés de pétrole.

A en juger par le faste des palais présidentiels que Saddam Hussein se fait construire, le raïs dispose de plus d'argent qu'il ne lui en faut pour soigner son peuple et alléger ses souffrances. Les dirigeants irakiens s'obstinent toutefois à nier que ces palais sont bâtis en violation des sanctions, affirmant qu'ils sont entièrement financés en monnaie locale. Des barres de renforcement en acier, importées de l'étranger, auraient donc été payées dans une devise sans valeur ? Difficile à avaler. Et si l'on peut faire pénétrer clandestinement ces matériaux, pourquoi ne pas faire passer aussi des antibiotiques ? Pendant notre séjour, Saddam Hussein fait ériger son cinquante-deuxième palais. Selon des témoignages d'anciens hauts responsables irakiens, aujourd'hui en exil, le dictateur disposerait d'une fortune personnelle se chiffrant à plus de trente millions de dollars, placée dans des banques à l'étranger.

Le fait est que cette image d'un peuple terrassé par la famine l'arrange. Dans une mise en scène parfaitement réglée, les médecins montrent des ambulances éventrées en attente de pièces détachées... alors que quelques mètres plus loin, des Mercedes, des BMW, des Lexus et autres voitures de luxe sont exposées dans les vitrines des concessionnaires automobiles. Au marché aux voitures, un bazar de l'occasion, des centaines de véhicules pourraient fournir les pièces détachées nécessaires aux ambulances. Les médecins, quant à eux, affirment qu'ils ne disposent pas d'antibiotiques pour traiter les infections. Or Saddam Hussein vient de refuser deux offres américaines qui lui auraient permis de vendre l'équivalent de deux millions de dollars de pétrole en échange de médicaments et d'autres produits de première nécessité. Il a préféré axer sa stratégie sur la levée totale des sanctions. Pour ce faire, il lui faut émouvoir l'opinion internationale. Rusé le bougre, car son stratagème fonctionnera pendant plusieurs années. Souvenons-nous qu'au lendemain des attentats du 11 septembre 2001 contre le World Trade Center, dans le premier message qu'il adressera, via la chaîne Al Jezira, Oussama Ben Laden reprochera à l'Amérique d'avoir causé la mort de milliers d'enfants irakiens.

Cinq mois après avoir constaté tout cela et en avoir rendu compte, devinez ce que je lis dans le *New York Times*, ce que je vois à la télévision jusque sur la chaîne pour laquelle je travaille ? Qu'un demi-million d'enfants irakiens seraient morts à cause des sanctions des Nations unies. Les médias continuent de reprendre ce chiffre, que j'ai déjà lu plus d'un an auparavant. Incroyable. L'embargo de l'ONU est toujours en vigueur et aucun enfant supplémentaire n'aurait trouvé la mort en un an ? Linda Mason, ma supérieure, me tombe sur le râble : « *Que se passe-t-il, Bon Dieu ? Tu n'as rien vu ou quoi ?* » Même si je suis absolument sûr de moi, j'avoue que je ne sais pas trop quoi répondre. Je promets de lui transmettre un rapport détaillé sur la façon dont j'ai mené mon reportage, accompagné de tous les éléments dont je dispose pour étayer mes dires. Par la suite, je lui fais parvenir une synthèse décrivant les failles des autres articles, en lui demandant de la détruire lorsqu'elle l'aura lue. Je ne veux surtout pas avoir l'air de dénigrer les émissions de mon propre service : la plupart des personnes concernées sont d'excellents journalistes qui se laissent rarement prendre en défaut.

Le 20 mai 1996, l'Irak et les Nations unies scellent l'accord « pétrole contre nourriture ». A partir de là, le *New York Times* n'est plus aussi catégorique qu'auparavant. Il livre soudain des chiffres imprécis : « *Depuis que le premier accord a été annulé, des centaines de milliers d'Irakiens [et non d'enfants irakiens] souffrent de dénutrition ou de maladies, et beaucoup meurent faute de médicaments, estiment les agences des Nations unies.* » Dans le numéro du *Harper's* du mois de mai 1996, Paul William Roberts publie un article sur le voyage qu'il vient d'effectuer à Bagdad, décrivant par le menu la vie dans la capitale. Nulle part il n'évoque une quelconque famine. Dans le *New Yorker* du 17 mai 1996, relatant, dans un long article, sa visite en Irak, T. D. Allman écrit : « *Je n'ai rien trouvé qui indique que l'embargo ait provoqué des décès ou des souffrances. [...] J'ai effectué des visites surprises dans les hôpitaux et les dispensaires de toutes les régions du pays.*

J'ai parlé à des centaines d'Irakiens de l'embargo. Personne n'a fait la moindre allusion à une dénutrition endémique ni aux maladies dont la presse s'est tant fait l'écho. [...] On trouve partout des fruits et des légumes frais à profusion. Tous les soirs, des embouteillages se forment devant les restaurants les plus prisés de Bagdad, où se presse la jeunesse dorée qui circule en Nissan et en Mercedes. Les cigarettes d'importation ne font pas défaut. Les marques les plus populaires sont les cigarettes bout filtre canadiennes Aspen et Johnny Walker Black. » Et de conclure : *« Avec le nouvel accord, l'accès à la nourriture et aux médicaments demeure une question politique et non humanitaire. Saddam Hussein et ses hommes décideront qui aura à manger et qui recevra des antibiotiques. »*

Ouf ! J'éprouve la sensation que le président du jury vient de reconnaître mon innocence. Ou plutôt qu'un psychiatre vient de me déclarer sain d'esprit.

Affaire suivante.

De toutes les dérives auxquelles on assiste aujourd'hui dans la pratique journalistique, aucune n'est plus insidieuse que l'omniprésence de conglomérats à la tête des groupes de presse et de communication. Quand Westinghouse rachète CBS, je crains un moment que nous n'ayons plus le droit, à CBS News, d'aborder un certain nombre de sujets. Rien ne me permet aujourd'hui de prétendre que ce soit arrivé, mais il n'en reste pas moins que personne parmi nous n'a jamais proposé de reportage sur le nettoyage du site de déchets nucléaires d'Aniston, en Alabama, dans lequel Westinghouse est impliqué. Lorsque cette firme est démantelée et doit céder ses activités industrielles, j'en éprouve un certain soulagement. Par la suite, le groupe se défait de Viacom, une entreprise spécialisée dans le secteur du loisir. De mieux en mieux, mais tout n'est pas encore réglé.

La promotion des émissions de divertissement dans les programmes d'information, jadis interdite, est désormais si courante qu'on la remarque à peine. On ne peut plus regarder un journal télévisé, local ou national, sans tomber sur une émission de télé-réalité, un jeu avec un pactole à la clé, la grande manifestation sportive du moment ou encore un reportage lié au film de la soirée. Voilà qui devrait nous inciter à nous poser certaines questions : se pourrait-il que Viacom demande des services à Hillary Clinton, avec qui l'entreprise a signé un contrat d'édition de huit millions de dollars ? Disney a-t-il censuré un reportage d'*ABC News* sur la pédophilie dans ses parcs à thème ? Y a-t-il un rapport entre la programmation violemment anticlintonienne de MSNBC et le différend qui a opposé Microsoft au ministère de la Justice sous la présidence de Bill Clinton ? Rupert Murdoch utilise-t-il *Fox News* pour servir ses intérêts personnels (en tout cas, on ne peut pas reprocher à son journal, le *New York Post*, de nuire à ses intérêts commerciaux) ?

D'un côté, nous n'avons pas trop à nous inquiéter. Le clivage entre presse conservatrice et presse libérale est totalement dépassé. Les médias sont soumis aux lois du marché. Point. Les ondes et les journaux servent à vendre des produits. Il est vrai que la plupart des patrons de presse sont conservateurs, mais ce conservatisme perce rarement dans le traitement de l'information (mis à part sur *Fox News*, dont la vocation est d'attirer un public de cette sensibilité). En trente-huit ans de carrière, on ne m'a demandé qu'une seule fois de modifier une séquence pour des raisons politiques. Il s'agissait d'un documentaire sur l'affaire du Watergate, et j'ai dû retirer un plan dans lequel on voyait George Bush père, alors président de la commission nationale républicaine, côtoyer Richard Nixon lors d'une grande conférence. Le président de CBS News, Eric Ober, estimait qu'utiliser cette image reviendrait à lui porter un coup bas.

Aux débuts des informations télévisées, la plupart des producteurs et des journalistes penchaient à gauche. Ce n'est plus vrai. Aujourd'hui, la grande majorité des responsables éditoriaux sont des centristes motivés par les lois du marché. Et la plupart des sujets sont sélectionnés autant pour leur intérêt général que pour leur capacité à fédérer les masses. Les patrons de chaîne et les directeurs de l'information définissent systématiquement le succès ou l'échec en termes d'audimat et de parts de marché, et non en fonction de l'importance du sujet. Cette logique n'échappe pas aux jeunes journalistes, qui savent exactement ce que l'on attend d'eux. Lorsqu'on réalise une émission, il faut avant tout veiller à ne pas froisser la sensibilité dominante des téléspectateurs en présentant les événements sous un angle qui pourrait être contraire à leurs convictions.

Il suffit, pour s'en convaincre, d'analyser le traitement consacré à l'attentat contre le World Trade Center. La plupart des journalistes qui passent à l'antenne se comportent soit comme d'ardents défenseurs de l'Etat, soit comme des psychothérapeutes de groupe. Un mois après l'attentat, George W. Bush donne sa première conférence de presse. Il ne livre pratiquement aucune information qui ne soit déjà publique. Quelle que soit la question qui lui est posée, il s'obstine à rabâcher son laïus sur la détermination de l'Amérique. Ce qui n'empêche pas les commentateurs de le qualifier de « *très ouvert* », mais « *résolument aux commandes* ». Ces derniers lisent les sondages. Le

Président Bush recueille 90 % d'opinions favorables. Personne n'est d'humeur à le critiquer, surtout pas les rédacteurs en chef.

Ne désespérons pas. Il existe toujours des moyens de se tenir convenablement informé. La première priorité consiste à faire la distinction entre les programmes d'information et les empoignades partisanes qui se présentent sous les auspices de débats politiques. *Capital Gang, Hardball, Crossfire* et autres émissions polémiques, qu'elles soient diffusées sur les réseaux, le câble ou qu'elles proviennent d'agences de presse spécialisées, sont sans grand intérêt. Les personnalités qui se prêtent à ces mascarades sont là soit pour arrondir leur fins de mois avec de juteux honoraires, soit pour imposer leur point de vue à tout prix, au mépris de la vérité. Ils savent parfaitement – comme chacun devrait en avoir conscience – que la gestion des affaires de la cité n'est plus fonction de la réalité, mais repose sur l'art de manipuler l'opinion. Alors, dès que vous voyez Chris Matthews invectiver son premier invité, qui lui-même s'égosille contre le second invité, un conseil : zappez sur PBS et regardez plutôt *NewsHour,* où tous les événements de la journée sont présentés de façon exhaustive et sur un ton calme. Ne vous en faites pas, vous finirez par vous habituer à ce rythme.

Un autre conseil : ne vous informez pas à travers les émissions de divertissement. La remarque peut sembler superflue, pourtant une étude révèle que c'est la première source d'information d'un grand nombre de téléspectateurs. Jay Leno, David Letterman et *Saturday Night Live* proposent des sketches humoristiques qui sont là non pour servir les faits mais pour mettre en scène la perception qu'a le public des gens et des événements. Un mélange des genres parfois complexe à déchiffrer.

Je pense encore à Rush Limbaugh ou à *Imus in the Morning*. Le premier annonce la couleur : *« Que ça vous plaise ou non, je suis un républicain conservateur. Si vous pensez que je déforme la vérité, je m'en fiche, pourvu que vous regardiez mon émission ! »* Imus, lui, tire sur tout ce qui bouge sans discrimination partisane, même s'il est vrai que pendant cinq ou six ans il a fait de Bill Clinton sa cible préférée. Je l'ai entendu des dizaines de fois, dans des sketches faisant la part belle aux frasques sexuelles de l'ancien Président, réelles ou imaginaires, le qualifier de *« gros cul plein de merde »*, de *« pourri »* ou de *« honte de l'humanité »*. Pourtant, qui, à votre avis, vient plastronner dans son émission et légitimer cette obscénité ? Tom Brokaw, Jeff Greenfield, Dan Rather, Mike Wallace, Tim Russert, Barbara Walters et pratiquement tous les journalistes américains dont vous avez pu entendre parler – à l'exception peut-être de Peter Jennings. Et chacun de répondre le plus sérieusement du monde aux questions salaces du grand Imus, entre deux couplets sur son dernier livre ou sa prochaine émission.

La seule info que je retire de l'émission d'Imus, c'est la détestation absolue que vouent les milieux élitistes de Washington à Bill Clinton. Reconnaissons toutefois à cet animateur qu'il a le courage de ses opinions et de la suite dans les idées : lorsque son émission, réduite à une tribune dédiée au dénigrement systématique de l'ancien Président, a vu son taux d'audience dégringoler, cela n'a en rien atténué l'intensité de son tir de barrage. Même après le départ de la Maison Blanche de Bill Clinton, Imus a continué le combat.

Une dernière chose. Depuis que j'ai pris ma retraite et que j'ai le temps de regarder davantage les programmes d'information en direct, je constate avec surprise que les journaux télévisés du soir diffusés sur les réseaux résument très bien les événements de la journée. Dan Rather reste mon préféré.

Soit. Mais tout cela ne vous dit pas pourquoi, après cette scène inoubliable à laquelle j'ai assisté dans le bureau de Mike Wallace, j'ai décidé de rendre mon tablier et de quitter *CBS News*. Tout simplement parce que la décision de Mike de refuser l'interview de Larry Flynt n'aurait pas dû me surprendre. Lui et Don Hewitt appartiennent à la vieille école. Ils ont toujours suivi leur conscience. Et moi, qui ai fait mon apprentissage sous le giron protecteur de ces grands journalistes, j'ai oublié leurs enseignements. Sans m'en rendre compte, je me suis mis à raisonner en termes de taux d'audience, de parts de marché et de *prime time* et à choisir mes sujets en fonction de ces paramètres. Je suis devenu aussi dépendant du système que les gens que je critique. Ce jour-là, j'ai réalisé que j'étais foutu pour le métier. Alors, je suis parti.

Maurice Murad

Que sont nos bons vieux fouille-merdes devenus ?

ENQUETES INTERDITES

Au début du XXᵉ siècle, des journalistes tels que Lincoln Steffens ou Ida Mae Tarbell ont inauguré ce que l'on considère aujourd'hui, de ce côté-ci de l'Atlantique, comme l'âge d'or du journalisme. Leur influence a entraîné des bouleversements dont les retombées positives sur la vie des Américains se font encore sentir de nos jours. Cette période n'a duré qu'une petite décennie, mais elle a permis de révéler l'influence surprenante du journalisme. Un quart de siècle auparavant, en 1877, John B. Bogart proposait, lui, une autre conception du métier : « *Lorsqu'un chien mord un homme, ce qui arrive tous les jours, ce n'est pas de l'information,* écrivait-il dans le *New York Sun. En revanche, si un homme mord un chien, là, c'est de l'information.* » Sa définition partait du principe que, pour faire l'actualité, un événement devait comporter une dose suffisante de sensationnel. En ce début de XXIᵉ siècle, le journalisme d'enquête vit peut-être ses derniers jours à force d'avoir dû céder la place aux histoires d'hommes qui ont mordu des chiens.

Les Etats-Unis garantissent constitutionnellement la liberté de la presse. Ils disposent en outre du système de communication le plus développé du monde. Les médias y sont pléthore, diffusant en continu toujours plus d'informations. En théorie, le peuple américain devrait être parfaitement informé. Malheureusement, la haute technologie et le premier amendement n'y suffisent pas, loin de là. On peut être *très* informé sans être *bien* informé. Dans les années 1950, par exemple, les médias ont répercuté en une les accusations extravagantes du sénateur Joseph McCarthy, cet anticommuniste acharné qui dénonçait de prétendues infiltrations dans les institutions américaines, tuant des réputations, ruinant des carrières et poussant même certaines personnalités au suicide. En se faisant l'écho de ses accusations, la presse a contribué à alimenter un véritable climat de terreur. Les journaux ne se donnaient même pas la peine de vérifier le bien-fondé de ce qu'ils publiaient. Face aux dérives du maccarthysme, ils ont fait de la surenchère au lieu de tirer le signal d'alarme.

Aujourd'hui, la société américaine fait face à des problèmes majeurs : la pauvreté et l'augmentation du nombre de sans-logis, la pollution, la violence, la drogue… Pour les affronter et préparer l'avenir, la population doit être en mesure de se forger un avis éclairé. Or, combien de nos concitoyens sont-ils véritablement informés sur ces grands thèmes de société ? Ce n'est que lorsque la situation devient catastrophique – les risques liés à la consommation de tabac, au milieu des années 1990 ; la crise de l'énergie en Californie, en 2001 – que les médias daignent informer leur public. Et même en ces périodes de crise, ils s'efforcent d'en dire le moins possible, le plus tard possible.

En 1976, j'ai lancé l'association Project Censored[1], un réseau de recherche sur les médias nationaux, afin de recenser les sujets faisant l'objet d'un black-out systématique. Mon objectif était d'améliorer la connaissance du public sur les grandes questions de société. L'association identifie les sujets que les médias dominants évoquent à peine et s'efforce de sensibiliser l'opinion à travers des débats sur la censure et le rôle de la presse dans une société démocratique. Nous considérons que la participation des citoyens aux décisions publiques n'est véritablement possible que si les idées et les informations circulent sans restriction, hors de toute censure.

Project Censored est né de ma stupéfaction lorsque j'ai constaté que l'affaire du Watergate – l'un des scandales politiques les plus retentissants du siècle – n'a pas empêché, cinq mois plus tard, l'élection de Richard Nixon à la Maison Blanche – à une majorité écrasante. La raison en est simple, comme l'ont souligné Bob Woodward et Carl Bernstein : la presse ne s'y est intéressée qu'en 1973, bien après l'élection. Avant le scrutin, les grands médias sont restés muets. J'ai constaté depuis, à plusieurs reprises, que la presse dominante privait la population de données indispensables à l'exercice éclairé de sa citoyenneté.

Les détracteurs de Project Censored affirment que la censure est inconnue des médias d'information. Notre association dénombre pourtant des centaines de sujets qui n'ont pas bénéficié du traitement qu'ils méritaient. Le fameux débarquement de la baie des Cochons reste, à cet égard, une

---

1. http://www.projectcensored.org

flagrante illustration de l'autocensure dont les médias sont capables. Le 17 avril 2001, par dizaines, des journalistes, des hommes politiques et des anciens combattants ont commémoré le quarantième anniversaire de l'opération. A les entendre se congratuler mutuellement, on aurait pu penser qu'ils célébraient quelque grande victoire militaire. Or le débarquement de la baie des Cochons fut sans doute l'épisode de politique étrangère le plus pitoyable de l'histoire américaine. Cette déroute aurait pu être évitée.

A qui revient la responsabilité du fiasco ? On a d'abord désigné le vice-président Richard Nixon, qui s'était entiché dès 1959 du projet d'invasion de Cuba. Puis on a montré du doigt le Président Eisenhower, qui avait officiellement approuvé l'opération, et le Président Kennedy, qui y avait donné son feu vert avant de faire son *mea culpa*. Mais aussi l'armée américaine, qui y avait prudemment coopéré, et la CIA, qui a reconnu publiquement en 1998 le rôle de premier plan qu'elle y avait tenu. Parmi les milliers d'articles consacrés au débarquement de la baie des Cochons, très peu ont évoqué la responsabilité des médias. Opportunément oubliée, dans ce déluge de récriminations, la presse y a cependant joué un rôle capital. Bien que les plans d'invasion lui étaient parfaitement connus, elle a choisi de taire au public ce secret de dupes que plusieurs gouvernements, ainsi que Fidel Castro lui-même, connaissaient parfaitement.

Parmi ceux qui savaient mais qui n'ont rien dit, le *New York Times*, le *Washington Post*, *Newsweek*, l'agence de presse Copley et bien d'autres... Le 19 novembre 1960, cinq mois avant l'opération, le magazine *The Nation* publiait des preuves selon lesquelles l'armée s'apprêtait à intervenir à Cuba, invitant les médias nationaux à approfondir l'enquête. Rien n'y a fait.

Le *New York Times* compte parmi les principaux dissimulateurs. En effet, ce quotidien disposait à l'époque d'informations de premier choix. Au début de 1961, un de ses journalistes rédige un article révélant l'implication de la CIA dans le projet d'intervention. A l'origine, le *Times* a prévu de le publier sur quatre colonnes à la une. Mais lorsque la Maison Blanche l'apprend, le Président Kennedy en personne décroche son téléphone et demande à James Reston, le directeur du bureau de Washington, de torpiller l'article. Ce dernier rend compte du coup de fil présidentiel à Orvil Dryfoos, le directeur de la publication, en lui suggérant d'atténuer les propos du journaliste et de retirer les références à l'invasion. En fin de compte, le texte est copieusement caviardé. Réduit à une seule colonne, il ne fait plus, à l'arrivée, aucune mention du rôle de la CIA ni de l'imminence de l'opération. *« Si vous aviez publié davantage d'informations sur l'intervention, vous auriez pu nous éviter une erreur monumentale »*[1], confiera par la suite John F. Kennedy à Turner Catledge, le directeur de la rédaction du *New York Times*. Aujourd'hui, tout le monde s'accorde à penser que si le quotidien avait publié ce qu'il savait, l'opinion publique aurait contraint le Président à faire marche arrière lorsqu'il en était encore temps.

Mais ce journal n'est pas seul a avoir appliqué la loi du silence. Comme le souligne David Halberstam, tous les grands médias *« se sont laissés embobiner par l'argument fallacieux de la sécurité nationale »*[2]. Pour tenter de se dédouaner, ils ont expliqué par la suite qu'ils s'étaient

1. Cité *in* David Halberstam *The Powers That Be*, Alfred A. Knopf, New York, 1979.
2. *Ibid.*

trouvés face à un dilemme : la sécurité nationale devait-elle primer sur l'information du public ? En posant cette question – à laquelle ils ont répondu par l'affirmative –, les journalistes ont failli à leur mission. La baie des Cochons avait peu à voir avec la sécurité du pays mais beaucoup avec ses intérêts.

C'est le Président Roosevelt qui a, le premier, popularisé l'expression « fouille-merde »[1] pour qualifier les journalistes ayant le mauvais goût de s'intéresser aux affaires de corruption affectant la vie publique. L'expression, qui a depuis fait florès, a suscité des réactions partagées au moment de son énoncé. Certains journalistes, comme Ida Mae Tarbell, ont été blessés par ce qui a résonné à leurs oreilles comme une injure. D'autres, comme Upton Sinclair, ont relevé le gant avec panache, reprenant le terme à leur compte. Aujourd'hui, les membres de la profession ne prisent guère ce titre, auquel il préfère celui de « journaliste d'enquête » ou « d'investigation ». Cela n'a pas empêché Jessica Mitford, l'un des plus grands noms du journalisme américain, d'assumer avec fierté son sacre, par le magazine *Time*, en temps que « reine des fouille-merdes ».

Les recherches préliminaires à mon livre *Stories That Changed America. Muckrakers of the 20th Century*[2] m'ont permis de mieux cerner l'évolution de la pratique journalistique au cours du XXe siècle. Les vingt sujets que j'ai retenus dans cet ouvrage ont eu une influence aussi déterminante que positive sur la société. Ils couvrent un vaste éventail de thématiques, de la corruption à l'écologie en passant par la

---

1. *Muckraker*, en anglais.
2. *Les Histoires qui ont changé l'Amérique. Les fouille-merdes du XXe siècle*, Seven Stories Press, 2000.

démographie ou les droits civiques. Bien qu'hétéroclites, toutes ces enquêtes ont un point en commun : elles ont contribué à faire de l'Amérique un pays plus agréable à vivre – ce qui est sans conteste un des objectifs de cette forme de journalisme. Il suffit, pour s'en convaincre, de considérer à quel point l'influence exercée par les articles des grandes signatures de l'époque est durable.

Ida Mae Tarbell a brisé le monopole de la Standard Oil.

Lincoln Steffens a dénoncé les malversations des grandes entreprises et des hommes politiques – des maires aux parlementaires.

Upton Sinclair, au terme d'une enquête clandestine, a révélé le scandale des viandes avariées reconditionnées, ce qui a conduit à la création de la Food and Drug Administration.

Margaret Sanger a ouvert la voie de la contraception aux Etats-Unis, tenant tête à la classe politique, à l'Eglise et aux censeurs.

Rachel Carson nous a fait prendre conscience des dangers que représentent les produits chimiques toxiques. Elle est à l'origine de la création de l'Agence de protection de l'environnement.

Edward R. Murrow a diffusé un reportage sur Joseph McCarthy qui a précipité la chute du sénateur anticommuniste et de son règne de terreur.

Betty Friedan a contribué à l'émergence du mouvement féministe, avec son livre *Feminist Mystique*.

Michael Harrington a décrit de manière si poignante l'univers invisible des indigents qu'il a directement inspiré l'adoption de mesures d'urgence contre la grande pauvreté et de programmes d'aide sociale.

Ralph Nader, qui s'est élevé contre les défauts de sécurité présentés par certaines voitures, a inspiré la création d'une myriade d'associations de consommateurs, mais aussi d'organisations citoyennes qui luttent contre la délinquance en col blanc, les dérives politiques ou les menaces écologiques.

En travaillant sur *Stories That Changed America : Muckrakers of the 20th Century*, j'ai constaté que les travaux de ce type se faisaient de plus en plus rares. Sur les vingt grandes enquêtes journalistiques que j'ai sélectionnées, quatre remontent aux deux premières décennies du XXe siècle. Ensuite, entre les années 1920 et les années 1950, seules trois histoires significatives ont marqué leur temps. Les années 1960 et 1970 sont, de loin, les plus riches en la matière : les treize autres reportages dont je fais état ont été publiés pendant cette période effervescente, dominée par le retour sur soi, l'idéalisme et le militantisme social. Révélée par Bob Woodward et Carl Bernstein, l'affaire du Watergate (1972-1973) en fait évidemment partie.

Le journalisme tel que le pratiquaient nos bons vieux fouille-merdes est mort avec Don Bolles. Journaliste à l'*Arizona Republic*, celui-ci enquêtait sur les relations occultes entre les entreprises, le monde politique et le crime organisé – un peu comme Lincoln Steffens à son époque. Don Bolles a été assassiné le 2 juin 1976 : une bombe télécommandée a fait sauter sa voiture. Ce drame a contribué à l'expansion de l'Association des journalistes d'enquête, un organisme à but non lucratif installé à l'université du Missouri qui a mis sur pied un centre de documentation ouvert aux journalistes de la presse écrite, audiovisuelle et en ligne.

Comparativement, les deux dernières décennies du XXe siècle font pâle figure. Les journalistes sont devenus des superstars, davantage soucieux de leur fortune personnelle que de l'information du public. Comme le confiait Don Hewitt, le producteur exécutif de *60 Minutes*, à Bill Moyers : *« Dans ce pays, les années 1990 ont été préjudiciables au journalisme mais fructueuses pour les journalistes. Nous avons le même niveau de vie que Jack Welch, le patron de General Electric. »* Ce à quoi Bill Moyers a répondu : *« C'est peut-être ce qui explique que nous ne lui posions jamais de questions embarrassantes. »*

Le journalisme a connu son âge d'or à une époque où de multiples conditions favorables étaient réunies : les enquêteurs étaient des professionnels consciencieux, les rédacteurs en chef et les directeurs de journaux des gens courageux, les politiciens comptaient dans leurs rangs des personnalités progressistes et l'opinion publique était toujours prompte à réagir. L'atmosphère actuelle est très différente : les journalistes, nantis de salaires astronomiques, sont dotés d'une éthique professionnelle à géométrie variable, le courage est une qualité qui se fait rare chez les patrons de presse, le climat politique est plutôt réactionnaire et l'opinion publique se laisse bercer par les ragots sur O. J. Simpson ou Monica Lewinsky.

Même les grands magazines d'information télévisés, qui ont bâti leur réputation sur des reportages journalistiques pugnaces autant qu'étayés, ont diminué d'un cran leurs ambitions. Beaucoup moins nombreuses, les grandes enquêtes ne sont plus prisées. Quant à celles qui sont diffusées, *« elles sont beaucoup moins explosives que ce qui se faisait auparavant,* reconnaît Mike Wallace, le célèbre présentateur de *60 Minutes. C'est une question de temps, d'argent et d'audimat »*[1].

---

1. Cité *in* Neil Hickey, « Where TV Has Teeth », *Columbia Journalism Review*, mai-juin 2001.

Au moins six grands facteurs contribuent au déclin du journalisme d'enquête en Amérique.

1. L'impact croissant des procédures judiciaires pesant sur les médias d'information. Au début des années 1990, la chaîne de supermarchés Food Lion a obtenu la condamnation de la chaîne ABC à 5,5 millions de dollars en contournant la législation sur la diffamation[1]. On reprochait à deux journalistes de s'être fait recruter comme ouvriers bouchers en dissimulant leur véritable statut. En 1905, Upton Sinclair avait utilisé la même technique pour réaliser son remarquable reportage sur les conserveries de viande de Chicago, dont il a rendu compte dans *La Jungle*. Cela avait alors permis au pays de se doter de ses premières lois sur l'hygiène alimentaire et pharmaceutique.

Au début du XXᵉ siècle, les entreprises américaines avaient recours aux agences de communication pour réduire les fouille-merdes au silence. Elles disposent désormais d'un moyen plus radical : les tribunaux.

2. Un second facteur tient à la concentration des grands groupes de communication. A l'heure où une poignée de conglomérats ont la haute main sur l'ensemble des circuits de diffusion de l'information, l'espace accordé aux discours réformistes se réduit à une peau de chagrin. Le spécialiste des médias Ben Bagdikian souligne, dans *The Media Monopoly*[2], qu'il y avait en 1993 cinquante groupes de communication importants. Désormais, ils ne sont plus qu'une demi-douzaine, qui plus est rattachés aux principaux poids lourds de l'industrie. Aucun journaliste

---

1. Le jugement a été annulé par une cour d'appel en octobre 1999, mais l'affaire a eu un effet dévastateur auprès des groupes de presse et de communication.
2. Beacon Press, 1997.

de NBC ne se risquerait, de nos jours, à proposer une enquête sur les radiations dégagées par les réacteurs nucléaires construits par General Electric, propriétaire de la chaîne.

Mine d'informations, tribune offerte aux voix discordantes, Internet offre un palliatif à l'autocensure institutionnelle. Ce nouveau support doit cependant améliorer les processus d'authentification des informations qu'il propose pour aspirer au statut de média d'information crédible.

3. Les enquêtes sont de plus en plus souvent le résultat d'un travail en équipe. Dix-neuf des vingt reportages cités dans *The Stories That Changed America. Muckrakers of the 20th Century* ont été réalisés par des journalistes travaillant en solo, souvent au prix d'immenses sacrifices, et une seule – celle du Watergate – par un collectif. Cette évolution s'est confirmée en 1999, lors de la remise des prix Pulitzer. En quatre-vingt-deux années d'existence, la commission du Pulitzer avait couronné essentiellement des journalistes ayant mené leur enquête seuls. Cette année-là, pour la première fois, une majorité (sept sur treize) des prix ont été remis à des entités collectives, autrement dit des équipes de journalistes. L'année suivante, les Pulitzer du reportage d'information, du reportage documentaire, du reportage national et du reportage international sont revenus à des équipes formées d'au moins deux journalistes.

Or les enquêtes qui dérangent ont plus de force lors qu'elles dépendent de la détermination d'un seul individu, poussé par sa conscience sociale et hermétique aux pressions de ses patrons.

4. L'avenir du journalisme d'enquête apparaît sombre au vu de l'arrêt rendu par la Cour suprême en 1988 dans l'affaire *District scolaire d'Hazelwood contre Kuhlmeier*.

La direction d'un lycée de la banlieue de Saint Louis avait empêché des élèves de consacrer des articles aux grossesses adolescentes et aux effets du divorce sur les élèves du secondaire dans le journal du lycée. Etrangement, cette infraction flagrante au premier amendement – une censure par autorisation préalable – a été totalement passée sous silence par les grands médias d'information. Malgré d'inlassables manifestations étudiantes, en dépit du tollé qu'a soulevé l'arrêt Hazelwood dans l'opinion publique, qui l'a jugé anticonstitutionnel, la décision de 1988 fait toujours jurisprudence. Elle confère aux administrateurs des établissements scolaires le pouvoir de censurer avant publication les journaux d'étudiants, rompant résolument avec la tradition selon laquelle les campus scolaires bénéficiaient eux aussi de la protection offerte par le premier amendement. Dorénavant, les futurs journalistes américains sont formés, dès le plus jeune âge, à considérer la censure comme faisant partie intégrante de l'exercice de leur profession.

5. L'opinion publique doute de l'aptitude des médias à remplir leur rôle de quatrième pouvoir. Confrontée à une information insipide et monocorde, dans laquelle elle ne reconnaît plus son quotidien, elle s'interroge sur la pratique actuelle du journalisme et remet en question l'éthique et les préoccupations des journalistes. En 1985, un sondage national révélait que 54 % des citoyens trouvaient la presse morale, tandis que 13 % la jugeaient immorale. En juin 2001, une étude de suivi a montré que ce rapport s'était inversé : 40 % la trouvaient immorale et il ne se trouvait plus que 38 % pour la soutenir[1]. Si la cote

---

1. « Public Support for Watchdogs Is Fading », *Columbia Journalism Review*, mai-juin 2001.

de confiance des médias d'information continue de s'éroder ainsi, ce sont aussi les enquêtes sur les viandes avariées ou sur les hommes politiques corrompus qui en pâtiront. Plus grave, le privilège constitutionnel dont jouit la presse pourrait finir par être un jour remis en cause. En juin 2001, le Forum des libertés a réalisé un sondage national pour savoir ce qu'inspirait aux Américains le premier amendement. Cette étude a mis en lumière un tragique désaveu : 39 % des sondés estiment en effet que ce texte va trop loin et que les droits qu'il garantit sont trop étendus. Un an plus tôt, ils n'étaient encore que 22 %.

6. En dernière analyse, c'est la logique même des médias – devenue strictement financière – qui soulève les plus graves inquiétudes sur l'avenir de l'enquête journalistique. La priorité des patrons de presse, c'est de maximiser les bénéfices qu'ils présenteront lors de l'assemblée trimestrielle des actionnaires. Contrairement à ce que certains observateurs se plaisent à penser, le devoir d'information n'est pas leur principale préoccupation. Cela n'a pas échappé aux journalistes : selon un sondage réalisé en 2000 par le *Pew Research Center* et la *Columbia Journalism Review* auprès d'un échantillon de quelque trois cents journalistes et responsables rédactionnels, plus d'un quart des personnes interrogées reconnaissent qu'elles évitent de traiter les sujets susceptibles de porter préjudice aux intérêts financiers de leur entreprise ou de ses annonceurs. En tout, 41 % des sondés avouent éviter intentionnellement des sujets dignes d'intérêt et/ou édulcorer leurs articles dans l'intérêt de leur entreprise.

La loi du silence filtre depuis les conseils d'administration des grands médias jusque dans les salles de rédaction. Un jeune enquêteur prometteur qui débarquerait aujourd'hui à ABC comprendrait sans tarder que le président du conseil d'administration de Disney – qui est aussi le propriétaire de la chaîne – apprécierait peu qu'il aille fourrer son nez à Disneyworld dans certains dossiers d'embauche discriminatoire. A l'heure où les mégafusions ont donné naissance à des multinationales tentaculaires telles qu'AOL Time Warner, Disney, General Electric, News Corporation, Viacom, etc., un enquêteur, aussi déterminé soit-il, ne fait pas le poids.

Qui, parmi les grands médias, serait prêt à commander demain une enquête qui viendrait actualiser l'*History of the Standard Oil Company* d'Ida Mae Tarbell ? Ce deuxième volume pourrait, par exemple, revenir sur la responsabilité de la compagnie pétrolière dans la conspiration qui a, dans les années 1930 et 1940, abouti à torpiller les projets relatifs à la mise en place de lignes de métro dans plus d'une centaine de villes américaines – ce que certains considèrent comme le plus grave crime économique de l'histoire américaine[1].

La suite de cette *History of the Standard Oil Company* révélerait aussi les relations déloyales – mais juteuses – que la compagnie a entretenues avec l'Allemagne nazie avant et pendant la Seconde Guerre mondiale. En 1933, par exemple, la Standard Oil du New Jersey a investi deux millions de dollars en Allemagne pour aider ce pays à fabriquer de l'essence à des fins militaires. Après l'accession d'Hitler au pouvoir, la firme a cédé à l'Allemagne les brevets d'un composant de base du carburant pour avions. En 1942, après l'entrée en guerre des Etats-Unis, alors que les Américains connaissaient les tickets de rationnement

---

1. En 1949, la Standard Oil de Californie et les autres entreprises impliquées ont été condamnées, pour conspiration, à une amende de 5 000 dollars chacune.

et faisaient la queue aux stations-service, la Standard Oil a expédié du carburant à l'ennemi en passant par la Suisse[1]...

Enfin, ce deuxième tome expliquerait comment la Standard Oil est parfaitement informée, depuis 1920, des dangers pour la santé publique que présente l'essence au plomb. Cela ne l'a pas empêché d'en poursuivre la commercialisation jusqu'en 1986 – date à laquelle ce carburant a été interdit – afin éviter à l'industrie automobile d'avoir à modifier ses moteurs. Dans les années 1960, la Standard Oil de Californie a commercialisé ce produit mortel avec un additif non polluant appelé le F-130. La publicité qui en vantait les mérites (*« Il nettoie votre moteur en tournant »*) était à ce point mensongère que la Commission fédérale de la concurrence l'a fait interdire.

Si un journaliste se lançait dans une telle enquête, quel média, en dehors de la presse alternative, aurait le courage de le publier ?

L'emprise qu'exercent des multinationales comme la Standard Oil sur le bien public ne date pas d'hier. Plusieurs de nos présidents nous ont déjà mis en garde contre ces dérives. Thomas Jefferson a dénoncé l'aristocratie des grandes entreprises qui défient les lois du pays. Abraham Lincoln nous a avertis que la concentration des richesses entre quelques mains pouvait mettre la république à mal. Dwight D. Eisenhower nous a mis en garde contre la domination du complexe militaro-industriel... Nous n'avons pas tenu compte de leurs avertissements. A présent, les dangers qu'ils redoutaient sont devenus une réalité aux Etats-

---

1. *Cf.* Charles Higam, *Trading with the Enemy*, Delacorte, New York 1982 ; Jeffrey Udon, « The Profits of Genocide », *Z Magazine*, mai 1996.

Unis. Quel média dominant se hasardera désormais à dénoncer l'OPA hostile des multinationales sur notre démocratie ?

Pour espérer inverser cette déplorable tendance, il est plus que nécessaire de redonner au journalisme d'enquête ses lettres de noblesse. En premier lieu, la presse serait bien inspirée d'entamer une autocritique, ce à quoi elle a énormément de mal à se résoudre. La frilosité des détenteurs de l'information apparaît clairement dans le long reportage consacré aux enquêteurs par la *Columbia Journalism Review*[1] – une revue qui se définit comme un observatoire des médias. A la question : *« Sont-ils une espèce en voie de disparition ? »*, le CJR répond avec pessimisme : *« La survie de cette forme de journalisme n'est pas assurée. »* Ce constat tragique, dans les pages d'une revue publiée par l'école de journalisme de l'université de Columbia, aurait dû, en toute logique, faire office de signal d'alerte pour la profession. Au lieu de quoi il n'a provoqué aucune réaction. Il est vrai que l'analyse du CJR a de quoi faire sourire : trop d'enquêtes, nous dit-on en substance, nuiraient à l'enquête.

Selon la *Columbia Journalism Review*, l'enquête journalistique serait omniprésente. On assisterait au *« déclin par dilution du journalisme vigilant »* au profit d'*« une culture de l'information basée sur la dénonciation »*, notamment parmi les médias d'information locaux et les magazines d'information populaires. Bref, la mort annoncée de ce genre – ô combien nécessaire – s'expliquerait par le flux incessant d'enquêtes – sur des sujets insignifiants – déversées sur les ondes. L'article s'abstient en revanche de faire la moindre allusion aux menaces que représentent,

---

1. Numéro daté de mai-juin 2001.

pour l'avenir des journalistes, les poursuites judiciaires, la concentration économique à outrance, le lavage de cerveau subi par les étudiants en journalisme ou les exigences de rentabilité financière.

Ce volumineux dossier sur la presse dominante, somme toute bien creux, ignore superbement l'existence d'une presse alternative en pleine expansion aux Etats-Unis. Il existe plus de deux cent cinquante titres de ce genre à travers le pays, depuis le *Boston Phoenix* jusqu'au *Village Voice* ou au *San Francisco Bay Guardian*, qui accueillent dans leurs colonnes une part importante d'enquêtes journalistiques. Le CJR ne mentionne pas davantage le Centre pour le journalisme d'enquête, une association basée à San Francisco. Fondée en 1977, elle a produit des centaines d'articles de premier plan sur l'argent en politique, l'environnement, la santé publique, la sécurité, les secrets d'Etat... Et bien sûr, pour en finir avec les omissions significatives du CJR, aucune mention de mon propre « bébé », Project Censored, l'initiative la plus ancienne en matière de recherche sur les médias d'information. Chaque année, l'association documente vingt-cinq sujets essentiels que les médias dominants ont passés sous silence.

Les grands médias et les chiens de garde du CJR finiront bien par reconnaître un jour que le problème est sérieux. Alors, peut-être, s'ouvrira un nouvel âge d'or. Avec des journalistes consciencieux pour nous fournir les faits. Des directeurs et des rédacteurs en chef courageux pour leur offrir une tribune. Une opinion publique prête à se mobiliser pour exiger des réformes. Et une classe politique responsable et volontaire. D'ici là, quels que soient les obstacles qui se dressent sur leur route, il se trouvera toujours des fouille-merdes convaincus pour dénoncer, parfois au prix de sacrifices personnels importants, les délits, les tours de passe-passe et les escroqueries qu'évoquait Joseph Pulitzer.

Jay Harris est l'une des rares personnes à avoir pris la mesure de la situation, et surtout a avoir eu le courage d'en parler haut et fort. Ancien directeur de la rédaction du *San Jose Mercury News*, il a préféré démissionner de son poste, le 19 mars 2001, plutôt que de licencier des employés sous prétexte de satisfaire aux exigences du groupe Knight Ridder, propriétaire du journal. Jay Harris a estimé que la presse, protégée par la Constitution, *« ne devrait pas être gérée en priorité selon la logique des marchés ni les diktats d'une poignée de gros actionnaires »*. Dans un discours prononcé devant l'Association américaine des rédacteurs de presse, peu après sa démission, il a mis en garde ses collègues : *« La tendance qui menace la mission historique de service public des journaux se dessine très clairement – à condition toutefois que nous acceptions de la voir en face. Si nous sommes décidés à nous faire entendre, nous avons la faculté d'inverser cette tendance. Bien entendu, nombreux sont ceux qui préfèrent pratiquer la politique de l'autruche. Les salaires mirifiques de nombreux cadres, au sein des entreprises de communication, y sont pour beaucoup : ces revenus sont devenus les chaînes des journalistes modernes. La profession s'est laissée bâillonner par le confort. »*

En fait, en donnant au terme « fouille-merde » une connotation péjorative, Teddy Roosevelt a commis un grossier contresens. C'est à l'occasion d'un discours informel prononcé en mars 1906 devant le Club Gridiron des journalistes, à Washington, qu'il s'est livré à cette comparaison pour la première fois. Il entendait alors comparer les enquêteurs à l'homme qui racle inlassablement la boue dans *Le Voyage du pèlerin*, de John Bunyan. Ce personnage, explique Roosevelt, ne *« peut regarder ailleurs que vers la terre, accroché qu'il est à son râteau. On lui a proposé une couronne céleste pour qu'il cesse de ratisser la boue, mais il refuse de lever le regard vers le ciel et de contempler la couronne qu'on lui offre, préférant continuer à racler pour lui-même la saleté du sol »*. Un mois plus tard, le 14 avril, alors qu'il pose la première pierre de la Chambre des représentants, le Président Roosevelt reprend ce discours très officiellement devant les journalistes. Il leur reproche, par cette formule, d'être si occupés à retourner la boue sous leurs pieds qu'ils ne voient même plus ce qui se fait de positif aux Etats-Unis.

Apparemment, Teddy Roosevelt n'a pas tout à fait compris ce que signifiait « l'interprète » du récit allégorique de John Bunyan. Celui-ci exalte en réalité les vertus de la pauvreté et du dénuement. Il enseigne que les riches ne pensent qu'à regarder par terre pour ratisser plus de richesses encore, alors qu'ils devraient lever la tête vers le ciel pour apercevoir la beauté céleste qui leur est offerte. A cet égard, le roi des fouille-merdes de l'époque était sans doute John D. Rockefeller. Sûrement pas Lincoln Steffens.

Peu après le déclenchement du premier conflit terroriste du XXIe siècle, je me suis souvenu de ce que disait le sénateur Hiram Johnson pendant la Première Guerre mondiale : *« En temps de guerre, la première victime est la vérité. »* En Amérique, la deuxième victime sur la liste risque fort d'être le premier amendement. Tant de choses ont été bouleversées depuis le 11 septembre 2001...

Le flux des informations qui circulent librement aux Etats-Unis a été réduit à un mince filet, soigneusement contrôlé.

Le Président des Etats-Unis affirme ne pouvoir faire entièrement confiance qu'à huit parlementaires.

Le procureur général somme le Congrès de voter, sans débat, la très controversée « loi antiterroriste ».

La conseillère à la Sécurité nationale donne la consigne aux chaînes de télévision de ne pas diffuser les conférences de presse des chefs talibans, sous prétexte qu'elles pourraient contenir des messages codés.

L'armée explique à la presse que ce conflit *« n'est pas une guerre comme les autres »* et qu'en conséquence, il ne saurait être question de respecter l'accord de 1992 assurant aux médias un plus large accès aux informations.

Le Département d'Etat interdit aux stations de la radio *Voice of America* de diffuser une interview du chef taliban Mollah Omar.

Le porte-parole du Président Bush somme les médias, et tous les Américains avec eux, de faire attention à ce qu'ils disent et à ce qu'ils font...

Ce sont là des signes terriblement inquiétants pour une démocratie. Si nous sommes unis par une même volonté de faire comparaître les terroristes devant la justice, nous ne devons pas pour autant nous laisser déposséder passivement de nos droits élémentaires et de nos libertés fondamentales.

Le patriotisme ne peut faire office de prétexte à la censure. C'est pourquoi Project Censored joue un rôle déterminant. Installé à l'université d'Etat de Sonoma, en Californie, ce centre de recherche sur les médias est un système d'alerte avancé dont la vocation est de signaler, dès leur apparition, les problèmes qui nous menacent. Au fil des ans, nous nous sommes efforcés d'éclairer la société américaine quant aux nombreux défis qui se posent à elle. L'un d'eux concerne la menace d'attaques biologiques ou chimiques sur les Etats-Unis. Au cours de ces dix dernières années, Project Censored a soulevé ce thème par sept fois. Dès 1981, un de nos articles rapportait que la CIA avait conservé des stocks d'armes biologiques, et ce malgré l'interdiction adoptée en 1969 à la suite des pressions de l'opinion publique. Un autre article, daté de 1998, révélait en outre que les armes biologiques en possession du régime irakien, tant recherchées par les inspecteurs des Nations unies, avaient en fait été fournies par des entreprises américaines[1].

En 1984, Project Censored dévoilait que les Etats-Unis avaient secrètement fourni aux moudjahidine afghans une aide financière occulte de quelque trois cents millions de dollars, soit beaucoup plus que les vingt-quatre millions alloués à la Contra nicaraguayenne – ce qui, déjà, avait soulevé un tollé dans l'opinion. Et en 1989, nous avons relayé un reportage censuré décortiquant le traitement partial, par *CBS News*, de la première guerre d'Afghanistan. Le parti pris de la chaîne en faveur de la résistance afghane avait conduit à de multiples dévoiements de l'information. Ironie du sort, un des articles recensés par Project Censored racontait comment le Pentagone avait proposé la création, dans l'intérêt de la défense du pays, d'un organisme spécialisé dans la lutte antiterroriste. La proposition avait été rejetée.

---

1. De même, les talibans disposaient de missiles sol-air Stinger fournis par les Etats-Unis. En 1993, un article qui relatait les efforts désespérés de la CIA pour tenter de racheter des centaines de missiles qu'elle avait elle-même livrés secrètement aux rebelles afghans quelques années plus tôt a été censuré.

Les événements dramatiques du 11 septembre 2001 ont traumatisé beaucoup d'Américains. Comment était-il possible qu'on les haïsse à ce point ? Peut-être un élément de réponse est-il à rechercher dans un article censuré de 1999, qui démontre comment l'actualité internationale a peu à peu disparu des journaux américains dans les années 1970, au lendemain de la guerre du Vietnam. Le journaliste Peter Arnett[1] pointe l'une des raisons qui font que les Américains sont de moins en moins informés sur ce qui se passe dans le reste du monde : *« La plupart des journaux, des magazines et des chaînes de télévision du pays cherchent à augmenter leurs parts d'audience. Aussi concoctent-ils au public un régime à base de faits divers, de ragots mondains et de divertissements, dont ils prennent soin d'exclure les sujets plus solides.[2] »*

Bien sûr, je ne veux pas dire que nous aurions évité ces actions terroristes si la presse nous avait fourni une couverture plus étayée de l'actualité au Moyen-Orient, mais peut-être aurions-nous été plus vigilants et mieux préparés. Plutôt que de nous informer sur les véritables enjeux du moment, les médias d'information ont distrait notre attention. C'est ce que nous avons baptisé, à Project Censored, « la malinformation » : un flot ininterrompu de cancans sur O. J. Simpson, le bug de l'an 2000, Monica

---

1. Seul journaliste américain présent en Irak durant la première guerre du Golfe, Peter Arnett a été licencié par CNN en 1998 pour avoir révélé l'usage, par l'armée américaine de gaz neurotoxiques durant ce conflit. Il est à nouveau placé sur la liste noire en mars 2003 – par NBC, cette fois –, après avoir accordé une interview à la télévision irakienne et émis des doutes sur la stratégie militaire américaine en Irak.
2. Cité *in* Peter Philipps, *Censored 2000 : the Year's Top 25 Censored Stories*, Seven Stories Press, New York, 2000. Cité *in* David Halberstam, *The Powers That Be*, Alfred A. Knopf, New York, 1979.

Lewinsky, les émissions de « télé-réalité », etc. Tout comme nous avons surmonté Pearl Harbour, nous surmonterons les attentats du 11 septembre. Mais en aucun cas nous ne devons nous laisser terroriser au point de renoncer aux droits fondamentaux qui nous sont garantis par la Constitution.

Carl Jensen

Pendant les massacres, le spectacle continue

LA CIA HORS LA LOI

À l'heure où vous lisez ces lignes, la CIA commet des centaines de crimes et de délits aux quatre coins de la planète. En notre nom. A nos frais. A notre insu. Cette information ne provient ni de Seymour Hersh – le journaliste qui a révélé le massacre de My Lai, au Vietnam – ni d'Amnesty International. C'est la CIA elle-même qui l'affirme, si l'on en croit la commission sur le renseignement de la chambre des représentants. *« Le SC [service clandestin de la CIA] est la seule composante de la CR [communauté du renseignement], voire de l'Etat, dans laquelle des centaines d'employés reçoivent chaque jour l'ordre de commettre de très graves infractions à la législation des pays du monde entier*, peut-on lire dans une étude de la commission. *On peut estimer sans grand risque d'erreur que plusieurs centaines de fois par jour (soit 100 000 fois par an au bas mot), des agents de la DO*

*[Direction des opérations] se prêtent à des activités haute-
ment illégales[1] ».*

Dans ce texte, les pouvoirs publics reconnaissent pour
la première fois le caractère délictueux des opérations de
subversion menées par la CIA, tout en indiquant – sans
motiver leur avis – que celles-ci seraient rendues nécessaires par les impératifs de la sécurité nationale. Loin de
formuler une quelconque objection juridique ou éthique à
ces délits, la commission va jusqu'à s'apitoyer sur la triste
condition des agents de la CIA contraints de transgresser la
législation d'Etats peu compréhensifs. *« Un agent clandestin type de 28 ans se trouve plusieurs fois par semaine placé
dans des situations où, par manque de métier ou par inat-
tention, il risque de mettre son pays et son Président dans
l'embarras et de contribuer malgré lui à l'arrestation ou à
l'exécution d'autres agents »*, déplore le rapport.

Cent mille crimes et délits par an ! Une affaire assez
grave pour entraîner une enquête approfondie ou, à tout le
moins, provoquer un débat national. En quoi ces infractions servent-elles la sécurité nationale ? Personne n'a
posé la question. Et la commission s'est bornée à déclarer
que ces actes revêtent, au fond, une importance mineure
dans la mesure où ils n'enfreignent jamais que des législa-
tions étrangères. Voilà qui fait froid dans le dos, à l'heure
où l'opinion internationale reproche à l'Amérique de
détourner le droit en fonction de ses intérêts. Quelles sont
les répercussions diplomatiques d'une telle politique ?
Quelle nation accepterait sans broncher que sa législation

---

1. Commission d'enquête de la Chambre des représentants sur le renseignement,
IC 21 : The Intelligence Community in the 21ˢᵗ century, GPO, Washington DC, 9 avril
1996.

soit foulée aux pieds dans l'intérêt présumé de la sécurité nationale des Etats-Unis ?

Pas une ligne n'a été publiée sur cette affaire, pas même dans la presse alternative. Le rapport parlementaire évoque pourtant des assassinats, et précise en outre que *« le SC vise de plus en plus souvent des cibles internationales, ce qui impose une présence renforcée à travers le monde ».* Il n'est plus question d'une centrale de renseignements mais d'un service « action » habilité à commettre des crimes de sang tout en bénéficiant d'une solide impunité. Et de la bénédiction du Congrès.

D'autres documents officiels, dont des rapports de la CIA elle-même, viennent encore noircir le tableau. Ils indiquent que l'Agence s'est rendue coupable d'actes de terrorisme, d'assassinats, de tortures, de violation systématique des droits de l'homme... Une enquête réalisée en 1996 – l'année où la commission de la Chambre des représentants a publié son rapport – par l'Intelligence Oversight Board (l'IOB, l'organe présidentiel de surveillance des services de renseignements) établit, par exemple, qu'au Guatemala *« plusieurs agents occultes ont fait l'objet d'accusations crédibles selon lesquelles ils auraient planifié ou participé, à l'époque où ils émargeaient à la CIA – et alors que l'Agence était au courant de la plupart de ces accusations – à de graves violations des droits de l'homme telles que des assassinats, des exécutions extrajudiciaires ou des enlèvements »*[1]. Et le rapport d'enquête de l'IOB de poursuivre : *« Parmi les allégations les plus graves portées contre des correspondants occultes de la CIA en activité au*

---

1. *Intelligence Oversight Board : Rapport sur la situation guatémaltèque,* 28 juin 1996.

moment des faits, certaines impliquent un agent qui aurait,
à plusieurs reprises, ordonné et planifié des assassinats
d'opposants politiques ainsi que des exécutions extrajudi-
ciaires. Il se serait également prêté à diverses activités illé-
gales qui sont moins précisément documentées. Si une part
de ces allégations provient de sources dont la fiabilité est
indéterminée ou suspecte, d'autres émanent en revanche
d'un informateur qui était à l'époque réputé crédible par
l'antenne de la CIA. *D'autre part, un deuxième agent occulte*
aurait planifié ou eu connaissance, avant et pendant sa
relation avec l'Agence, de plusieurs assassinats ou tenta-
tives d'assassinat. Un troisième aurait, quant à lui, parti-
cipé à des assassinats, des exécutions extrajudiciaires et
des enlèvements. »

D'autres documents émanant de la CIA prouvent qu'en
1954, celle-ci a créé, entraîné et armé des escadrons de la
mort au Guatemala, dans le cadre d'une opération de
déstabilisation du gouvernement démocratiquement élu
qui a conduit au coup d'Etat. Ces groupes étaient dirigés
par les services de sécurité guatémaltèques, eux-mêmes
contrôlés par la CIA. L'IOB rapporte qu'« *il était de notoriété*
publique, parmi tous les connaisseurs du Guatemala, que
les services de sécurité et le ministère de la Sécurité prési-
dentielle présentaient un bilan sinistre en matière de viola-
tion des droits de l'homme. Le gouvernement américain,
qui était au courant des liens que la CIA *entretenait avec ces*
services, n'ignorait rien de leurs pratiques ». L'IOB ajoute
que la CIA considérait les services de sécurité guatémaltèques comme ses «*partenaires* ». Elle leur a fourni des
financements «*vitaux* », même après l'interruption officielle de l'aide américaine pour cause de violation systématique des droits de l'homme. Cela revient à admettre

que la CIA a mené une politique étrangère autonome, sans craindre de contrevenir à la politique officielle du gouvernement américain. L'IOB précise encore que la CIA a bien soulevé la question des droits de l'homme auprès de ses correspondants guatémaltèques, *« mais que des violations flagrantes se sont poursuivies, d'autant que certains des plus proches contacts de l'Agence dans les services de sécurité de ce pays étaient eux-mêmes parties prenantes au problème »*.

Des officiers de l'Agence ont par la suite été promus pour leur politique de recrutement, sans que quiconque s'émeuve des antécédents criminels des *« informateurs »* ainsi appointés. L'IOB met en lumière que, contrairement à ce qu'a prétendu la commission parlementaire, la CIA a commis nombre d'infractions à la loi américaine. Un inspecteur général de ce service ne rapporte-t-il pas qu'au Honduras, des agents occultes de la CIA intervenant au plus haut niveau ont mis sur pied et organisé un escadron de la mort, appelé le Bataillon 316, qui, selon le gouvernement de ce pays, a massacré au moins cent quatre-vingt-quatre personnes ?[1] Une étude confidentielle de la CIA établit que les scénarios guatémaltèque et hondurien ont été reproduits dans toute l'Amérique latine. Plus de mille informateurs, qualifiés de *« personnages infréquentables »*, ont été employés dans le monde entier. Les dirigeants de la CIA eux-mêmes ont prétendu être *« étonnés »* du grand nombre de tortionnaires que leur service avait employés comme informateurs[2].

---

1. CIA, bureau de l'inspecteur général, *Selected Issues Related to CIA activities in Honduras since the 1980s*, 27 août 1997, 996-0125-IG.
2. R. Jeffrey Smith, « CIA Drops over 1 000 Informants », *Washington Post*, 27 mars 1997.

Toutes ces découvertes ne sont pas pour inquiéter la commission de la Chambre des représentants. Celle-ci ne délivre aucune recommandation à la CIA. Elle ne l'enjoint ni de mettre un terme à ces abus ni de les restreindre. Au contraire, elle estime que si l'Agence devait renoncer à ses activités illégales, « *le contribuable américain pourrait tout aussi bien se passer d'un service clandestin* »[1]. De son côté, la commission sur le renseignement du Sénat entreprend de rédiger une proposition de loi visant à assurer l'immunité aux agents de la CIA qui enfreindraient à l'avenir, dans le cadre de leurs missions, les dispositions des traités et accords internationaux. Le texte sera voté par les deux chambres du Congrès. Et le Président Bill Clinton le ratifiera le 27 décembre 2000.

Devenu l'article 308 de la loi de programmation des services de renseignements pour l'exercice budgétaire 2001, cet amendement dispose : « *Aucune loi fédérale établissant un traité ou un accord international qui serait votée à partir de la date d'entrée en vigueur de la présente loi de programmation ne pourra être interprétée comme rendant illégale une activité de renseignement du gouvernement des Etats-Unis, ni de ses employés, ni de toute autre personne agissant pour le compte et sur instruction du gouvernement des Etats-Unis, à moins qu'une telle loi fédérale ne concerne directement ce type d'activité de renseignement.* »[2]

Vous avez bien lu ! Pris littéralement, cet amendement signifie que la Constitution ne s'applique ni à la CIA, ni à aucun employé des services de renseignements améri-

---

1. *IC 21 : The Intelligence Community in the 21st century, op. cit.*
2. Loi publique 106-567, 106e législature, 114 Stat. 2843 (27 décembre 2000), Article 308, *Applicability to Lawful United States Intelligence Activities of Federal Laws Implementing International Treaties and Agreements.*

cains, ni même à leurs crapuleux correspondants. Pourquoi ? Parce que la Constitution stipule clairement que les traités constituent « *la loi suprême du pays* ».

Bien que l'article 308 s'applique aux traités et accords futurs, l'histoire récente laisse à penser que la CIA s'en prévaudra rétroactivement. Les exemples d'amnistie sont légion qui montrent que ce service est régulièrement autorisé à s'affranchir du droit international. En avril 2000, par exemple, au terme d'une opération téléguidée par la CIA, un avion transportant des missionnaires américains est abattu au-dessus du Pérou. Une jeune femme, Veronica Bowers, et sa fille de 17 mois perdent la vie dans la catastrophe. Le pilote est, lui, grièvement blessé. Or six ans plus tôt, en totale infraction avec le droit international, le Congrès a voté une loi permettant à l'Agence de mener des missions contre les avions civils soupçonnés de transporter des stupéfiants, l'exonérant par avance de toute responsabilité en cas de « bavure ». Aussi, aucune poursuite ne viendra sanctionner ce crime que la commission sénatoriale sur le renseignement attribue pourtant à la CIA[1].

L'article 308 est également invoqué pour couvrir les infractions de l'Agence à la législation de pays étrangers, en dehors de tout traité ou accord international. Selon un rapport de la Fédération des scientifiques américains, « *un parlementaire a déclaré que cette nouvelle disposition devenait urgente, dans la mesure où la CIA exerce de façon routinière des activités délictueuses à l'étranger* »[2]. Les commissions sur le renseignement du Sénat et de la

---

1. Alan Spiress et Karen DeYoung, « CIA Failed to Identify Plane Downed in Peru », *Washington Post*, 24 avril 2001.
2. Steven Aftergood, « Secrecy and Government Bulletin », *Federation of American Scientists*, n° 84.

Chambre insistent sur le fait qu'à l'inverse, les pays étrangers ne pourront se prévaloir du principe énoncé à l'article 308 : « *Ce texte n'a pas été conçu pour qu'un individu enfreignant la législation américaine puisse faire valoir l'autorisation d'un Etat étranger pour justifier une telle infraction.* » [1]

Du sur mesure !

Je me tourne vers Vernon Loeb, le spécialiste de la CIA au *Washington Post*. Celui-ci reconnaît volontiers les dangers que comporte l'article 308, d'autant que le texte a été adopté sans le moindre débat. Cependant, dans aucun des articles qu'il consacrera à la loi de programmation il ne mentionnera l'amendement controversé.

Aux Etats-Unis, personne n'est au-dessus des lois sauf la CIA. Le 4 mai 2000, en rédigeant l'article 308, la commission sénatoriale sur le renseignement a entériné le statut hors la loi de l'Agence [2]. Dès 1987, en déclarant que certaines lois « *ne sont pas applicables au gouvernement américain* »[3], Stanley Sporkin, un avocat conseil de la CIA, avait tracé les grandes lignes de son raisonnement.

---

1. Commission d'enquête de la Chambre des représentants sur le renseignement, *Intelligence Authorization Act for Fiscal Year 2001*, rapport de conférence, 106e législature, deuxième session, rapport 106-969, GPO, Washington DC, 11 octobre 2000.

2. Commission sénatoriale sur le renseignement, *Authorizing appropriations for Fiscal Year 2001 for the Intelligence Activities of the United States Government and Central Intelligence Agency Retirement and Disability System and for other Purposes*, 106e législature, deuxième session, rapport 106-969, GPO, Washington DC, 4 mai 2000.

3. Auditions devant la commission d'enquête parlementaire sur les transactions clandestines d'armes avec l'Iran et devant la commission d'enquête sénatoriale sur l'aide militaire secrète à l'Iran et à l'opposition nicaraguayenne, *Iran-Contra Investigation*, 100e législature, première session, rapport sénatorial n° 100-216, rapport de la Chambre n° 100-433, témoignage de Stanley Sporkin et exposé de W. Neil Eggleson, 24 juin 1987, GPO, Washington DC, 1988.

Comme on le voit, l'article 308 n'a été créé que pour venir légaliser une situation de fait.

Le scandale ne s'arrête pas là. Considérant sans doute que l'impunité *de facto* (pour avoir commis cent mille infractions par an depuis des années) et *de jure* (lui permettant de violer les traités internationaux) accordée à la CIA ne suffit pas à lui permettre d'assurer efficacement la sécurité nationale, les commissions parlementaires réclament la levée de toutes les restrictions relatives au recrutement d'une catégorie d'informateurs dits *« infréquentables »* : ceux-là mêmes qui commettent des assassinats et des actes terroristes dans le monde entier au nom de la CIA. Dans leurs recommandations, elles préconisent de faire du *« recrutement actif d'informateurs terroristes ayant perpétré des violations des droits de l'homme [une des] grandes priorités »* de l'Agence. Selon les parlementaires, *« il est incontestable que, pour mener des activités de renseignements énergiques et efficaces, les Etats-Unis se trouveront parfois contraints de s'attacher les services de personnages infréquentables et extrêmement dangereux »* [1]. Comme à leur habitude, les commissions n'apportent aucune démonstration à l'appui de leur propos.

D'ailleurs, les restrictions auxquelles elles s'attaquent n'ont rien de très contraignant. Il s'agit de simples directives sur l'embauche des informateurs que John Deutch, l'ancien patron de la CIA, a diffusé après que les activités d'un « honorable correspondant » particulièrement infréquentable avaient été rendues publiques. Le colonel guatémaltèque Julio Alpirez, qui avait touché 40 000 dollars de la CIA, s'était en effet retrouvé directement impliqué dans la torture et l'assassinat de Michael Devine, un

---

1. *Intelligence Authorization Act for Fiscal Year 2001, op. cit.*

restaurateur américain, et d'Effrain Bamaca, un leader de la guérilla marié à une avocate américaine. Dans la foulée, la CIA a découvert que ses services employaient dans le monde entier plus d'un millier d'informateurs de cet acabit. Elle les a alors renvoyés, arguant des opérations délictueuses dont ils s'étaient rendus coupables – souvent à son instigation –, tout en continuant à en embaucher de nouveaux – à la différence près qu'elle les soumet désormais à une période probatoire de six mois.

Mais quelques mois plus tard, le Congrès préconise l'abrogation de ces directives et appelle, au contraire, au recrutement actif d'informateurs. George Tenet, le successeur de John Deutch, s'empresse de s'exécuter et, selon toute probabilité, recycle même certains des informateurs précédemment renvoyés. Pour bien signifier qu'il compte renouer avec la bonne vieille tradition d'assassinats et de coups tordus, il décerne même la médaille du renseignement de la CIA à Terry Ward, un agent licencié en raison, notamment, de son implication dans la mort de Michael Devine et Effrain Bamaca[1].

Récemment, les personnages infréquentables sont devenus des informateurs indispensables. Prétexte invoqué : il faut des gens bien introduits pour infiltrer un milieu clandestin, et qui est mieux placé qu'un terroriste pour infiltrer un réseau terroriste ? *« Il est navrant de constater que les individus bénéficiant d'un passé irréprochable ne livrent que rarement les informations indispensables aux actions antiterroristes des Etats-Unis »*[2],

1. Tom Blanton, « Hardly a Distinguished Career », *Washington Post,* 14 mars 2000.
2. *Intelligence Authorization Act for Fiscal Year 2001, op. cit.*

justifient les commissions sans étayer leur analyse. C'est bien dommage, car il semble au contraire que rien ne démontre l'efficience des sources infréquentables : dans son enquête sur le millier d'informateurs qu'elle a renvoyés, la CIA révèle en effet que 90 % des renseignements que ces derniers lui avaient fournis se sont avérés « *inexploitables* »[1].

Personne, pas même le Congrès ni le Président, n'a l'autorité morale ou juridique de recruter des criminels, même s'ils représentent des sources cruciales d'information sur le terrorisme. Les Etats-Unis ne sauraient se prévaloir de leur statut de première puissance mondiale pour agir comme bon leur semble. Notre gouvernement se comporte pourtant comme s'il disposait de cette prérogative, et ce sans que la presse ne s'en émeuve le moins du monde. Pas une brève, ni *a fortiori* la moindre analyse, n'est jamais parue sur cette affaire. Les journalistes n'ont pas réagi en apprenant que la CIA recrutait ses informateurs parmi les terroristes et aucun média ne s'est interrogé sur le contrôle de telles activités.

L'IOB souligne que les informateurs de la CIA sont en fait chargés non pas de la collecte de renseignements mais de la mise en œuvre de la politique délictueuse de l'Agence. L'ancien ambassadeur Robert White en convient. Celui-ci reconnaît que le Panaméen Manuel Noriega, le colonel guatémaltèque Julio Alpirez, le général hondurien Gustavo Alvarez Martinez, le colonel salvadorien Nicolas Carranza ou encore l'Haïtien Emmanuel Constant, tous connus pour leurs violations répétées des droits de

---

1. *In* R. Jeffrey Smith, *op. cit.*

l'homme, ont été des informateurs de la CIA *« bénéficiant d'arrangements contractuels avantageux avec l'Agence, non pas parce qu'ils étaient des sources d'information particulièrement déterminantes mais parce qu'ils faisaient office d'agents d'influence qui, moyennant salaire, favorisaient la politique défendue par la CIA dans leur pays »*[1]. Robert White ajoute que lorsque la CIA s'est trouvée en mesure de fournir aux autorités des renseignements en matière de contre-terrorisme, elle s'en est abstenue. A l'époque où lui-même était ambassadeur au Salvador, il a reçu des ordres directs de la Maison Blanche lui demandant de faire tout son possible pour limiter les violations des droits de l'homme par l'armée. Aussi en 1980, après l'assassinat de l'archevêque Oscar Romero, Robert White a ordonné au chef de l'antenne de la CIA de recueillir des informations sur les projets des leaders de la droite radicale. *« Avec l'entier soutien de son siège, le chef d'antenne a refusé sous prétexte que cela ne relevait pas de la mission de la CIA »*, affirme l'ancien ambassadeur, qui révèle en outre que la CIA a mené sa propre politique proterroriste en Haïti, au point *« d'embaucher une brute épaisse que l'Agence a rémunéré pour persécuter et assassiner les partisans du Président Aristide »*.

La même chose s'est déroulée en Bosnie. Selon Richard Nuccio, un ancien haut fonctionnaire du Département d'Etat, lorsque la CIA a reçu l'ordre de contribuer à identifier les criminels de guerre, elle a refusé d'obtempérer car cela aurait *« compromis sa capacité de recrutement »*[2] dans les Balkans. Richard Nuccio assure

---

1. Robert E. White, « Call Off the Spies », *Washington Post*, 7 février 1996.
2. Tim Shorrock, *White House Feuding with CIA over Guatemala Killings*, Inter-Press Service, 14 juin 1999.

également que la CIA a mené sa propre politique au Guatemala, au point de favoriser la poursuite d'activités terroristes et de faire obstruction aux tentatives américaines de médiation. « *En refusant de couper les ponts avec les tortionnaires des services secrets guatémaltèques, la CIA a systématiquement défié les initiatives américaines visant à mettre un terme à la guerre civile* », ajoute-t-il.

Les attentats du 11 septembre 2001 démontrent que ni l'impunité pénale que la CIA s'est forgée, ni les centaines de milliers de délits et de crimes qu'elle commet, ni le recours à des terroristes comme informateurs n'ont payé. Ancien chef des opérations de contre-terrorisme dans ce service, Vincent Cannistraro le reconnaît d'ailleurs : « *La catastrophe qu'ont provoquée les attentats terroristes sur le Pentagone et sur les tours jumelles démontre que les Etats-Unis n'ont fait que très peu de progrès pour comprendre et dissuader la menace des différents extrémismes fondamentalistes.* »[1] Au bout du compte, en donnant naissance à des mouvements qu'elle manipule, tels que les talibans afghans, la CIA a surtout contribué à menacer la sécurité intérieure des Etats-Unis.

La première tentative de l'Agence pour s'assurer une impunité *de jure* remonte au 1ᵉʳ mars 1954. Ce jour-là, l'avocat conseil de la CIA, Lawrence Houston, fait parvenir au procureur général adjoint, William Rogers, un protocole d'accord qui autorise l'Agence à juger elle-même les infractions à la loi fédérale commises par ses employés[2].

---

1. Vincent Cannistraro, « Undetected at Home », *Washington Post*, 12 septembre 2001.
2. Protocole d'accord à l'intention du procureur général adjoint, ministère de la Justice, Washington DC. Signalement des infractions pénales au ministère de la Justice, Lawrence Houston, 1ᵉʳ mars 1954.

Ce dernier n'y apportera jamais de réponse mais, comme le révélera vingt ans plus tard Lawrence Houston à la députée Bella Abzug, la CIA a considéré ce silence comme un feu vert. « *Pensez-vous que ce protocole conférait à la CIA l'autorité d'assurer l'immunité à des individus travaillant pour elle pour toutes sortes de délits et de crimes, y compris le meurtre ?* lui demandera Bella Abzug.

– *Il est possible qu'il ait eu cet effet,* répondra Lawrence Houston.

– *A-t-il eu cet effet ?* insistera-t-elle.

– *Dans certains cas, oui...* »[1]

En 1947 déjà, deux mois seulement après la création de la CIA, le premier directeur de l'Agence, Roscoe Hillenkoetter, avait voulu savoir si la « propagande noire » (autrement dénommée : opérations psychologiques) et les opérations de subversion (ou opérations spéciales) figuraient parmi les prérogatives de son service. A cette époque, le ministre de la Défense, James Forrestal, venait de demander à la CIA de lancer des opérations de subversion en Europe[2]. C'est justement Lawrence Houston qui avait répondu à sa requête : « *A notre avis, ces deux types d'activité constitueraient une extension non explicitement autorisée des fonctions consenties aux termes de l'article 102(d), paragraphes 4 et 5. Nous fondons cette conclusion sur la façon dont nous comprenons l'intention du Congrès au moment où ces dis-*

---

1. Chambre des représentants, sous-comité sur l'information du gouvernement et les droits de la personne, auditions. *Justice Department Handling of Criminal Case Involving CIA Personnel and Claims of National Security,* 94ᵉ législature, 1ʳᵉ session, GPO, Washington DC, 22 juillet 1975.

2. Quelques mois plus tôt, pourtant, le même Forrestal, témoignant sous serment devant le Congrès, avait affirmé que la CIA se limiterait à coordonner les services secrets et qu'elle n'interviendrait pas même dans la collecte de renseignements – *a fortiori* dans des opérations.

positions ont été adoptées. Une analyse des débats montre en effet que le Congrès voulait avant tout d'une agence qui serait chargée de coordonner les services secrets. A l'origine, il n'envisageait pas de confier à la CIA des activités de collecte du renseignement à l'étranger. Les fortes pressions exercées en faveur de cette perspective ont échoué et, pour parvenir à un compromis, les paragraphes 4 et 5 de l'article 102(d) ont été votés, ce qui a permis au Conseil de la sécurité nationale de définir le champ d'application des activités dévolues à la CIA. Nous ne pensons pas que le Congrès ait jamais envisagé que l'agence centrale du renseignement placée sous son autorité s'engagerait dans des actions de subversion et de sabotage. Le vif débat sur le service de propagande étrangère du Département d'Etat, qui a eu lieu à peu près à la même époque, tend à confirmer notre opinion. Les brèves auditions confidentielles et les débats budgétaires portant sur l'allocation de fonds secrets aux opérations psychologiques ("propagande noire") et aux opérations spéciales (opérations de subversion) vont également dans ce sens. [...] Nous pensons que ceci constituerait un usage non autorisé des fonds consentis à la CIA. Nous en concluons donc que la CIA ne doit pas entreprendre d'opérations psychologiques ni d'opérations spéciales sans en informer préalablement le Congrès et obtenir son approbation. [...] Pris hors contexte et à supposer que l'on ne connaisse pas l'histoire qui a présidé à l'élaboration de cette loi, ces paragraphes pourraient bien sûr donner lieu à toutes les interprétations. »

Effectivement, en dépit de cette mise en garde, le Conseil de la sécurité nationale ne se privera pas d'interpréter lesdits paragraphes à sa guise. En décembre 1947, il se prévaut des « *dispositions de l'article 102(d) 5 de la loi sur la sécurité nationale »* pour ordonner à la CIA de lancer un programme clandestin de guerre psychologique contre l'Union soviétique. En juin 1948, il invoque le même article dans sa directive destinée à étendre les actions clandestines de la CIA à des opérations paramilitaires, économiques et politiques. Ce programme sera étendu et renforcé en 1955 par la directive 5412/2, qui s'appuie une nouvelle fois sur l'article 102.

Lawrence Houston a pourtant établi sans ambiguïté que la CIA n'était nullement habilitée à mener des opérations de subversion. Il a réitéré cet avis en 1962, en dénonçant le coup d'Etat fomenté par la CIA au Guatemala en 1954 ainsi que le débarquement de la baie des Cochons, à Cuba, qu'il a qualifié d'opération criminelle : *« Aucune agence ne dispose d'une autorité statutaire l'autorisant à mener de telles activités. Lorsque la loi de sécurité nationale a été votée, en 1947, le champ d'application de l'article 102 instituant la CIA limitait les prérogatives de l'Agence à "l'exercice de fonctions de renseignements". La formulation du paragraphe 5 de l'article 102(d) – "pour accomplir d'autres fonctions et devoirs liés au renseignement et affectant la sécurité nationale, tels que le Conseil de la sécurité nationale peut occasionnellement le demander" – devait fournir une base pour doter l'Agence d'une charte en matière de renseignement clandestin et de contre-espionnage. »*[1]

En d'autres termes, toutes les opérations de la CIA sont illégales depuis l'origine, puisque la charte n'a jamais été modifiée sur ce point. Si Lawrence Houston le reconnaît en privé, cela n'a pas empêché qu'une immunité pénale soit accordée à l'Agence, la mettant à l'abri de toute poursuite.

---

1. Lawrence Houston à John McCone, directeur de la CIA, 15 janvier 1962.

En 1975, une étude du groupe de coordination de la communauté du renseignement comprenant des membres de la CIA conclut, quant à elle, que «*de sérieux doutes pèsent sur la légitimité de la CIA à engager des opérations de subversion impliquant l'usage de la force politique et militaire*»[1]. Ce qui signifie que des milliers d'opérations téléguidées par ce service sont dépourvues de tout fondement juridique. Les morts et les dégâts qu'elles ont provoqués sont autant de crimes impunis que rien ne peut justifier. Un rapport de l'American Civil Liberties Union (ACLU) s'indignera d'ailleurs que «*jusqu'au milieu des années 1970, des opérations de subversion aient pu être réalisées sans la moindre base légale*».

En 1975, le Congrès vote l'amendement Hugues-Ryan dans le but de s'assurer un contrôle *a minima* sur la CIA. Cette clause prévoit que le Président doit signer toute «conclusion» préalable à une opération de subversion et en aviser le Parlement. La CIA la contournera cependant avec habileté. En effet, l'Agence interprète l'amendement comme une obligation de signaler ces opérations au Congrès sans pour autant solliciter son approbation, autrement dit comme un blanc-seing destiné à donner une apparence de légalité aux opérations de subversion qu'elle décide. Cette interprétation est d'autant plus absurde que l'objectif premier du texte est précisément de renforcer le contrôle du Congrès sur la CIA et non de lui lâcher la bride. Mais les mauvaises habitudes ont la vie dure : depuis

---

1. Cité *in* Jay Peterzell, «Legal and Constitutional Authority for Covert Operations», *First Principles* (Center for National Security Studies / ACLU), vol. 10, n° 3, printemps 1985.

vingt-huit ans, les opérations de subversion de l'Agence n'ont aucun fondement légal, ce que le Congrès vient rappeler chaque année dans sa loi de finances : « *L'autorisation d'une dotation budgétaire par la présente loi ne saurait être interprétée comme autorisant des activités de renseignements qui ne seraient pas, par ailleurs, autorisées par la Constitution ou la législation des Etats-Unis.* »

Après l'invalidation par le ministère de la Justice du protocole d'accord rédigé en 1954 par Lawrence Houston, la CIA poursuit ses efforts pour faire inscrire dans la loi son immunité pénale. En 1981, William Casey, le directeur de l'Agence, adresse un courrier au procureur général William French Smith le pressant de faire réviser le droit américain pour garantir l'irresponsabilité pénale de tous les employés de la CIA dans le cadre des opérations conduites par ce service[1]. William Casey ne prend même pas la peine d'expliquer en quoi la sécurité nationale imposerait une telle mesure d'exception. Trois jours plus tard, il tente de faire exempter la CIA des peines prévues par un projet de loi visant à réprimer les assassinats commis dans le cadre d'une conspiration. Alors substitut du procureur général adjoint, Mark M. Richard témoignera devant le Congrès que William Casey s'est alors dressé violemment contre toute mesure qui viendrait sanctionner assassinats et complots politiques : « *Il voulait être sûr que cette proposition de loi n'affecterait en rien les usages de l'Agence.* »[2] Le ministère de la Justice transige, accordant au directeur de la CIA, par un courrier confidentiel, les assurances qu'il

---

1. Lettre du directeur de la CIA au ministre de la Justice des Etats-Unis, 22 décembre 1981.
2. Rapport de la commission d'enquête parlementaire sur l'affaire de l'Irangate, annexe B, vol. 26, 100ᵉ législature, première session ; Rapport du Sénat n° 100-216 ; Rapport de la Chambre n° 100-433, GPO, Washington DC, 1ᵉʳ mars 1988.

demande. Mais « *l'Agence estime que ce courrier ne présente pas une garantie suffisante*, poursuit Mark M. Richard. *Seule une loi serait acceptable à ses yeux* ».

Le ministère de la Justice a beau refuser de céder aux injonctions de William Casey, il retire tout de même de son projet de loi la clause interdisant les assassinats politiques. L'Agence obtient gain de cause, puisque la loi américaine se refuse ainsi à réprimer le fait de conspirer dans le but d'assassiner quelqu'un à l'étranger. D'ailleurs, quelques mois plus tard, William Casey lui-même trempera dans un complot, organisé à Washington, destiné à éliminer le cheikh libanais Mohammed Fadlallah. Pas moins de trois escadrons de la mort seront constitués pour retrouver sa piste et, le 8 mars 1985, une voiture bourrée d'explosifs sautera devant son immeuble, causant la mort de quatre-vingts innocents et en blessant deux cents. Le cheikh Fadlallah s'en tirera sans une égratignure. Aucune enquête ne sera jamais diligentée contre la CIA[1].

Faute d'avoir obtenu une immunité *de jure* pour les assassinats qu'elle perpètre à travers le monde, la CIA s'emploie à édicter ses propres lois. Elle le fait en se livrant à une application spécieuse de ses « conclusions ». Une conclusion, c'est l'avis émis par le Président des Etats-Unis lorsqu'il est établi qu'un individu ou un groupe d'individus menace la sécurité du pays et que cette menace doit être appréhendée par la CIA. Lorsqu'une telle conclusion est rendue, le Président signe la demande d'intervention et la signifie au Congrès.

---

1. Bob Woodward, *Veil : The Secret Wars of the CIA 1981-1987*, Simon and Schuster, New York, 1987.

Une conclusion n'équivaut en aucun cas à l'autorisation légale d'effectuer une opération de subversion – d'autant qu'il arrive que le Congrès n'en soit pas averti ou qu'il n'ait pas le droit d'opposer son veto. D'ailleurs, c'est la CIA et non le Président qui la rédige avant de la présenter au chef de l'Etat pour signature, le plaçant en réalité devant le fait accompli. Stanley Sporkin, qui a passé cinq années à rédiger des conclusions pour la CIA, n'en a jamais discuté une seule fois les termes avec le Président Reagan, qui les a pourtant signées. Il a précisé au Congrès qu'un certain nombre d'opérations de subversion avaient été menées en l'absence de toute conclusion. Une fois, lui-même a d'ailleurs rédigé une conclusion postérieure au lancement d'une opération.

Il ressort clairement du témoignage de Stanley Sporkin que la CIA utilise les conclusions pour conférer *« un vernis de légalité »* – selon l'expression d'un sénateur – à des actions qu'elle décide unilatéralement. La plupart des opérations de subversion prévues dans les conclusions rédigées par Stanley Sporkin au cours de sa carrière enfreignaient nos lois fondamentales. Il lui est même arrivé de recommander au Président de ne pas en informer le Congrès. *« Je suis persuadé que certains cas ne doivent pas être portés à la connaissance des parlementaires,* se justifie-t-il. *Je pense que c'est la loi elle-même qui l'induit. »* Bref, selon lui, une loi qui oblige la CIA à signaler préalablement au Congrès les opérations de subversion qu'elle entreprend doit s'entendre comme lui permettant parallèlement de ne pas le faire lorsque ça l'arrange !

Jamais Stanley Sporkin ne semble avoir pris au sérieux l'obligation théorique de porter certaines opérations de la CIA à la connaissance du Congrès. Au contraire, il explique on ne peut plus clairement que son service ne considérait pas les Représentants comme une autorité légitime. A ses yeux, les responsables présentant l'autorité requise pour apprécier l'opportunité des opérations de subversion étaient au nombre de cinq : le directeur de la CIA, le ministre de la Défense, le Secrétaire d'Etat, le procureur général et le Conseiller à la sécurité nationale. Omission significative, il ne cite pas le Président des Etats-Unis.

Une étude confidentielle commandée en 1975 par William Colby, alors directeur de la CIA, estime que la mise en œuvre par ce service d'opérations de subversion telles que les décrit Stanley Sporkin est contraire à la Constitution. *« Le recours à de telles opérations à des fins de politique étrangère, en dehors de tout consentement du Congrès, affecte l'équilibre qu'ont voulu assurer les artisans de la Constitution en prévoyant la séparation des pouvoirs,* affirme le rapport. *Si une telle prérogative était reconnue à l'exécutif, elle permettrait au Président de "légiférer" secrètement en matière de politique étrangère, puis de mettre en œuvre tout aussi secrètement cette politique en utilisant, pour ce faire, des moyens clandestins. »*[1]

Encore une fois, la presse est absente du débat. C'est d'autant plus regrettable que bientôt, elle n'aura peut-être plus la possibilité de s'exprimer sur le sujet. En effet, dans le cadre de la loi de programmation des services de renseignements pour l'exercice budgétaire 2001, le Congrès a présenté une loi sur les secrets d'Etat. Celle-ci entendait réprimer certaines révélations médiatiques sur la CIA. La loi, finalement, n'a pas été adoptée car Bill Clinton y a opposé son veto *in extremis*. Mais la CIA a d'ores et déjà annoncé qu'elle reverrait sa copie et soumettrait prochainement une nouvelle version de ce texte.

1. Cité *in First Principles, op. cit.*

La première administration Bush a apporté de l'eau au moulin de l'impunité. Le décret 12333, qui interdit expressément à la CIA de se livrer à des assassinats, est alors réinterprété dans le sens que l'on imagine. L'avocat conseil de l'armée américaine rend un avis officiel qui aboutit à vider le décret de sa teneur : « *Si le Président détermine que des individus constituent, pour les citoyens américains ou pour les intérêts de la sécurité intérieure des Etats-Unis, une menace telle qu'il faille recourir à leur encontre à la force militaire, il est légalement admissible, sans que cela contrevienne à l'interdiction des assassinats, d'avoir recours, par exemple, à des frappes aériennes contre ces individus plutôt que de tenter de les capturer vivants.* »[1]

Quelque temps après cette relecture du décret 12333, le Président George Bush signe une conclusion confidentielle autorisant la CIA et les forces spéciales à mener une opération contre un présumé baron de la drogue colombien, Rodriguez Gacha. Au lieu de le capturer vivant, l'équipe intervient à partir d'un hélicoptère en vol stationnaire, abattant Rodriguez Gacha, son fils de 17 ans et cinq de ses gardes du corps. Selon un rapport rendu public par la suite, ces « non-assassinats » ont été commis « *en vertu d'une nouvelle interprétation de certains décrets et lois par les avocats de la CIA, des armées et du ministère de la Justice, laquelle permet de lever certaines restrictions relatives aux opérations pouvant se solder par la mort de ressortissants étrangers* ». Le rapport ajoute que, selon la CIA, les décès induits par des « *activités visant à entraver l'action des narcotrafiquants* » ne relèvent pas de la catégorie des

---

1. Ministère des Armées, bureau du juge et avocat-conseil, Washington DC.

assassinats, « *même si la mort d'un individu particulier aurait pu raisonnablement être anticipée* »[1].

La conception de la sécurité nationale aux Etats-Unis, qui préconise d'exonérer la CIA – ou tout autre organe de l'Etat américain – de nos principes éthiques, juridiques et constitutionnels, a quelque chose de profondément néfaste. Le monde entier doit savoir qu'il s'agit là du mode opératoire habituel de la CIA, et non des dérapages d'une poignée de cow-boys ou d'agents scélérats. L'Agence se voit désormais reconnaître statutairement le droit de commettre toutes sortes d'activités illicites dans le monde entier, dans l'apathie générale.

Cent mille délits et crimes sont-ils commis chaque année par la CIA ? La presse n'en dit mot. Une dérogation à la Constitution dispense-t-elle ce service de respecter les traités et accords internationaux ? Rien dans les journaux. Le Congrès approuve-t-il les crimes contre l'humanité perpétrés par l'Agence ? Les médias dominants couvrent ces dérives de leur silence complice. Et lorsque de rares exceptions viennent confirmer la règle, et qu'un journaliste met les pieds dans le plat – comme Gary Webb, qui a révélé l'implication de la CIA dans le trafic de cocaïne –, les autres médias font bloc avec la CIA et se liguent contre leur confrère.

En 1984, c'est à mon tour d'en faire l'expérience. ABC vient de m'embaucher pour que j'apporte mon aide à la réalisation d'un reportage sur Bishop, Baldwin, Rewald, Dillingham & Wong (BBRD&W), un fonds d'investissement

---

1. Knut Royce et Peter Eisner, « US Got Gacha », *Newsday*, 4 mai 1990.

basé à Hawaï qui entretient des rapports étroits avec la CIA. J'ai déjà fourni un travail à leur sujet à l'émission de la BBC *Newsnight*, qui a diffusé un reportage de 35 minutes, dans lequel je suis interviewé. J'ai également donné une interview à CBS, avec qui j'ai également travaillé sur ce dossier. Notre enquête est solidement documentée et personne, pas même la CIA, n'est en mesure de réfuter nos accusations – même si ses responsables appellent la chaîne pour me dénigrer.

L'Agence réagit plus vivement encore à l'émission d'ABC. Le reportage avance l'hypothèse que la CIA a possiblement conspiré dans le but d'assassiner un Américain, Ron Rewald, le président de BBRD&W. Pourtant, l'histoire a fait un flop. Il a suffi à la CIA d'y apporter un vigoureux démenti et d'exiger une rétractation complète pour donner le change auprès des médias.

Conviés sur le plateau d'ABC, les responsables de l'Agence ont décliné l'invitation. Après la diffusion du reportage, ils rencontrent le directeur d'ABC News, David Burke. Ils lui font savoir qu'ils n'ont guère apprécié l'émission mais, à défaut de pouvoir prouver que les accusations formulées dans le reportage sont fausses, ils se contentent d'invoquer quelques coupures de presse critiquant un de nos témoins. Malgré cela, David Burke se laisse bluffer par leur force de conviction au point d'ordonner une *« clarification »* à l'antenne. Peter Jennings s'en chargera : il prend bonne note de la position de la CIA sans retirer son soutien au reportage incriminé[1].

La CIA n'est toujours pas satisfaite. Alors, William Casey contacte le président d'ABC, Leonard H. Goldenson. S'ensuivront trois réunions entre les responsables de la

---

1. *Cf.* Jim Ridgeway, « Casey at the Bar », *LA Weekly*, 21 septembre 1985.

chaîne et... Stanley Sporkin, l'avocat conseil de la CIA. Le 21 novembre 1984, malgré les preuves solides étayant le reportage, Peter Jennings jette l'éponge. Il déclare qu'ABC *« n'a aucune raison de douter du démenti de la CIA »*.

Le même jour, l'Agence dépose auprès de la Federal Communications Commission (FCC) une plainte rédigée par l'éternel Stanley Sporkin et signée par William Casey. L'Agence accuse la chaîne d'avoir *« délibérément déformé »* les informations diffusées et son directeur exige qu'ABC se voie retirer ses licences de diffusion télévisée et radiophonique. En janvier 1985, objectant l'insuffisance des preuves présentées, la FCC déclare la plainte irrecevable. En février, la CIA revient à la charge et dépose une seconde plainte : cette fois, prétextant la *« doctrine d'impartialité »* qui exige que les diffuseurs présentent une version contradictoire des *« controverses d'importance nationale »*, elle demande à la FCC d'imposer des pénalités à ABC. La plainte est à nouveau rejetée. C'est la première fois qu'une agence gouvernementale attaque la presse de front, ce qui ne suffit pas à entraîner une réaction des médias.

Pendant ce temps, la société Capital Cities Communications manœuvre en coulisse afin de racheter ABC. Justement, cette entreprise a été fondée par William Casey, qui en a dirigé le service juridique et présidé le conseil d'administration jusqu'à sa nomination à la CIA, en 1981. Quatre ans plus tard, il en détient encore 34 755 actions, pour une valeur d'environ 7,7 millions de dollars[1].

Le *LA Weekly*, qui est, avec le *Village Voice*, le journal à avoir le mieux couvert cette affaire, affirme que les

---

1. Andy Boehm, « The Seizing of the American Broadcasting Company », *LA Weekly*, 20-26 février 1987.

protestations de la CIA à l'égard de la chaîne, ainsi que sa plainte devant la FCC, « *ont abouti à faire chuter le cours en Bourse de l'action ABC* ». En effet, celle-ci, qui valait 75 dollars en octobre 1984, n'est plus cotée qu'à 59 dollars fin novembre. C'est le moment que choisit Cap Cities pour racheter ABC, pour 3,5 milliards de dollars – un montant que la presse professionnelle qualifie de « *prix bradé* ».

Deux autres fondateurs de Cap Cities, Lowell Thomas et Thomas Dewey, entretiennent eux aussi des liens très étroits avec la communauté du renseignement. A l'époque où le second exerçait les fonctions de procureur de New York, il s'est fait une spécialité de menacer de poursuites les éditeurs qui se risquaient à publier des ouvrages sur la CIA. Il a ainsi fait passer à la trappe plusieurs livres de ce type. Quant à Thomas Murphy, président de Cap Cities, un ami de William Casey, il entretient lui aussi depuis longtemps des relations avec la CIA. Avant de racheter ABC, il a engagé le conseiller en investissement Warren Buffet à acheter 18 % du capital de CC et ABC. A l'époque, ce dernier contrôlait Berkshire Hathaway, une holding pesant deux milliards de dollars qui détient 13 % du capital de la Société du *Washington Post* et possède également une part importante du capital de *Time* et *Newsweek*. Lorsque Cap Cities s'est ainsi trouvée à la tête d'un réseau de télévision, elle a vendu cinquante-trois de ses chaînes câblées à la Société du *Washington Post*.

Rien d'étonnant, on le comprend, à ce qu'aucune de ces publications n'ait traité l'affaire. Même si ces liens financiers n'avaient pas existé, il est très improbable qu'un seul de ces journaux en aurait parlé : n'entretiennent-ils pas, depuis des décennies, des relations contre-nature avec la CIA ? Lauréat du prix Pulitzer, Carl Bernstein compte parmi les rares journalistes à avoir admis ces liens, dans un article publié dans la revue *Rolling Stone* et intitulé *La CIA et les médias*[1].

Le *LA Weekly* s'est demandé si, en portant plainte contre ABC, William Casey n'aurait pas cherché à intimider la chaîne pour qu'elle renonce à diffuser des sujets critiques contre la CIA. Rien ne me permet d'affirmer que ce soit le cas, mais force est de constater qu'en l'espace de quelques mois, toute l'équipe d'enquêteurs d'ABC a été dispersée. Le journaliste qui avait réalisé le reportage sur Ron Rewald a été chargé de couvrir l'élection des reines de beauté. Et en ce qui me concerne, inutile de préciser que mon contrat n'a pas été renouvelé...

John Kelly

---

1. 20 octobre 1977.

Qu'est-ce qui te dit qu'ils publieront ton histoire ?

L'ARNAQUE DE LA GUERRE CONTRE LA DROGUE

Depuis trente ans, le gouvernement américain affirme mener une guerre sans merci contre le trafic de drogue dans laquelle il a englouti des milliards de dollars. Je suis bien placé pour savoir ce que dissimule en réalité cette gigantesque escroquerie. Les médias dominants sont les complices de cette effrayante manipulation où la CIA joue un rôle de premier plan.

La guerre contre la drogue est semblable à une partie de bonneteau, elle nécessite un maître d'œuvre et une « chèvre » – un complice. Le bonneteau est ce grand classique de l'arnaque dans lequel le bonneteur pose trois cartes sur une table pliante, deux noires et une rouge. Il montre la rouge au public, retourne les trois cartes puis les mélange à toute vitesse. Chacun est persuadé de pouvoir désigner la rouge, d'autant qu'un passant vient de remporter deux coups d'affilée. Si ce type est parvenu à empocher deux fois sa mise, pourquoi pas vous ? Manque de chance, quand vous vous décidez, c'est une carte noire qui apparaît. Vous venez de vous faire berner. Car au bonneteau, on ne gagne jamais. L'arnaque est parfaitement au point : le passant qui a empoché la mise devant vous est en fait une chèvre. Son rôle est d'attirer les gogos vers la table du bonneteur, en jouant une petite comédie destinée à les convaincre que la persévérance finit par payer.

Dans la gigantesque partie de bonneteau que constitue la guerre contre la drogue, les médias dominants jouent le rôle de la chèvre. Ils sont un leurre destiné à faire croire au public qu'on lui dit tout, alors que les véritables enjeux lui sont cachés. En ce qui me concerne, je suis devenu journaliste par accident. Pendant vingt-cinq ans, j'ai travaillé pour la Drug Enforcement Administration (DEA, l'office américain de répression du trafic des stupéfiants). J'ai participé à des opérations clandestines et me suis trouvé aux premières loges. C'est ce qui me permet de raconter ici les dessous de cette sale guerre. Et d'exposer ce que vous n'auriez jamais dû savoir...

En 1971, quand le Président Richard Nixon déclare la guerre à la drogue, on compte un peu moins de cinq cent mille toxicomanes aux Etats-Unis, dont la plupart sont héroïnomanes. Ils sont concentrés dans les quartiers défavorisés des grandes villes, New York en particulier. A l'époque, seules deux agences fédérales ont pour mission de réprimer le trafic et la consommation de stupéfiants : le Bureau fédéral des narcotiques et les Service des douanes. Au quotidien, ces deux institutions consacrent davantage d'énergie à se tirer dans les pattes qu'à batailler contre les cartels. A l'époque, le budget annuel de la lutte antidrogue ne dépasse pas cent millions de dollars. Trente ans et mille milliards de dollars plus tard, le nombre de toxicomanes dépasse les cinq millions. L'Amérique est un véritable supermarché de la drogue : on y trouve un éventail de produits plus diversifié que jamais, à des prix défiant toute concurrence. Ce fléau n'épargne plus le moindre hameau ni la moindre famille.

A l'heure actuelle, la lutte contre le trafic international de stupéfiants ne mobilise pas moins de cinquante-cinq agences fédérales (sans compter les agences étatiques et locales). Au nom de cette « guerre » – qui a coûté à elle seule plus de vingt milliards de dollars par an au budget fédéral (auxquels il faut encore ajouter le budget des Etats et des municipalités) –, l'armée américaine s'autorise à envahir des pays d'Amérique latine. Tout ça pour quoi ? Qui osera déclarer de bonne foi que la croisade ainsi engagée a protégé en quoi que ce soit les Etats-Unis des ravages de l'héroïne ou du crack ? Si votre courtier avait investi vos économies comme nos élus ont englouti nos impôts dans leur pseudo-guerre, vous l'auriez fait coffrer il y a bien longtemps !

Il en va de la guerre à la drogue comme, autrefois, de la guerre du Vietnam. Les médias dominants nous anesthésient par un flot ininterrompu d'articles bidonnés proclamant d'improbables *« victoires »* sur des ennemis dont les noms sont interchangeables. Hollywood, la télévision de divertissement et l'édition leur emboîtent le pas. Le message est simple : remettre en question la croisade anti-drogue reviendrait à livrer l'Amérique aux narcotrafiquants mexicains ou colombiens. Grâce aux complicités médiatiques, le bonneteau gouvernemental fait recette.

Je me souviens de cette mission secrète en Asie du Sud-Est, pendant la guerre du Vietnam. Elle fut sans doute la plus dangereuse de ma carrière, mais pas seulement à cause des narcotrafiquants. C'est là que j'ai compris que la guerre contre la drogue, un peu comme la guerre du Vietnam, n'avait jamais été engagée pour être gagnée. Il s'agit d'une escroquerie criminelle qui se retourne contre ceux mêmes qui la financent : les contribuables américains.

Le Président Nixon vient de lancer sa guerre contre le trafic de stupéfiants. Copieusement cités par les médias, nos dirigeants bonimentent sans vergogne. Si le problème de la drogue s'amplifie, accusent-ils, c'est la faute aux méchants étrangers : la lutte antidrogue doit constituer une priorité en termes de sécurité nationale. A l'époque, je suis un jeune agent affecté à la Brigade de répression du trafic des drogues dures au Service des douanes de New York. Agé de vingt-cinq ans, mon frère David est héroïnomane depuis dix ans. Pas besoin de préciser que je me porte volontaire pour cette guerre.

Le 4 juillet 1971, à l'aéroport international JFK de New York, j'arrête John Edward Davidson en possession de trois kilos d'héroïne (pure à 99 %) dissimulés dans le double-fond de sa valise. Cet épisode marque le point de départ d'une affaire plus connue sous le nom de *Etat fédéral contre Liang Sae Tiew* et al.[1] Deux ans plus tôt, alors soldat au Vietnam, John Edward Davidson a passé une permission à Bangkok, en Thaïlande. Là, il a fait la connaissance d'un trafiquant d'héroïne chinois, Liang Sae Tiew, qui se fait appeler Gary. L'offre est illimitée et les prix sont les moins chers du monde. Aussi, à peine démobilisé, John décide de faire fortune en écoulant la drogue aux

---

1. *Cf.* Donald Goddard, *Undercover : The Secret Lives of a Federal Agent*, Random House / Times Books, New York, 1988.

Etats-Unis. Sept voyages – et vingt et un kilos d'héro – plus tard, sa chance tourne le jour où je l'interpelle. Dès lors, ma nouvelle mission consiste à remonter la filière jusqu'à la tête du réseau. Je me heurterai cependant à un obstacle que ni moi ni mes supérieurs n'avons envisagé : la CIA.

Un mois plus tard, je débarque à Bangkok où je me fais passer pour le partenaire de John Edward Davidson. En quelques jours, je rencontre ses contacts sur place : le fameux Gary et un certain monsieur Geh. Ma présence à Bangkok a été soigneusement dissimulée au Bureau des narcotiques et des drogues dangereuses, les ennemis jurés des douanes américaines[1]. J'ai également veillé à ne pas me faire remarquer par la police thaïe, qui est, avec la police mexicaine, la plus corrompue du monde.

Je suis clandestin en Thaïlande. A l'époque, les opérations en sous-marin sont illégales. Il est impensable d'autoriser des flics à se faire dealers, même dans le but de démanteler un réseau. Mes patrons m'ont prévenu : si la police thaïe découvre pourquoi je suis là, mission secrète ou pas, elle me réglera mon compte et fera disparaître mon cadavre sans laisser de trace. Dès lors, les autorités de mon propre pays nieront avoir eu connaissance de mes activités – eh oui, comme dans le générique de *Mission impossible*. En bref, je sais que je risque ma peau. Mais je suis loin de soupçonner ce qui m'attend.

Après une semaine passée à infiltrer les narcotrafiquants, je parviens à les convaincre que je suis un gros

---

1. Les deux agences se livrent une guerre fratricide pour décrocher des budgets et avoir les honneurs de la presse. Il arrive régulièrement que l'une arrête les informateurs de l'autre.

bonnet de la Mafia chargé d'approvisionner des grossistes répartis sur l'ensemble du territoire américain. Mon dernier fournisseur, le réseau dit de la *French Connection*, vient d'être démantelé. J'ai besoin d'une nouvelle source d'approvisionnement[1]. Mes interlocuteurs chinois sont conscients du potentiel que représente pour eux le marché américain. Les quantités que j'évoque ne les effraient nullement : leur « usine » thaïlandaise de Chiang Mai, dirigée par l'oncle de monsieur Geh, produit environ deux cents kilos par semaine. Le gros de la production est destiné aux GI du Vietnam. Le solde est acheminé vers les Etats-Unis.

Je négocie un premier *deal* : je me porterai acquéreur d'un kilo de *Dragon Brand*, pour 2 500 dollars en liquide, que j'enverrai comme échantillon à mes commanditaires de la Mafia américaine. Je resterai en Thaïlande le temps de connaître leurs instructions. Je fais miroiter à Gary et à monsieur Geh, si tout se passe bien, une commande de l'ordre de trois cents kilos – à 2 000 dollars le kilo, soit la bagatelle de 600 000 dollars (une quantité couvrant, à l'époque, l'ensemble de la demande américaine pour une période de deux à trois semaines). L'héroïne que la *French Connection* acheminait vers les Etats-Unis revenait, au prix de gros, à 20 000 dollars le kilo. D'une qualité au moins équivalente, la *Dragon Brand* que je suis susceptible de me procurer en Thaïlande coûte donc dix fois moins cher. Pure à presque 100 %, elle peut être coupée jusqu'à quatorze fois avant d'être refourguée dans la rue, où le toxicomane paye 2 000 dollars pour une dose de quarante grammes. Au détail, un kilo de poudre asiatique peut rapporter jusqu'à 1,12 million de dollars. Avec trois

---

1. A cette époque, la plus grosse saisie d'héroïne jamais réalisée (qui implique la *French Connection*) frise les deux cents kilos.

cents kilos, une première mise de 600 000 dollars rapportait plus de 300 millions de dollars.

Je suis d'ores et déjà en mesure de faire tomber le réseau, à cette réserve près que je n'en ai pas encore localisé la tête de pont. Simple formalité : il me suffit d'invoquer une autre condition. Avant de conclure l'accord, j'exige de pouvoir visiter personnellement la fameuse « usine » de Chiang Mai et ses laboratoires de transformation de l'héroïne. Si mes interlocuteurs acceptent, ils signent leur arrêt de mort. Mes deux contacts se tournent vers le propriétaire de l'usine, l'oncle de monsieur Geh. Ce dernier donne son feu vert : il m'autorisera à inspecter ses installations dès que j'aurai acheté le premier kilo test.

Ce soir-là, seul dans ma chambre du Siam Intercontinental, je réécoute les conversations des narcotrafiquants, que j'ai enregistrées à leur insu. Je sais ce que la production de cette usine de mort signifie pour notre pays. Je pense à mon propre frère… J'ai l'impression d'être le héros d'un roman de Tom Clancy : mon objectif est à portée de main, je peux frapper au cœur de redoutables ennemis de l'Amérique. Je me sens investi d'une mission divine. En fait, je suis le roi des cons.

Dopé par de puissantes décharges d'adrénaline, je choisis de foncer. Je prends contact avec mon supérieur, Joe Jenkins, attaché du Service des douanes à l'ambassade américaine, et lui donne rendez-vous avant l'aube pour le mettre au parfum. Son excitation semble masquer de sérieuses réserves. J'ai l'impression que Joe ne me dit pas tout mais, sur le coup, je n'ai pas vraiment le temps de chercher à comprendre. J'ai besoin d'argent, et vite. Je n'ai même plus de quoi payer ma chambre d'hôtel, et la direction commence à s'impatienter. Si je veux continuer à me faire passer pour un gros bonnet de la drogue, c'est au moins 2 500 dollars en liquide qu'il me faut trouver sans tarder.

Joe Jenkins me fixe un nouveau rendez-vous dans un bar, sur Sukamvit. D'ici là, m'assure-t-il, le siège et l'ambassade auront donné leur feu vert à l'opération. Il aura l'argent. Tard dans la soirée, je le rejoins au lieu dit. Au-dessus de nos têtes, trois superbes Asiatiques en tenue d'Eve se tortillent sur des talons de dix centimètres, tandis que d'énormes haut-parleurs crachent quelques hits des Rolling Stones. Joe doit hurler pour se faire entendre : il ne dispose ni des autorisations ni de l'argent. Mon interlocuteur paraît étrangement nerveux. Toutes les trois secondes, il jette des coups d'œil inquiets aux ombres qui nous entourent. Les retards, me dit-il, sont à mettre sur le compte d'une bureaucratie qu'il me dépeint comme kafkaïenne. Il doit obtenir je ne sais quelle signature de je ne sais quel rond-de-cuir qui, comble de déveine, est injoignable pour le moment. Joe me sert d'autres bobards du même registre, que seul un employé du gouvernement pourrait avaler.

Il faut gagner du temps. Aux Chinois, j'explique que « *mes patrons sont prudents* », qu'« *ils m'envoient un coursier* », qu'« *ils ne veulent prendre aucun risque* »... Au début, ceux-ci jugent les précautions prises par mes commanditaires bien compréhensibles, voire exemplaires, mais au bout d'une semaine ils commencent à s'étonner de ne toujours rien voir venir. A court d'arguments, sentant le danger se rapprocher, je retourne voir mon correspondant des douanes. Pour la première fois de ma vie, je me surprends à proférer une menace : « *Si ça continue, j'irai trouver la presse.* » Joe Jenkins lève les yeux au ciel, consterné. Il se demande probablement d'où un crétin tel que moi peut bien sortir.

Un peu avant le lever du jour, je suis convoqué à

l'ambassade par le représentant de la CIA. C'est la première fois que je rencontre un agent de ce service – du
moins, quelqu'un qui se présente comme tel. Chauve et
trapu, l'homme porte un pantalon de toile ainsi qu'une
saharienne kaki – je découvrirai que cette tenue constitue
l'uniforme traditionnel des agents de la CIA. Il ne me donne
pas son nom ni ne me demande le mien. Son regard reflète
étonnement et dédain – une autre caractéristique récur-
rente des agents de la CIA. *« Vous n'allez pas à Chiang Mai,*
m'annonce-t-il tout de go. *Nous venons de perdre un gars,
là-bas, c'est trop dangereux. »* Je proteste : je suis en mission secrète, mon métier consiste à prendre des risques et
je ne suis plus à ça près. Un vrai crétin, je vous dis !

Après ce bref échange, l'agent secret regarde sa
montre et clôt la discussion : *« Vous avez été dans l'armée,
n'est-ce pas ? Eh bien, sachez que notre pays a d'autres
priorités. »* Entendez : d'autres priorités que la guerre
contre la drogue. Je n'irai pas à Chiang Mai, la CIA a tran-
ché. Les instructions de mon correspondant anonyme sont
claires : je dois acheter le kilo d'héroïne et arrêter celui qui
me le livrera. Affaire classée.

Cette scène se déroule plusieurs années avant que les
agents de la DEA ne se mettent à surnommer la CIA :
« Criminal Inept Agency » (l'Agence criminelle inepte),
puis : *« Cocaine Import Agency »* (l'Agence d'importation de
cocaïne) ; des années avant que je ne déclare, dans mon
émission de radio, qu'il conviendrait de remplacer l'ins-
cription figurant sur le sceau de l'Agence (*« Et la vérité
brisera vos chaînes »*) par la devise suivante : *« Et la vérité
déchaînera votre colère »*[1].

---

1. *The Expert Witness Radio Show*, WBAI, New York ; KPFK, Los Angeles.

Pour la première fois, je viens de toucher du doigt une terrible vérité qui me hantera jusqu'à mon dernier jour. Sur le coup, cependant, je la refoule. Dans le passé, j'ai passé trois ans comme maître-chien dans l'armée de l'air, au sein d'une unité de la police militaire, puis j'ai exercé les fonctions d'agent secret fédéral pendant six années. J'ai été un bon soldat, obéissant aveuglément aux ordres. Je crois dur comme fer à l'impeccable moralité de mes supérieurs. La vérité, dans son obscénité crue, ferait s'écrouler mon univers. Alors, tel un mari dévoué qui se raisonnerait après avoir surpris sa tendre épouse en train de lancer une œillade torride au livreur de pizza, je refuse d'admettre ce qui se passe sous mes yeux. Je préfère me rassurer en me disant que le monsieur de la CIA en sait probablement bien plus long que moi et que l'intérêt national commande de lui obéir sans rechigner.

Aussi, je m'exécute docilement. Je commande le kilo d'héroïne et, à peine la transaction opérée, je passe les menottes aux deux trafiquants. De retour aux Etats-Unis, je me vois décerner la médaille spéciale du Trésor : je suis le premier agent à avoir « *anéanti* » un réseau d'héroïne à l'autre bout du monde. La « victoire » que j'ai permis de remporter alimentera pendant quelques semaines l'usine à mensonges des médias américains.

Un moment, je l'avoue, je me laisse griser par ce foudroyant succès médiatique. Mais déjà, je ne suis plus ce jeune agent secret idéaliste prêt à gober tout ce qu'on lui raconte au nom de la patrie. Les flics développent un sixième sens, et quelque chose me dit que la guerre contre la drogue dissimule des secrets inavouables. Très vite, j'en aurai la confirmation.

Moins d'un an plus tard, j'apprends que les laboratoires de Chiang Mai, que la CIA m'a empêché de démanteler, transforment des quantités faramineuses d'héroïne qui passent en contrebande aux Etats-Unis dans les corps ou les housses mortuaires des GI tués au Vietnam. Je suis encore assez naïf pour espérer que la CIA sait ce qu'elle fait et s'attache à défendre l'intérêt supérieur de la nation. Je commence, toutefois, à m'interroger sur la compétence de ses agents. Et si je me trompais. Vers qui pourrais-je me tourner si je devais tirer la sonnette d'alarme ? Le Congrès ? Les médias… ?

Je suis un agent secret chevronné. Lorsqu'une situation m'alerte, j'observe attentivement, je recueille des données mais je m'abstiens de toute initiative. C'est sans doute ce qui m'a permis de survivre dans ce métier aventureux. Au début des années 1970, justement, j'occupe une place idéale pour observer. Mon unité, la Brigade de répression du trafic de stupéfiants, qui comprend une vingtaine d'hommes, est chargée d'enquêter sur toutes les affaires de trafic d'héroïne et de cocaïne qui transitent par le port de New York. Amenés à enquêter sur toutes les grandes opérations de contrebande, nous nous apercevons que la CIA protège les barons de la drogue.

Le fait est ancien. Tout au long de la guerre du Vietnam, alors qu'il est établi que le Triangle d'or [1] déverse des quantités faramineuses d'héroïne aux Etats-Unis, que des dizaines de milliers de GI rentrent au pays totalement accros aux drogues dures, les autorités judiciaires américaines n'ont jamais inculpé un seul grand fournisseur originaire d'Asie du Sud-Est. Cela n'est pas un hasard. Comme celle de Liang Sae Tiew *et al.*, toutes les affaires

---

1. Cette région comprend le nord de la Thaïlande, le Laos et la Birmanie.

ont été consciencieusement étouffées sur intervention de la CIA et du Département d'Etat.

Pendant cette période, nos services comprennent progressivement que la CIA ne se contente pas de protéger des narcotrafiquants qui, en réalité, travaillent pour son compte : elle organise aussi, sur les vols réguliers de lignes aériennes qu'elle détient (comme Air America), l'acheminement de la drogue depuis les quatre coins de l'Asie du Sud-Est – officiellement, afin de soutenir nos « alliés » dans ces pays. Elle utilise encore ses comptes bancaires pour blanchir l'argent généré par ce gigantesque trafic. Bref, la CIA s'est lancée dans le commerce de la drogue. Et elle apprend vite.

Dans notre service, nous assistons de l'intérieur à ces manœuvres contre-nature. Nous constatons les contradictions flagrantes entre la réalité du terrain et le discours officiel sur la guerre de la drogue tel que les médias le répercutent. Face à la recrudescence de l'usage de drogues dures aux Etats-Unis, il ne se trouve pas une seule rédaction pour s'étonner du laxisme des autorités américaines envers les trafiquants d'Asie du Sud-Est. C'est tellement énorme ! Pendant toutes ces années, un journaliste motivé n'aurait eu aucune difficulté à dégotter des sources internes écœurées par ce qu'elles voyaient et qui n'auraient demandé qu'à exposer le dessous des cartes. Aucun ne s'est jamais manifesté.

A la fin de la guerre du Vietnam, la CIA étend sa politique de protection des narcotrafiquants à d'autres zones géographiques. Dans toute l'Amérique latine, les « narcos » exercent une influence politique et économique grandissante, ce qui leur vaut l'intérêt de la CIA et des autres agences américaines de renseignements. En 1972, on me charge de participer à un trafic international de stupéfiants impliquant de hauts responsables du gouvernement panaméen (je parle couramment l'espagnol). Ces derniers ont recours à leur statut de diplomates pour faire passer d'importantes quantités de drogue aux Etats-Unis. Un nom revient systématiquement, parmi les personnages impliqués : celui d'un certain Manuel Noriega[1]. L'enquête fait également apparaître que celui-ci est protégé par la CIA.

Depuis que Richard Nixon a inauguré le processus, en 1971, tous les présidents qui lui ont succédé lui ont emboîté le pas, reprenant le flambeau de la guerre contre la drogue. Le Congrès a sauté sur l'occasion pour augmenter le budget de ce conflit sans fin – et donc les impôts afférents. Dans le même temps, aux quatre coins de la planète, la CIA et le Département d'Etat protègent un nombre croissant de narcotrafiquants dont le rôle politique est loin d'être mineur : les moudjahidine d'Afghanistan, les cartels de la cocaïne en Bolivie, les plus hauts dignitaires de l'Etat mexicain, les magnats panaméens passés maîtres dans l'art du blanchiment, la Contra nicaraguayenne, la droite colombienne alliée aux « narcos »[2]...

---

1. Surnommé Face d'ananas en raison de la vérole qui grêle son visage, l'homme fort du Panamá restera pendant près de deux décennies un agent appointé par la CIA, bien qu'il ait fait de son pays une plaque tournante du trafic de cocaïne vers la Floride. Inculpé de blanchir de l'argent sale via la *Bank of Commerce and Credit International* (BCCI), il sera interpellé par l'armée américaine en décembre 1989, lors de l'opération « Juste cause ».
2. *Cf.* Michael Levine, *Deep Cover : The Inside Story of How DEA Infighting, Incompetence and Subterfuge Lost US the Biggest Battle of the Drug War,* Delacorte, New York, 1990.

Théoriquement, la loi fédérale réprime très lourdement quiconque protège les activités de narcotrafiquants. *« Ceux qui détournent les yeux lorsqu'ils sont témoins d'un trafic de drogue sont tout aussi coupables que les trafiquants eux-mêmes »*, a un jour proclamé le Président George Bush senior[1]. Quelques années plus tôt, alors qu'il dirigeait la CIA, le même George Bush avait personnellement autorisé le versement d'un salaire à Manuel Noriega, en qualité d'agent occulte de l'Agence. Le dictateur en herbe, connu comme un trafiquant notoire, apparaissait alors dans plus de quarante dossiers traités par la DEA.

Tous ceux qui, comme moi, travaillent au cœur de la machine répressive contre le trafic international de stupéfiants comprennent que le Congrès, soit tolère ces pratiques dont il est parfaitement informé, soit se rend coupable d'une incompétence crasse. Il nous apparaît tout aussi évident que, si la CIA peut ainsi protéger impunément des narcotrafiquants dans le monde entier, c'est en grande partie parce qu'elle peut compter sur la bienveillance des médias dominants, qui n'ont pas leur pareil pour diffuser des leurres. Pour s'acquitter de leur rôle de « chèvre », les rédactions suivent deux préceptes : d'abord, détourner l'attention du public des prodigieux volumes de drogues qu'on laisse, sans sourciller, pénétrer aux Etats-Unis ; ensuite, légitimer la guerre contre la drogue en présentant comme d'immenses victoires les saisies ridicules autorisées par les autorités – lesquelles, très souvent, ne représentent qu'un moyen d'évincer les concurrents des « narcos » liés à la CIA.

A cette époque, je prends conscience que tous les

---

1. Cité *in* Michael Levine, « The Drug War : Fight it at Home », *The New York Times*, 16 février 1993.

articles consacrés à la lutte contre la drogue se ressemblent étrangement : les gros titres reprennent des formules toutes faites, dans lesquelles le nom du pays et des personnes mis en cause changent en fonction de l'actualité. Chaque mois, on promeut l'arrestation d'un nouveau « baron », on fait des gorges chaudes sur tel gouvernement étranger corrompu par l'argent de la drogue, que l'on présente comme la nouvelle menace qui planerait sur la jeunesse américaine (trente ans plus tard, la tactique n'a pas changé). *« Les autorités américaines ont porté un coup sérieux au cartel de la drogue de... »*, lit-on ici ou là.

Les chefs d'Etat qui ne sont pas en odeur de sainteté à la CIA ou au Département d'Etat (Fidel Castro à Cuba, les sandinistes nicaraguayens, les guérillas d'inspiration marxiste du monde entier) sont vigoureusement dénoncés en une : *« Des sources américaines révèlent que [tel ou tel dirigeant "scélérat"] constitue une nouvelle menace dans le domaine du trafic de stupéfiants... »* A l'inverse, les pays « amis » (Manuel Noriega pendant deux décennies, le Mexique depuis l'Accord de libre-échange nord-américain), dont la CIA soigne l'image de marque, se voient décerner des bons points par la presse : *« Les autorités américaines accordent toute leur confiance à [tel ou tel dirigeant "ami"] pour ses efforts louables dans la lutte antidrogue. »*[1]

Aujourd'hui, grâce à la complicité des médias, les bonneteurs de la guerre contre la drogue continue de plumer les « pigeons », à mesure que la toxicomanie s'étend dans notre pays.

---

1. La une du *New York Times*, le 18 juillet 2001, fournit une autre illustration de ces formules rassurantes : *« Les autorités américaines accordent toute leur confiance à la nouvelle brigade mexicaine de lutte antidrogue. »*

Le 17 juillet 1980, des narcotrafiquants prennent le pouvoir en Bolivie. C'est « le putsch de la cocaïne »[1]. A l'occasion de ce coup d'Etat, le plus sanglant de l'histoire du pays, des mercenaires et des « narcos » recrutés par la CIA – et surnommés « les anges de la mort » – renversent la présidente démocratiquement élue, Lidia Gueiler (une « gauchiste », selon la CIA), que Washington ne veut pas voir à la tête du pays. Arrivés au pouvoir, les « narcos » profitent de l'occasion pour liquider leurs concurrents, ainsi que tous les informateurs présumés de la DEA. Ils intensifient la culture de la coca, afin de satisfaire la hausse vertigineuse de la demande américaine. Pour mener à bien leur projet, ils créent une organisation tentaculaire, bientôt surnommée *La Corporación*, qui n'est rien moins que « l'Opep de la cocaïne ».

Au lendemain du coup d'Etat, la production de cette drogue progresse dans des proportions spectaculaires, au point de bientôt dépasser la demande. Les prix baissent, les Etats-Unis ont « le nez dans la coke », et bientôt c'est le crack qui déboule dans les quartiers populaires. Le 17 juillet 1980 marque un jour noir dans l'histoire de notre pays : peu d'événements, en effet, lui ont infligé des dégâts aussi profonds et durables que le putsch des « narcos » boliviens.

Bien sûr, la population américaine n'a jamais été informée de la forte implication de la CIA dans ce coup d'Etat. Les médias dominants en ont pourtant été avisés par une source particulièrement bien placée, qui s'apprêtait à dévoiler publiquement l'affaire. Cet *insider* était en

---

1. A l'époque, ce pays fournit pratiquement 100 % de la cocaïne qui pénètre aux Etats-Unis (selon le témoignage de *Felix Milian-Rodruiguez*, inculpé pour blanchiment d'argent au profit du cartel de Medellín, lors d'une séance à huis clos devant la commission d'enquête Kerry, en juin 1986).

mesure de prouver que, pour permettre aux militaires boliviens de s'emparer du pouvoir, la CIA, le Département d'Etat et le ministère de la Justice avaient œuvré, main dans la main, pour bloquer une enquête de la DEA qui risquait de nuire aux intérêts de leurs protégés[1]. Vous vous demandez comment je sais tout cela ? Eh bien, l'*insider* c'était moi[2].

Au cours des mois qui suivent, j'observe, consterné, la façon dont la presse rend compte du putsch de la cocaïne. Bien qu'aisément démontrable, la véritable histoire du coup d'Etat est méthodiquement éludée. Les articles dressent un portrait, certes fidèle, du nouveau gouvernement bolivien, sans omettre de souligner qu'il est composé de nazis expatriés (comme Klaus Barbie) et de narcotrafiquants (comme Roberto Suarez). Mais ils gomment systématiquement l'information principale, à savoir que ce coup d'Etat a été entièrement téléguidé par l'Agence. Autrement dit, la narcodictature bolivienne s'est hissée au pouvoir grâce au contribuable américain.

Le silence stupéfait des médias contribue à me faire basculer. Je ne suis pas un héros. Simplement un petit agent secret qui sait manœuvrer habilement, mais pas le genre de type à prendre des risques inconsidérés. Voyant

---

1. *Cf. L'Etat américain contre Roberto Suarez* et al.
2. Tous les événements que j'évoque ici sont présentés en détail dans mon livre *The Big White Lie*, qui a été royalement ignoré par les médias à sa sortie. Pour étayer mes révélations, j'avais pourtant respecté scrupuleusement les méthodes de collecte d'informations enseignées dans les quatre écoles fédérales de police que j'ai fréquentées. Appuyant chaque affirmation sur des preuves indiscutables – rapports officiels, conversations enregistrées… –, j'ai pris les mêmes précautions que celles que j'aurais adoptées si j'avais dû préparer un dossier à l'intention d'un jury pénal (Michael Levine et Laura Lavanau, *The Big White Lie. The CIA and the Cocaine-Crack Epidemic*, Thunder's Mouth Press, New York, 1993).

que, dans l'affaire du Watergate, les révélations fracassantes de Bob Woodward et Carl Bernstein ont débouché sur une série d'inculpations et de peines de prison ferme relatives à des faits infiniment moins graves que ceux que je m'apprête à dénoncer, je me dis qu'il existe encore des raisons de faire confiance aux médias. Je me refuse à croire que c'est intentionnellement que la presse fait l'impasse sur les dessous du putsch de la cocaïne. Je compte lui fournir les pièces du puzzle qui lui manquent.

Pour dénicher des preuves irréfutables de l'implication de la CIA dans le coup d'Etat en Bolivie, il est nécessaire de se pencher sur le dossier Roberto Suarez. Il s'agit d'une opération clandestine particulièrement délicate que j'ai menée pour le compte de la DEA deux mois à peine avant le putsch. Deux barons du cartel bolivien, Roberto Gasser et Alfredo Gutierrez, ont alors été arrêtés devant une banque de Miami après que je leur ai remis huit millions de dollars en règlement de la plus grosse commande de cocaïne jamais passée à un réseau[1]. Les médias montent l'affaire en épingle, saluant l'opération clandestine la plus spectaculaire de tous les temps. Ce que personne ne dit au public américain, en revanche, c'est qu'à peine quelques semaines après leur arrestation largement médiatisée, Roberto Gasser et Alfredo Gutierrez sont libérés.

Lorsque j'apprends, depuis mon poste en Argentine, que ces deux hommes et leur cartel sont derrière le putsch de la cocaïne et que toute l'affaire est inspirée et soutenue par la CIA, j'adresse des lettres anonymes au *New York Times*, au *Washington Post* et au *Miami Herald*. Mes déclarations sont suffisamment précises pour convaincre

---

1. Le scénario du film *Scarface*, avec Al Pacino, reprend certains éléments authentiques de cette affaire.

les journalistes qui en sont destinataires que je suis une source haut placée susceptible de leur fournir d'autres renseignements fiables. Mais personne ne bouge. Ironie du sort, la seule publication qui s'étonnera du silence radio des autorités sur cette interpellation historique, et en particulier de la réticence de la DEA à l'évoquer, sera la revue *High Times*, spécialisée dans l'actualité de la marijuana et des psychotropes. A propos de l'affaire Suarez, le magazine écrit : « *La DEA accepte de confirmer les arrestations mais se refuse à tout autre commentaire. C'est étrange, car il s'agit peut-être là de son plus gros coup de filet.* »[1]

La presse institutionnelle, quant à elle, répercute aveuglément les inepties des politiques, des bureaucrates et des experts qui se répandent pour expliquer, au lendemain du putsch de la cocaïne, qu'il est plus urgent que jamais d'augmenter les budgets dévolus à la lutte antidrogue. Le Président Jimmy Carter va même jusqu'à exhorter la CIA à prendre sa place dans ce combat implacable...

C'est alors que *Newsweek* publie l'article qui changera le cours de ma vie. Cosigné par Larry Rohter et Steven Strasser, cette enquête sur le coup d'Etat en Bolivie fait l'effet d'une bombe. Les deux journalistes y racontent par le menu comment l'argent de la drogue a financé le putsch de la cocaïne – et bien d'autres à travers le monde. Je me dis qu'ils n'auront pas de trop d'un informateur bien placé et, sans plus réfléchir, je passe à l'action. J'aurais dû me souvenir de cette scène des *Trois Jours du Condor*. Robert

---

1. « Cocaine Colonialism : How the Fascists Took Over Bolivia », *High Times*, août 1981.

Redford, qui campe un employé de la CIA que l'Agence tente de liquider pour l'empêcher de divulguer un sordide complot – comme elle en a le secret –, s'apprête à franchir le seuil d'un grand quotidien. Le patron de la CIA l'accueille à l'entrée et lui lance, malicieux : « *Qu'est-ce qui te dit qu'ils publieront ton histoire ?* » Fondu au noir.

A l'époque, je suis encore assez naïf pour penser que les rédactions américaines grouillent de Woodward et de Bernstein. Depuis mon bureau, à l'ambassade, je rédige une lettre dont je ne me serais jamais cru capable. Sur le papier à en-tête de l'ambassade, je décline mon identité complète avant de livrer, sur trois pages dactylographiées, suffisamment de preuves étayant mes accusations pour convaincre les journalistes les plus sceptiques du sérieux de mes informations. Je précise en outre que j'accepte d'être cité nommément. Et j'adresse ce courrier, en recommandé, à Larry Rohter et Steven Strasser, aux bons soins de *Newsweek*. Quelques semaines plus tard, je reçois le talon de l'accusé de réception. Je m'attends à être contacté par les deux limiers d'une minute à l'autre. Les jours passent. Rien. Je ne parviens plus à fermer l'œil. Trois semaines plus tard, le téléphone sonne enfin. C'est l'inspection générale des services de la DEA, qui m'informe que je fais l'objet d'une enquête interne. Je suis accusé de tout et de n'importe quoi – d'avoir eu une liaison pendant une mission clandestine avec une collègue de la DEA mariée, d'avoir écouté du rock à plein volume sur ma radio et dérangé mes collègues de l'ambassade, j'en passe et des meilleures…

Ma carrière de diplomate « divulgateur » s'arrête là, mais je n'ose pas me plaindre de mon sort : contrairement à la plupart des hauts fonctionnaires qui prennent un jour le risque de tirer la sonnette d'alarme, je sauve ma peau.

Il est vrai que l'apprentissage d'un agent secret lui enseigne des techniques de survie qui n'ont rien à envier à celles des cafards du Bronx.

Je suis rappelé au siège de la DEA à Washington (le « palais des ronds-de-cuir ») et affecté au service « cocaïne ». Désireux de survivre à l'inspection diligentée contre moi, je choisis de suivre le conseil d'un confrère qui connaît bien la maison : *« La bureaucratie a la mémoire courte. Ne la ramène pas et ils finiront par t'oublier. »* Guidé par un inoxydable instinct de survie, je m'empresse de prendre ma place dans la grande partie de bonneteau.

Le jour même de ma prise de fonction, je suis appelé par un journaliste appartenant à une agence de presse. Il veut savoir quel pourcentage des drogues importées en contrebande aux Etats-Unis est intercepté aux frontières. Avant même que j'aie ouvert la bouche, un collègue qui a entendu la conversation me lance : *« Dis-lui 10 %, c'est le chiffre officiel. »* Obéissant, je répercute l'information, qui sera reprise dans sa dépêche. Pourtant, à l'époque où j'ai négocié en sous-marin avec un cartel bolivien (qui était alors le premier producteur mondial de cocaïne), j'avais entendu les trafiquants dire qu'ils estimaient à moins de 1 % leurs pertes aux frontières américaines.

C'est aussi simple que cela. Un pourcentage bidon sera inlassablement répété pendant vingt ans, sans qu'un journaliste ait, une seule fois une seule, l'idée de poser l'unique question qui vaille : comment pouvez-vous estimer que vous n'interceptez que 10 % des quantités qui pénètrent aux Etats-Unis ?

Même Hollywood entre dans la partie. Dans le film *Traffic* (tourné avec la collaboration des plus hauts responsables du bonneteau de la drogue), on trouve, par exemple, une extraordinaire scène de propagande. Pendant sa tournée d'inspection d'un point de transit, à la frontière américano-mexicaine, le « tsar » de la lutte anti-drogue (incarné par Michael Douglas) demande à un agent des douanes (un vrai douanier recruté pour les besoins du film) quel pourcentage de drogue est intercepté à la frontière : « 48 % », braille le bon petit soldat. Les saisies seraient donc passées de 10 % à 48 % en l'espace de vingt ans ? En ce cas, comment se fait-il que plus de drogue que jamais circule dans les rues ? Le film raflera un Oscar. Une prime à l'intox...

Pendant près de cinq ans, je participe à l'arnaque de la guerre contre la drogue en mettant de côté mes états d'âme. Je passe le plus clair de l'année 1983 à naviguer entre une mission secrète dans le cadre de l'opération Hun et un poste provisoire de superviseur de la force d'intervention de Floride du Sud – créée par le vice-président George Bush. Ironie du sort, l'opération Hun est destinée à renverser le gouvernement bolivien que la CIA a placé au pouvoir trois ans plus tôt. Comme je le raconte dans *The Big White Lie*, cette opération, censée marquer l'un des succès les plus retentissants de l'histoire de la DEA, est en fait étroitement contrôlée par la CIA. Elle sera purement et simplement sabordée pour dissimuler la protection offerte par l'Agence à des individus qui ne sont rien d'autre que les plus gros distributeurs de cocaïne au monde.

Entre deux missions clandestines pour l'opération Hun, je suis affecté à la force d'intervention du vice-président Bush. D'abord nommé commandant de surveillance, je suis chargé de signaler à Washington toutes les saisies de drogue réalisées par les différents services, afin de permettre au service de presse de programmer le plan média de l'amiral Murphy, le grand patron de la répression du trafic de stupéfiants de George Bush. Pour ma deuxième mission, je suis parachuté à la tête du service de contrôle des opérations de l'aéroport de Miami, avec une quinzaine d'agents de la DEA sous mes ordres. Nous sommes essentiellement chargés de réaliser le suivi des arrestations de narcotrafiquants effectuées par les douanes à l'aéroport.

En fait, la mise sur pied de la force d'intervention de Floride du Sud n'est qu'une vaste et coûteuse entreprise de propagande. Elle n'améliore en rien le rendement de la DEA, des gardes-côtes ou des douanes, simplement les saisies réalisées par ces services sont désormais regroupées et présentées comme autant de saisies records. Mieux : elles sont comptabilisées deux fois dans les statistiques ! Si le Service des douanes saisit 500 kilos de marijuana, il les remet ensuite à la force d'intervention. Puis, les deux organismes déclarent chacun une prise de 500 kilos dans leurs statistiques annuelles, destinées au Congrès. Bien entendu, les médias applaudissent. Et l'Américain moyen reste le dindon de la farce.

Les journalistes ont-ils couvert ces agissements ? J'en ai personnellement alerté une bonne douzaine et je sais que certains de mes collègues ont fait de même. Il n'était pas très compliqué de vérifier nos affirmations, pourtant rien n'a jamais filtré.

A la DEA, nous avons établi, preuves à l'appui, que pendant toute la guerre civile au Nicaragua, les contre-révolutionnaires de la Contra – ces *« héros »*, pour reprendre l'expression du lieutenant-colonel Oliver North – ont déversé au moins autant de cocaïne aux Etats-Unis que le cartel de Medellín. Nous avons également démontré que les moudjahidine afghans sont en passe de devenir les pre-

miers fournisseurs d'héroïne des Etats-Unis. Curieusement, aucune affaire importante mettant en cause l'un ou
l'autre de ces mouvements de guérilla n'a jamais été portée devant un tribunal. Chaque enquête a été scrupuleusement étouffée par la CIA et le Département d'Etat.

Avec une redoutable constance, les médias se consacrent, là encore, aux manœuvres de diversion. Que dire,
par exemple, de ce sondage d'opinion largement commenté
qui classe Oliver North parmi les « *dix personnalités les plus
admirées du pays* », alors même que le Congrès vient de
dénoncer la protection qu'il a offerte à des trafiquants de
drogue, meurtriers notoires, pour leur permettre d'échapper
à la justice ? Parallèlement, le Costa-Rica a interdit de
séjour le lieutenant-colonel North – ainsi qu'un chef de
bureau de la CIA et un ambassadeur américain –, notamment pour avoir fait transiter sur son territoire de la drogue
à destination des Etats-Unis[1]. La décision, qui émane du
président costaricain Oscar Arias, prix Nobel de la paix, ne
suscitera pas même un entrefilet dans la presse américaine.

Le soutien offert à la Contra utilise tous les pays de la
sous-région. Un confrère parti ouvrir un bureau de la DEA
à Tegucigalpa, au Honduras, recueille la preuve flagrante
que l'armée hondurienne, alliée à la guérilla nicaraguayenne, a fait passer quelque cinquante tonnes de
cocaïne aux Etats-Unis. Comment croyez-vous que la DEA
a réagi à cette information ? En fermant son bureau,
pardi[2] ! Là encore, malgré des fuites organisées de l'intérieur, pas un mot dans les gazettes.

---

1. *Cf.* Michael Levine, « I Volunteer to Kidnap Ollie North », *in Journal of Law
& Social Justice*, n° 20, 1993.
2. Jonathan Marshall et Peter Dale-Scott, *Cocaine Politics : Drugs, Armies and the
CIA in Central America*, University of California Press, Berkeley, 1991.

En 1984, je demande à être muté à New York pour convenance personnelle. Ma fille, âgée de 15 ans, commence à toucher à la drogue. Quant à mon frère David, après deux décennies de dépendance à l'héroïne, il vient de se suicider à Miami. Il m'a laissé une lettre : *« Je n'en peux plus de la came... »* Je suis décidé à faire tout ce qui est en mon pouvoir pour éviter à ma petite fille de sombrer à son tour.

La brigade d'intervention à laquelle je suis affecté est régulièrement sollicitée par les journaux télévisés des grandes chaînes nationales. Quand l'actualité est jugée trop morne, notre chef de service reçoit un appel du genre : *« Vous n'auriez pas une petite opération en préparation que l'on pourrait diffuser au journal de 11 heures ? »* Nous leur trouvons toujours quelque chose à filmer. Tout ce qui dope leur audimat contribue, par ricochet, à doper nos budgets.

Dans les années 1980, si tous les trafiquants que les médias rattachaient aux cartels de Medellín et de Calí s'étaient donné la main, ils auraient formé une chaîne assez longue pour encercler le globe. La diabolisation des cartels est telle que même le maire de New York, Ed Koch, d'ordinaire plus modéré, se laisse aller à des déclarations incendiaires, réclamant que l'on « vitrifie » la Colombie sans plus tarder. De mon côté, devenu un employé presque modèle, je joue le jeu sans rechigner. Je coordonne des raids bidons et sers aux journalistes ce dont ils ont besoin pour vendre du papier ou faire de l'audience. Depuis ce poste d'observation privilégié, je vois comment les généraux de la lutte antidrogue orchestrent la désinformation médiatique. Et je n'en comprends que mieux mes erreurs passées.

Nous sommes quelques-uns à avoir, dans un accès de naïveté ou de pure folie, risqué notre vie ou notre carrière pour tirer le signal d'alarme. En général, nous nous retrouvions à raconter à quelque gratte-papier incrédule, formé à l'école de journalisme de Columbia, que le dernier communiqué de presse publié par telle ou telle agence sur le *« nouvel espoir politique »* au Mexique, ou en Colombie, ou n'importe où ailleurs, qui allait *« éradiquer »* la corruption au sein du gouvernement, n'était qu'une nouvelle variante d'un « marronnier » vieux comme la pseudo-lutte antidrogue – ce qu'ils pouvaient vérifier dans les archives de leur propre journal. Nous leur disions que, pour avoir été en première ligne, nous avions fini par comprendre que, tant que les Américains consommeraient l'équivalent de centaines de milliards de dollars de stupéfiants chaque année, il n'y aurait aucun nouvel espoir à l'horizon.

Non seulement les journalistes ne tiltaient pas, mais ils n'avaient même pas la curiosité de s'intéresser à notre histoire. S'ils maîtrisaient sur le bout des doigts les formules chocs, les usages typographiques et la concordance des temps, ils n'entendaient strictement rien aux mécanismes occultes de la lutte contre le trafic international de stupéfiants. Leurs rédacteurs en chef leur serinaient toute la journée qu'un porte-parole gouvernemental (en général, un attaché de presse) est ontologiquement fiable. Nous avions face à nous de pâles rapporteurs, pas des journalistes d'enquête.

Pour l'heure, mis à part quelques accès de démence occasionnels, je n'éprouve plus la moindre envie de jouer, dans mon propre film, le rôle de Robert Redford. J'ai un prêt immobilier à rembourser et plus de dettes que nécessaire. Et puis il y a ma fille. Si je perds mon emploi, c'est la chute. Repensant aux *Trois Jours du Condor*, je me range désormais à l'avis du directeur de la CIA : il est certaines histoires qu'aucun journal ne publiera jamais.

Comme me l'a prédit le rond-de-cuir de la DEA, à force de me faire tout petit, mes péchés ont été oubliés. En 1987, mon agence me charge de prendre part à une opération d'infiltration baptisée opération Trifecta (par la DEA) ou Saber (par les douanes)[1]. Accompagné d'une petite équipe d'agents originaires de ces deux services, me présentant comme le chef d'une mafia porto-rico-sicilienne, j'infiltre les plus hautes sphères du trafic de drogue en Bolivie, au Panamá et au Mexique. Notre petite mafia se porte acquéreur de quinze tonnes de cocaïne auprès de *La Corporación* – le cartel bolivien que la CIA a aidé à prendre le pouvoir en 1980 et qui, aujourd'hui encore, fournit la majeure partie de la cocaïne pure traitée en Colombie[2]. Toutes nos négociations sont filmées en caméra cachée.

A la conclusion de l'accord, qui prévoit que l'introduction de la drogue aux Etats-Unis revient à la charge de mes interlocuteurs, j'envoie des pilotes s'assurer que tout est prêt en Bolivie. Puis, je négocie avec les responsables du gouvernement mexicain les détails de la protection militaire qu'ils accorderont aux cargaisons transitant par le Mexique. Je rencontre notamment le colonel Jaime Carranza, petit-fils de l'ancien président mexicain Venustiano Carranza, ainsi qu'un garde du corps du président de l'époque, Carlos Salinas de Gortari.

Des hommes de mon équipe se rendent au Mexique

---

1. Michael Levine y consacrera son livre *Deep Cover*, *op. cit.*
2. Témoignage de Felix Milian-Rodruiguez, *in* Michael Levine et Laura Kavanau, *The Big White Lie*, *op. cit.* ; Michael Levine, *Deep Cover*, *op. cit.*

pour s'assurer que le gouvernement respecte bien ses engagements et que l'armée prépare notre piste d'atterrissage. Il est convenu qu'en guise de premier versement, je dois remettre cinq millions de dollars en liquide à Roberto Rodriguez, le principal blanchisseur des cartels bolivien et colombien. Mes interlocuteurs m'ont précisé que les transactions qu'il effectue sont protégées par Manuel Noriega – qui émarge à l'époque à la CIA. Je me rends donc au siège de Roberto Rodriguez, à Panamá, pour y arranger les modalités de la remise de fonds. Nous nous quittons sur une chaleureuse poignée de main.

Pendant cette mission cauchemardesque, notre équipe réunit des preuves accablantes démontrant que l'armée mexicaine et certains membres de l'entourage de Carlos Salinas de Gortari prévoient d'ouvrir la frontière à la contrebande dès que celui-ci aura pris ses fonctions à la tête de l'Etat et que l'Alena aura été signé. Tout indique qu'ils ont déjà commencé à mettre leur plan à exécution.

Nous découvrons également que les hauts dignitaires mexicains que nous avons corrompus participent directement à l'entraînement de la Contra nicaraguayenne, soutenue par la CIA. Nous mettons en lumière les relations existant entre des hauts fonctionnaires américains (dont au moins un agent de la DEA) et des hauts fonctionnaires mexicains corrompus. Nous tenons encore la preuve que l'opération paramilitaire américaine menée dans la région andine (l'opération Snowcap, rebaptisée depuis Plan Colombie ou Initiative andine) a été conçue, dès l'origine, pour tromper le peuple américain et non pour réduire l'afflux de stupéfiants.

Dès que les autorités américaines sont informées de l'écheveau que avons démêlé, la CIA intervient pour siffler la fin du match[1]. Nous sommes allés trop loin, il est temps de rebrousser chemin. Les narcotrafiquants concernés, l'intermédiaire chargé de blanchir l'argent à Panamá, de même que les dignitaires mexicains que nous avons piégés échapperont à toute poursuite.

Dans mon ouvrage *Deep Cover*, je raconte par le menu le sabordage des opérations Trifecta et Saber. Dans un premier temps, j'avais informé le service des affaires intérieures de la DEA de nos découvertes à travers un long mémorandum que j'avais intitulé « le mémo dynamite ». J'espérais, naïvement, qu'il atterrirait entre les mains d'un représentant de l'Etat doué de conscience. Lorsque j'ai compris quel sort allait lui être réservé, l'idée de me confier à la presse ne m'a pas même effleuré. Je me suis lancé à corps perdu dans la rédaction de *Deep Cover*, qui a été publié trois mois après que j'ai pris ma retraite. Malgré le black-out que lui ont infligé les médias dominants, le livre s'est classé dans la liste des meilleures ventes publiée par le *New York Times*. Les rares journalistes à l'avoir évoqué, citant un *« porte-parole gouvernemental référencé »*, m'ont dépeint en dénonciateur frustré.

En 1991, dans son émission *Project Censored*, Bill Moyers classe mon livre parmi les dix enquêtes les plus censurées aux Etats-Unis. Pendant l'enregistrement, il me confie que *Deep Cover* est le livre à la fois le plus lu et le moins commenté dans les sphères du pouvoir fédéral. Je lui explique ma stupeur et mon découragement en constatant que le Congrès a accordé au Mexique le statut

---

1. Les enregistrements en caméra cachée de nos réunions avec les trafiquants ont été envoyées directement au bureau du procureur général de l'époque, Edwin Meese.

de « pays associé » dans la guerre contre la drogue. Une équipe des services de renseignements américains a pourtant démontré que certains dirigeants mexicains, corrompus jusqu'à la moelle par l'argent de la drogue, sont directement impliqués dans le meurtre d'un agent de la DEA, préalablement torturé. Je m'étonne aussi qu'en dépit de la fraude préméditée que constitue l'opération Snowcap (ce que je démontre dans mon livre), le Congrès continue d'intensifier la militarisation de la lutte antidrogue en Amérique latine sans même prendre la peine de diligenter sa propre enquête. Face à moi, Bill Moyers dodeline de la tête, à la façon du flic qui voit les gogos se masser devant la table du bonneteur.

Depuis mon départ de la DEA, le 1er janvier 1990, mon activité s'est diversifiée. Je suis journaliste indépendant, consultant auprès des médias, spécialiste des affaires criminelles et des narcotiques pour la télévision, expert auprès des tribunaux fédéraux et étatiques pour tout ce qui touche au trafic de drogue et à l'usage de la force meurtrière. Depuis 1997, j'anime *The Expert Witness Radio Show*, sur la radio WBAI, à New York. Dans cette émission, je reçois des personnalités qui sont directement impliquées dans les grandes opérations de mystification de la lutte antidrogue, ou dans d'autres affaires criminelles ou d'espionnage que les médias dominants se plaisent à déformer, voire à censurer.

À l'occasion de cette émission, j'ai un jour organisé une table ronde réunissant Ralph McGeehee (vingt-cinq ans à la CIA), Dennis Dayle (vingt-cinq ans à la DEA), Wesley Swearingen (vingt-cinq ans à la CIA) et moi-même, (vingt-cinq ans entre la DEA, les douanes, les services secrets de l'administration fiscale et le Bureau de l'alcool, du tabac et des armes à feu). Tous, nous avons participé à des opérations qui figurent parmi les plus spectaculaires qu'ont menées la police, l'armée ou les services de renseignements. Tous, nous nous accordons sur le fait qu'aucun de ces événements marquants – depuis la guerre du Vietnam et les programmes de contre-espionnage du FBI dans le années 1960 (CoIntelPro) jusqu'à l'immense machinerie de la lutte antidrogue – n'a été répercuté correctement par les médias dominants.

Aujourd'hui, devenu journaliste par la force des choses, je tiens à exposer quelques-unes des grandes affaires auxquelles j'ai été mêlé, afin de rectifier, autant que faire se peut, ce que mes confrères en ont dit.

Je comprends dès 1971, à l'époque où je suis employé à la Brigade de répression du trafic de stupéfiants, que les douanes américaines, tout comme le bureau des narcotiques et des drogues dangereuses, savent parfaitement que Manuel Noriega est impliqué dans le trafic à destination des Etats-Unis. Mais la CIA, dont celui-ci est le salarié, lui garantit l'impunité. Son statut d'agent occulte est aussi ancien que notoire – il a même déjeuné avec George Bush père – mais personne, à la CIA, ne prend la peine de signaler à l'agent de la DEA Danny Moritz ni au procureur fédéral Richard Gregorie que cet homme est intouchable. Désormais, la justice réclame Face d'ananas, trafiquant de drogue et honorable correspondant de la CIA depuis vingt ans. L'agence est en mauvaise posture. C'était compter sans la sollicitude des médias dominants.

Le soir du 20 décembre 1989, mi-effrayé mi-émerveillé, je contemple la maison forteresse de Manuel Noriega tomber sous un déluge de feu, emportant avec elle tout le quartier de Chorillo, en plein centre-ville de Panamá. L'opération commando marque le coup d'envoi des invasions à grande échelle qu'entreprendront les Etats-Unis au nom de la guerre contre la drogue. Elle cause des centaines, peut-être des milliers de victimes parmi la population civile panaméenne. Des femmes, des enfants sont brûlés vifs, abattus par balles, mutilés lors de l'assaut. Les Etats-Unis tiennent là une occasion rêvée de tester les derniers bijoux de leur technologie militaire. Je ne peux m'empêcher de penser au bombardement de Guernica. Côté américain, vingt-six soldats sont tués, la plupart par des « tirs amis ». Tout ce déchaînement de violence, toutes ces vies sacrifiées dans le simple but d'arrêter un trafiquant de drogue que la CIA protège depuis deux décennies ! L'Agence saura-t-elle maquiller cette grotesque atrocité ?

Oui, grâce aux journalistes, qui s'acquitteront de leur tâche sans faillir. En quelques mois, la presse parvient à gommer du *curriculum vitæ* de Manuel Noriega ses relations pourtant assidues avec certaines agences américaines. Dans le même temps, on travestit la bavure sanglante de Panamá en victoire sans précédent dans la guerre contre la drogue. La désinformation médiatique est tellement efficace que George Bush, qui a passé alliance avec les « narcos » et déclenché cette boucherie, voit sa cote de popularité décoller. Traduisant le cynisme ambiant, le président du Parti républicain, Lee Atwater, qualifie la monstrueuse atrocité de *« jackpot politique »*. L'expression sera la goutte d'eau qui fera déborder mon vase personnel...

Le 28 décembre 1991, mon fils, Keith Richard Levine, sergent de la police new-yorkaise, est abattu par des toxicomanes accros au crack. Quelques jours plus tard, le *New York Times* publie l'un de mes articles sur Manuel

Noriega[1]. Est-ce le meurtre très médiatisé de mon fils qui a fait changer d'avis le quotidien, ou bien l'imminence du duel présidentiel entre George Bush et Bill Clinton. Publié en pages « opinions », mon article ne représente qu'une onde légère à contre-courant d'un tsunami, mais il suffit à me donner une raison d'espérer dans les médias. Malgré tout le mal que j'en dis, ce milieu n'est pas monolithique. S'il est, dans l'ensemble, aux mains de personnages facilement intimidables et manipulables, il y subsiste des journalistes prêts à prendre des risques pour dénoncer les dérives du pouvoir.

En tant qu'expert auprès des tribunaux, j'assiste les magistrats qui défendent l'intérêt général face à une guerre contre la drogue qui s'autorise tous les excès. Témoin de premier plan, j'ai assisté à l'évolution de notre politique en la matière. Et quelle évolution ! En 1973, des agents de la DEA qui avaient procédé par erreur à une perquisition à Collinsville, dans l'Indiana, étaient traduits devant un tribunal fédéral. Désormais, la guerre contre la drogue autorise les autorités à assassiner des citoyens américains innocents tout en bénéficiant du silence complice des médias.

Donald Carlson, par exemple. Ce dirigeant d'une grande entreprise de San Diego cotée au hit-parade du magazine *Fortune* était bien incapable de distinguer une feuille de coca d'une ortie. En 1992, à son domicile, il est criblé de balles par une équipe de la Force d'intervention inter-agences de la lutte antidrogue armée de pistolets mitrailleurs et de grenades. Ces troupes de choc

---

1. Michael Levine, « The Drug War : Fight it at Home », *art. cit.*

interviennent sur dénonciation d'un indic. Depuis sa prison, l'homme en question a accusé Donald Carlson de dissimuler 2 500 kilos de cocaïne et d'héberger quatre tueurs colombiens qui ont juré de ne jamais se laisser prendre vivants.

Malgré le zèle assassin de la brigade antidrogue, ce citoyen modèle survit miraculeusement à ses blessures et décide de poursuivre l'Etat. Je suis recruté par ses avocats pour examiner les rapports gouvernementaux liés à l'enquête et pour rendre une expertise – un rôle auquel j'ai été formé en tant qu'inspecteur des opérations de la DEA. Après avoir étudié plus de cinq mille pages de rapports officiels, j'en arrive à la conclusion que les agents de l'Etat ont émis un mandat de perquisition au domicile de Donald Carlson sur la simple parole d'un petit délinquant, sans même prendre la peine de vérifier les dires de cet indic. A partir d'extraits précis du dossier, je conclus que les pouvoirs publics se sont non seulement rendus coupables d'une négligence criminelle mais qu'ils ont, en outre, sciemment violé les droits constitutionnels de Donal Carlson – qui proscrivent toute perquisition de son domicile[1]. Je recommande enfin, comme je l'aurais fait si j'avais travaillé pour le ministère de la Justice, de soumettre les éléments de preuve qui ont été réunis à un grand jury fédéral à fin d'inculpation des agents de l'Etat et des pouvoirs publics.

Au lieu de permettre à un jury populaire d'analyser les faits et de juger en toute impartialité, le procureur des Etats-Unis (nommé par Bill Clinton), Alan Bersin, convoque les « chèvres » médiatiques à une conférence de presse[2]. Il proclame que « *le système n'a pas failli* » et que

---

1. Encore plus grave : par la suite, ces agents se parjureront devant la justice afin de tenter de dissimuler leurs agissements.
2. La conférence de presse s'est tenue à San Diego (Californie) au début du mois de mars 1994, selon une dépêche publiée par l'Associated Press.

« *les agents de l'Etat ont fait leur travail* ». Une déclaration reprise en une par tous les grands organes de presse du pays.

Peu après que j'ai rendu mon rapport, le gouvernement propose à Donald Carlson une indemnisation de 2,7 millions de dollars. Quant aux rapports officiels se rapportant à cette affaire, ils seront classés « secret défense ».

Une fois de plus, j'essaie d'entrer en contact avec un média d'information. Mon histoire intéresse l'émission *60 Minutes*, que je considère comme l'un des derniers îlots d'indépendance dans l'océan consensuel des médias dominants. Pendant l'été 1993, l'affaire est abordée dans la cadre d'une émission spéciale consacrée aux indicateurs. A nouveau, pourtant, mon idéalisme est battu en brèche : il n'est pas mentionné que l'intervention qui a visé Donald Carlson a été classée « secret défense ».

Si nos croisés antidrogue mitraillent impunément le patron d'une entreprise cotée par le magazine *Fortune*, quel traitement peut espérer l'Américain moyen ? Le sort d'Ezekiel Hernandez apporte un élément de réponse. En 1997, à McAllen (Texas), ce bachelier de 18 ans ramène ses chèvres du pâturage. Il ne voit pas qu'à quelques mètres de là, des buissons se déplacent : plusieurs snipers des Marines détachés dans une patrouille antidrogue planquent à la frontière entre le Texas et le Mexique en tenue de camouflage – en violation flagrante de la loi *Posse Comitatus*, qui interdit à l'armée de participer directement au maintien de l'ordre. Ezekiel est abattu dans son jardin par un coup de fusil tiré à plus de 250 mètres. Il n'a même pas le temps de comprendre ce qu'il lui arrive.

Les médias dominants relativisent la mort du jeune homme, prétextant une erreur certes regrettable mais bien compréhensible. Quant à moi, je lance une invitation aux porte-parole du gouvernement afin qu'ils s'expliquent au micro de mon émission de radio. Le moins que l'on puisse dire est qu'ils ne se bousculent pas au portillon. D'une manière générale, d'ailleurs, aucun porte-parole officiel ne s'exprime dans les médias sur ce sujet sensible. Il est vrai qu'aucun journaliste ne commet l'impolitesse d'insister.

Dans l'affaire Hernandez, comme dans l'affaire Carlson, les responsables officiels n'ont pas concédé la moindre erreur. La famille Hernandez se verra offrir une indemnisation de 1,7 million de dollars – soit beaucoup moins que la somme offerte au très WASP Donald Carlson, bien que ce dernier ait eu la vie sauve. Affaire définitivement classée[1].

La partie de bonneteau s'intensifie lorsque le Président Bill Clinton et le président républicain de la majorité parlementaire, Newt Gingrich, se congratulent mutuellement pour leur nouvelle campagne de sensibilisation sur le thème : *« Dites non à la drogue ! »* Les milliards de dollars alloués à cette campagne de prévention tombent directement dans l'escarcelle des partenaires d'Hollywood[2], ou encore des médias qui s'apprêtent à en recueillir les fruits : émissions, films, publicités, articles engageant la jeunesse américaine à dire non... C'est alors que je reçois une information émanant d'une source nichée dans les hautes sphères du pouvoir. Celle-ci préfère me lâcher le morceau plutôt que de se tourner vers un journaliste de la « grande presse » ou de se confier à un psy. *« C'est une gigantesque*

---

1. *Ezekiel Hernandez Show*, diffusé en août 1997 dans *The Expert Witness Radio Show*.
2. Les studios Disney empocheront les soixante premiers millions.

carambouille, lance mon informateur à propos de la campagne. *Ne les laisse pas s'en tirer à si bon compte, Mike ! »*

Reprenant ma casquette d'expert, je me mets au travail. Etayée par une recherche que j'avais effectuée pour mon livre *Fight Back,* mon enquête révèle que personne (pas même l'Association pour une Amérique sans drogues) n'a jamais réalisé la moindre étude de marché pour évaluer l'impact de ce type de publicité. En fait, des études psychologiques réalisées par des spécialistes en neurolinguistique montrent que non seulement ces campagnes de sensibilisation sont inefficaces, mais qu'en plus elles augmenteraient l'usage de drogue. En fait, les publicitaires utilisent les mêmes ficelles, très suggestives, qu'ils le feraient pour vendre des yaourts. Dès lors, la campagne de prévention antidrogue provoque un effet inattendu sur son public cible, les adolescents. Directeur stratégique de l'Association pour une information responsable sur les drogues, Steven Donziger estime qu'elle inciterait les jeunes au lieu de les dissuader : *« Les publicités ne s'adressent pas aux adolescents de manière sincère. Beaucoup ont déjà goûté à des drogues illicites. Quand ils voient des publicités qui en diabolisent l'usage, ils sentent qu'elles ne sont pas honnêtes. »*[1]

Seul *Brand Week,* une revue professionnelle respectée, souligne l'importance des sommes – issues des caisses de l'Etat – que l'Association pour une Amérique sans drogues s'apprête à jeter par les fenêtres : deux milliards de dollars. Le plus gros budget publicitaire de Madison Avenue ! *Brand Week* qualifie ce gaspillage de *« très suspect ».* Ma propre source à la DEA me précise que ces deux milliards

---

1. *NewsBriefs* (publication du Réseau stratégique national des drogues), juillet-août 1998.

auraient suffi à racheter jusqu'à la dernière feuille de coca produite en Amérique latine cette année-là, ce qui aurait été au moins aussi efficace que toutes les opérations menées par la police et l'armée. Ce n'est pas l'option qui a été retenue.

Comment est censé réagir un média réellement indépendant quand il s'avise que la CIA fait passer autant de cocaïne aux Etats-Unis que le cartel de Medellín ? Ce n'est pas une boutade. En 1990, les douanes américaines interceptent une tonne de cocaïne à l'aéroport international de Miami. Une enquête des douanes et de la DEA établit rapidement que la livraison provient de la garde nationale vénézuélienne, dirigée par le général Guillen, un agent occulte de la CIA. Celui-ci affirme avoir agi sur les ordres et sous la protection de l'agence américaine de renseignements. Prise la main dans le sac, la CIA reconnaît sa responsabilité du bout des lèvres : comme dans l'affaire Noriega, elle a joué double jeu. Heureusement pour elle, l'Agence sait y faire pour s'assurer du verrouillage total des médias américains. Ses hommes doutent si peu de leur capacité à manipuler la presse qu'ils s'en vantent jusque dans leurs mémos internes[1]. Pourtant, avec cette affaire, l'Agence attire dangereusement l'attention sur l'arnaque que constitue la guerre contre la drogue. Son service « communication » devra mettre les bouchées doubles pour obtenir que les médias fassent l'impasse sur cette bavure.

On apprendra par la suite que le *New York Times* a reçu un article immédiatement après les faits. Il l'a gardé

---

1. Interview avec Ralph McGeehee, qui a passé vingt-cinq ans à la CIA, dans *The Expert Witness Radio Show*.

sous le coude jusqu'en 1993. La rédaction a enfin jugé que l'info était publiable lorsqu'elle a appris que *60 Minutes* était également sur le coup[1]. L'article passera donc dans le *Times* un samedi, à la veille de la diffusion du reportage de CBS. De grandes différences existent pourtant entre le récit fait par le quotidien et le reportage diffusé par *60 Minutes*. L'article affirme, par exemple : « *Cette affaire, qui, selon les autorités, semble résulter davantage d'un grave dysfonctionnement que d'une conspiration volontaire, n'a donné lieu à aucune poursuite pénale. Les responsables reconnaissent toutefois que la cocaïne a finalement été commercialisée aux Etats-Unis.* » Or, dans la séquence clé du reportage de *60 Minutes*, l'administrateur de la DEA, le juge fédéral Robert Bonner, déclare au présentateur : « *Il n'y a aucune autre façon de le dire, ce qu'a fait la CIA est de la contrebande de drogues. C'est illégal !* »

Pas besoin d'être diplômé de Harvard pour relever le fossé qui sépare ces deux présentations d'une même information. Avec mon épouse et coauteur, Laura Kavanau, nous décidons d'enquêter. Nous rencontrons notamment Annabelle Grimm, une ancienne collègue dont j'ai toujours admiré le travail et la droiture[2]. Nous aurons également un entretien avec un officier de la DEA qui a été directement concerné par l'incident. Au bout du compte, nous découvrons que non seulement la CIA a fait passer beaucoup plus de cocaïne aux Etats-Unis – autour de vingt-sept tonnes, au total – que ce qui a été intercepté à

---

1. Tim Weiner : « Venezuelan Anti-drug Unit Sent Ton of Cocaine to US in 1990 », *The New York Times*, 20 novembre 1993.
2. Dans une interview télévisée donnée à l'époque des faits, Annabelle Grimm, agent de la DEA attachée à l'ambassade américaine au Venezuela, confirme que la CIA a tout bonnement fait passer de la drogue clandestinement, au mépris des lois américaines.

l'époque, mais qu'en outre la DEA a tenté de la dissuader de commettre cette soi-disant *« opération de collecte de renseignements »* complètement insensée – les actes commis par l'Agence sont passibles de peines pouvant aller jusqu'à la prison à vie. L'identité d'au moins deux employés de la CIA ayant organisé l'opération de contrebande, en dépit de cette mise en garde solennelle, est connue de mon ancien service. Pourtant, au lieu de se concentrer sur ces délinquants de haut vol, les enquêteurs ciblent la pauvre Annabelle Grimm et quelques autres lampistes.

Pendant que je m'affaire, James Woolsey, le grand patron de la CIA, est l'invité des principaux magazines d'information des grandes chaînes de télévision et de radio (y compris la radio de service public). Il y proclame que la CIA n'a fait l'objet d'aucune poursuite pénale et que l'incident n'est, au fond, qu'un *« malheureux cafouillage »*. Autrement dit, *« une enquête conjointe de la CIA et de la DEA qui a mal tourné »*...

Cette assertion contredit les déclarations du juge Bonner. Mes sources à la DEA m'assurent de leur côté que James Woolsey, avocat de formation, ment de manière éhontée et que les médias le couvrent. Mis à part les reporters de *60 Minutes*, aucun des journalistes qui déploieront un zèle inquisiteur pour déterminer la forme exacte du pénis de Bill Clinton ne se risquera à aller fourrer le nez dans ce dossier explosif. Imaginez les gros titres que nous aurions connus : *« La CIA trahit la nation : l'Agence déverse plus de cocaïne dans les rues du pays que le cartel de Medellín. »* Un cataclysme.

Les faits démontrent sans ambiguïté que la guerre contre la drogue est une escroquerie absurde et meurtrière, ponctuée par d'inadmissibles abus de pouvoir. Dans l'affaire de la garde nationale vénézuélienne, plusieurs

porte-parole haut placés du gouvernement sont aujour-
d'hui prêts à briser la conspiration du silence et à livrer
leur vérité sur la pire des trahisons jamais commises par
la CIA contre son propre peuple. A condition qu'on leur
tende un micro.

J'ai appris il y a quelque temps que John Clements, un
jeune toxicomane arrêté dans le cadre de mon enquête sur
les livraisons d'héroïne en provenance de Bangkok, doit
être bientôt libéré après avoir purgé l'essentiel de sa peine
de trente-cinq années de prison. Il a été condamné pour
« conspiration » dans le cadre d'un trafic d'héroïne pour
avoir aidé un dealer à récupérer une livraison de drogue.
A l'époque, les médias s'étaient tellement déchaînés sur
cette affaire – sans doute pour faire oublier les tonnes
d'héroïne introduites aux Etats-Unis par les agents
occultes de la CIA – que ce gamin ne pouvait qu'écoper de
la peine maximale. J'y ai, moi aussi, ma part de responsabilité. J'espère contribuer, par cette modeste contribution,
à compenser quelque peu les préjudices que j'ai pu causer
malgré moi.

Les événements du 11 septembre 2001 m'ont imposé
de rédiger un post-scriptum à ce chapitre. La question que
je me pose est la suivante : en couvrant depuis plusieurs
années les piteux cafouillages du FBI et de la CIA, la presse
dominante a-t-elle dissimulé aux Américains les nombreuses failles qui affectaient la capacité de leur pays à
faire face aux menaces terroristes ? Pour téméraire qu'elle
soit, l'hypothèse n'a rien de loufoque. Comme chacun peut
le vérifier auprès des tribunaux fédéraux, sept mois avant
le premier attentat commis contre le World Trade Center
(en 1993), le FBI a infiltré une taupe, Emad Salem, au sein

de la mouvance islamiste radicale. Celui-ci a signalé que des terroristes projetaient de faire sauter les tours jumelles, mais le Bureau n'a pas jugé utile de partager cette information avec d'autres services, et notamment la police new-yorkaise. Un haut responsable du FBI a même décidé de congédier Salem qui, pour sa mission, touchait un salaire mensuel de… 500 dollars. Que croyez-vous qu'il arriva ? Eh bien, immédiatement après l'attentat, le FBI lui a offert 1,5 million de dollars pour l'aider à retrouver la piste des terroristes.

Le ratage ne s'arrête pas là. Lorsque ce service est parvenu à mettre la main sur l'auteur présumé de l'attentat, Ramzi Youssef (un homme formé, aux frais de la CIA, pendant la première guerre d'Afghanistan), il a trouvé, sur le disque dur de son ordinateur, des informations indiquant que le réseau envisageait d'utiliser des avions de ligne américains comme missiles autopropulsés. Il ne s'en est aucunement inquiété.

Vous n'avez jamais entendu parler de cette histoire ? C'est normal, puisque la plupart des grands médias l'ont recouverte d'un voile pudique. Ils ont préféré saluer l'efficacité du FBI, qui avait si bien bouclé, estimaient-ils, l'enquête sur le premier attentat contre le World Trade Center. Quelque années plus tard, ils ont encensé le Bureau pour la « capture » du fameux Unabomber, sans s'appesantir sur le fait que ce déséquilibré, qui narguait les autorités depuis longtemps, venait d'être dénoncé par son propre frère.

Qu'il s'agisse de la guerre contre la drogue ou contre le terrorisme, les journalistes américains ne songent même plus à divulguer les affaires d'Etat. Ils sont devenus les gardiens de l'omerta.

Michael Levine

Allez creuser où je vous le dirai

GRANDEUR ET DECADENCE
DU JOURNALISME AMERICAIN

L es témoignages réunis dans cet ouvrage dressent un tableau préoccupant des atteintes qui sont portées chaque jour au journalisme. Pour autant, leur objectif n'est pas d'inciter les citoyens à baisser les bras. Au contraire, les auteurs espèrent favoriser une prise de conscience, nécessaire préalable à une réforme en profondeur du paysage médiatique. Je m'efforcerai pour ma part de replacer les mutations du journalisme américain dans leur contexte historique et d'avancer quelques explications à ces dérives.

Théoriquement, dans une société démocratique, le journalisme est censé remplir deux fonctions principales. D'une part, rendre compte rigoureusement des faits et gestes de ceux qui exercent un quelconque pouvoir ou qui y aspirent. D'autre part, diffuser des informations fiables, ainsi qu'un large spectre d'opinions éclairées, sur les grandes questions sociales, politiques et économiques du moment. Aucun organe de presse, naturellement, n'est en mesure de jouer ce rôle à lui tout seul. C'est le paysage médiatique dans sa diversité qui est censé offrir aux citoyens une information complète et contradictoire. A cet égard, il faut bien reconnaître que le journalisme américain souffre de graves défaillances. En fait de contre-pouvoir, il n'est plus qu'une girouette ballottée par le vent au gré des intérêts des puissants du moment. Un leurre démocratique, qui tremble face aux pouvoirs établis et cède devant les intérêts des grandes entreprises, sans vraiment jouer son rôle de forum d'informations et d'idées.

L'opinion perçoit difficilement ces dysfonction-nements. Dans l'esprit du public américain, les groupes de presse et de communication qu'il connaît représentent le seul modèle acceptable pour une société libre et démocra-tique. Certes, ceux-ci sont mus par une logique strictement libérale d'optimisation des bénéfices, ce qui peut aboutir à brider le journalisme, mais ces restrictions sont vues, le plus souvent, comme acceptables au regard des nombreux avantages qu'elles procurent par ailleurs. En outre, un ensemble de règles déontologiques censées préserver l'in-tégrité de l'information face aux pressions commerciales font office de garde-fous. Le système n'est pas en cause, assure-t-on. Si le journalisme américain bat de l'aile, c'est plutôt parce que les normes d'excellence professionnelle ne sont pas rigoureusement respectées.

Il me semble qu'en la matière, la sagesse populaire est trompeuse. Ce genre d'idées convenues nous dissuadent de réfléchir à l'importance du journalisme dans une société véritablement démocratique. Aussi j'aimerais ici tordre le cou à quelques idées toutes faites et montrer que c'est bien le système médiatique qui est à l'origine de certaines dérives du journalisme. Ce qui n'exclut pas que nous nous interrogions sur notre conception du métier, au vu des rapports parfois contre-nature que le quatrième pouvoir a pu nouer, au cours de l'Histoire, avec les pouvoirs établis qu'il était censé contrebalancer.

L'idée d'un journalisme politiquement non partisan, professionnel, voire objectif, remonte à plus d'un siècle. D'ailleurs, les générations qui ont assisté à la naissance de la république auraient jugé inconvenante une telle conception de la presse. A leur époque, son rôle était d'informer mais surtout de convaincre, et la plupart des journaux – étroitement liés à des partis politiques – étaient farouchement partisans. Le premier amendement de la Constitution, qui garantit la liberté de la presse, a d'abord été conçu comme le moyen de permettre aux dissensions politiques de s'exprimer. Laisser au pouvoir un moyen d'interdire ou de bâillonner les journaux serait revenu à empêcher partis et mouvements d'opposition de mobiliser leurs militants. Tant qu'il existait un nombre suffisant de journaux offrant un large éventail d'opinions, la presse partisane a tenu sa place au service de la démocratie.

Au XIXᵉ siècle, la presse reste ouvertement partisane mais elle se met à engranger de gros bénéfices à mesure que les coûts de fabrication dégringolent, que la population augmente et que la publicité – qui s'est imposée comme la première source de recettes – se développe. Devenue moins concurrentielle, elle tombe sous l'emprise de quelques riches individus qui s'en servent pour diffuser leurs opinions. A cette période, les socialistes, les féministes, les abolitionnistes, les syndicalistes, bref, les réformateurs au sens large considèrent les médias dominants comme la voix de leurs ennemis, ce qui les incite à lancer leurs propres titres. Au début du XXᵉ siècle, les adhérents et sympathisants du parti socialiste d'Eugene V. Debs compteront jusqu'à trois cent vingt-cinq publications – quotidiens, hebdomadaires et mensuels –, aussi bien en anglais que dans plusieurs langues étrangères. Editées, pour la plupart, par l'une ou l'autre des cinq mille antennes locales du parti socialiste, celles-ci touchent plus de deux millions d'abonnés. *Appeal to Reason*, le journal qui inspirera à Jim Weinstein *In These Times*, compte à lui seul près d'un million de lecteurs.

Entre l'âge d'or et l'époque dite « progressiste » (1870-1915), les médias américains connaissent des bouleversements à la mesure des profondes mutations qui marquent l'économie politique du pays. D'un côté, la presse dominante est de plus en plus nettement concentrée entre les mains d'une poignée de grosses entreprises de presse. De l'autre, la publicité, devenue la principale ressource, interdit *de facto* aux petits journaux indépendants de s'imposer dans la sphère médiatique. Et ce, malgré la clause de sauvegarde de la Constitution censée protéger la presse « libre ». Pendant la première moitié du XXᵉ siècle, victime du libéralisme ambiant, la presse dissidente voit fondre sa diffusion et son influence – en tout cas, son lectorat décline dans des proportions bien plus importantes que l'intérêt porté aux opinions politiques dites dissidentes. Dans le même temps, les avancées technologiques ouvrent la voie à des industries nouvelles, au développement de magazines nationaux, de la radio, de l'industrie du disque ou du cinéma et, plus tard, de la télévision. Des activités générant d'énormes profits.

Ces bouleversements se traduisent par une crise des médias américains. La presse commerciale est de plus en plus omniprésente, alors même que le secteur de l'information est devenu l'apanage d'une oligarchie. Le premier amendement, rédigé à l'origine pour protéger efficacement le droit des citoyens à émettre et recevoir des opinions politiques divergentes, est devenu un outil protégeant les intérêts commerciaux des patrons de presse, un blanc-seing leur permettant d'agir à leur guise pour maximiser leurs bénéfices sans avoir à rendre de comptes.

L'avènement d'une presse moderne met en évidence les contradictions fondamentales qui existent entre la logique des médias privés et les exigences d'une société démocratique, notamment en matière d'information. Tant que chaque communauté dispose d'organes de presse variés et en nombre suffisant, tant que prolifèrent des publications qui donnent voix au chapitre à tous les dissidents – comme ce fut le cas pendant une grande partie du XIXe siècle –, les médias commerciaux ont toute leur place au sein d'une démocratie. Mais depuis, la donne a changé. Mis à part les grandes villes du pays, la population n'a plus guère le choix, au mieux, qu'entre deux quotidiens locaux – généralement détenus par des groupes très puissants. Dans ce contexte, un journalisme qui s'obstinerait à rester partisan reviendrait à promouvoir les intérêts de ses propriétaires et de ses annonceurs. De quoi jeter un sérieux doute sur la crédibilité de la profession.

Aux Etats-Unis, la critique de la presse capitaliste connaît son apothéose à l'époque dite progressiste, quand elle devient l'un des sujets d'enquête privilégiés des fameux « fouille-merdes ». De grands réformateurs, tels que Robert La Folette, dans le Wisconsin, accusent alors les médias dominants de miner la démocratie en défendant servilement des intérêts économiques. *« La presse est un rouage à la solde d'un système commercial. Son seul but est de raconter des mensonges lorsque des intérêts sont en jeu»*, affirme à l'époque Henry Adams. En 1919, avec *The Brass Check : A Study of American Journalism*, Upton Sinclair signe la première grande critique des restrictions imposées au journalisme démocratique dans une économie capitaliste. Cette profession est alors très largement perçue comme un instrument de propagande de classe dans une guerre où seul un camp est armé. Cette conception, d'ailleurs, n'est pas pour arranger les groupes de presse car de nombreux lecteurs potentiels risquent de se détourner irrévocablement de leurs titres.

C'est dans le sillage de ces débats houleux que l'idée de journalisme professionnel mûrit pleinement. Les patrons de presse les plus clairvoyants comprennent que pour étoffer leur lectorat, ils doivent donner au traitement de l'information une allure de neutralité et d'impartialité – des notions qui sont totalement étrangères à la conception du journalisme à l'époque des pères fondateurs. Ils favorisent donc l'émergence d'écoles de journalisme destinées à former les futures générations de professionnels. Aucune de ces institutions n'existait encore en 1900. Quinze ans plus tard, les écoles des universités de Columbia, de Northwestern, du Missouri ou de l'Indiana s'imposent déjà comme les plus prestigieuses. La séparation du rédactionnel et du commercial – plus souvent évoqué sous le terme de « séparation de l'Eglise et de l'Etat» – devient un dogme professionnel. Les propriétaires de journaux s'engagent à laisser toute latitude à leurs journalistes pour définir leur ligne éditoriale conformément à leur discernement professionnel et non en fonction des convictions politiques ou des intérêts commerciaux des actionnaires ou des annonceurs. Les lecteurs retrouvent confiance dans l'information qui leur est fournie. Et les groupes commerciaux y trouvent leur compte, puisqu'ils élargissent ainsi leur lectorat.

Bien entendu, il faudra attendre plusieurs décennies pour voir l'ensemble des grands médias adopter ces normes. Jusque dans les années 1950, les patrons de presse sont légion – à l'instar du colonel McCormick, du *Chicago Tribune* – à utiliser leur journal pour défendre des opinions farouchement partisanes (le plus souvent d'extrême droite). A leur décharge, il faut bien avouer que la prétention affichée par certains de fournir des informations prétendument objectives apparaît tellement illusoire qu'elle en devient suspecte. L'adoption d'une ligne éditoriale suppose des choix. Lorsque l'on décide de publier un sujet en une et d'en ignorer un autre, on fait montre d'une large part de subjectivité.

Le journalisme professionnel se dote de trois principes fondamentaux qui subsistent encore à l'heure actuelle. D'abord, afin d'éviter toute polémique liée au choix des sujets, le journaliste est tenu de considérer tout ce qui provient de sources officielles comme une information légitime et digne d'intérêt. Ce recours étendu aux sources institutionnelles confère aux hommes politiques – ainsi qu'aux hauts fonctionnaires et aux hommes d'affaires – le pouvoir considérable de déterminer l'actualité en fonction de ce qu'ils acceptent de dire ou de ce qu'ils préfèrent taire. L'information se retrouve du même coup tributaire des pouvoirs établis et de la pensée dominante.

Nous avons récemment pu mesurer les effets néfastes de cette situation à l'occasion du piteux traitement consacré à l'élection présidentielle de novembre 2000, qui a vu la « victoire » de George W. Bush. Les journalistes en étaient réduits à osciller entre les déclarations officielles des camps républicain et démocrate. Les premiers revendiquaient la Maison Blanche, quel que soit le verdict effectif des urnes. Quant aux seconds, ils avaient renoncé à se battre pour un scrutin que leur camp avait pourtant remporté haut la main, comme nous le savons aujourd'hui. Nombreux, à l'époque, sont ceux qui engageaient Al Gore à jeter l'éponge, faute de quoi les démocrates devraient mobiliser les syndicats, les féministes, les écologistes et les Afro-Américains pour organiser de grandes manifestations – ce que les bailleurs de fonds du parti voulaient absolument éviter. La presse, par conséquent, a entériné la victoire douteuse de George W. Bush, tandis qu'Al Gore s'est raccroché à de plates arguties pour tenter de sauver la face. Si les journalistes s'étaient fait entendre, s'ils avaient exigé un décompte précis et exhaustif des voix, on les aurait sûrement taxés de favoritisme partisan. Alors, ils se sont sagement retranchés derrière la langue de bois officielle. Et c'est la démocratie qui en a fait les frais.

Toujours dans le souci d'éviter la polémique, le code de conduite du journaliste professionnel pose un deuxième principe élémentaire : une information ne mérite d'être diffusée que si l'actualité « l'exige » ou si elle comporte une part de sensationnel. Du coup, de grandes questions de société telles que le racisme ou les atteintes à l'environnement sont régulièrement mises de côté, à moins qu'une manifestation ou la publication d'un rapport officiel justifie qu'on y consacre quelques lignes. Là encore, on constate un fossé entre ceux qui détiennent le pouvoir de « faire » l'actualité et les autres. Obsédés par une pseudo-neutralité, les journalistes ont tendance à minimiser ou à carrément passer sous silence un ensemble de positions éclairées ou de questions polémiques. Au lieu de quoi, ils se font l'écho d'opinions élitistes sur des enjeux dont débat l'élite, aboutissant à vider la politique de sens et à accélérer la dépolitisation des citoyens.

Ces deux facteurs cumulés ont stimulé la croissance fulgurante du secteur de la communication. En rédigeant des communiqués de presse soignés, en rémunérant des « experts », en produisant à la chaîne des informations prêtes à l'emploi, les agences de communication ont réussi à adapter l'information aux intérêts de leurs clients, essentiellement des entreprises commerciales. Comme l'écrit Alex Carey, dans son ouvrage *Taking the Risk out of Democracy*[1], le rôle dévolu à la communication en démocratie est d'éradiquer toute menace contre les intérêts privés. Quitte à semer la confusion dans l'esprit des gens. Des études ont démontré que 40 % à 70 % de ce que les médias présentent comme de l'information provient en réalité d'agences de communication.

Le troisième principe intangible que s'est fixé le journalisme américain est plus subtil. Plus déterminant aussi. Il instille discrètement dans la profession des valeurs qui servent les intérêts financiers des patrons de presse et des annonceurs, ainsi que les objectifs politiques de la classe dominante. Ben Bagdikian, auteur de *Media Monopoly*, appelle ce phénomène : *« Allez creuser où je vous le dirai. »* La méthode fonctionne si bien que les faits divers et les potins mondains sont devenus de l'information à part entière. Il est vrai que ces sujets ne reviennent pas cher et qu'ils présentent l'avantage indéniable de ne pas mettre en cause les détenteurs du pouvoir. Autre retombée : les journalistes s'intéressent plus volontiers aux affaires de l'Etat qu'à celles des grandes entreprises. Fondateur du Centre pour la transparence de la vie publique, Charles

---

1. University of Illinois Press, 1997.

Lewis relève que la presse reprend plus volontiers les rapports de son association qui portent sur les malversations de l'Etat que ceux, tout aussi documentés, qui dénoncent la délinquance en col blanc. Il note également que les journalistes opèrent une distinction entre les activités du gouvernement : celles qui concernent les pauvres (comme l'assurance maladie) bénéficient d'un traitement bien plus critique que celles qui intéressent les puissants (par exemple, la CIA et les autres institutions liées à la sécurité nationale, plus ou moins intouchables).

Le génie de cette « professionnalisation », c'est qu'elle parvient à faire oublier aux journalistes leurs compromissions quotidiennes dans les allées du pouvoir. Aux Etats-Unis, le phénomène atteint sa cote d'alerte entre les décennies 1950 et 1980. Les journalistes jouissent alors d'une relative liberté pour déterminer leurs sujets et disposent de ressources considérables pour exercer leur métier. Pourtant, comme effrayés par cette liberté, ils se montrent favorables au *statu quo*. En règle générale, ils estiment que si l'élite – les 2 % ou 3 % de citoyens les plus fortunés, qui détiennent la majeure partie des richesses et dirigent les plus grandes institutions – est unanime sur une question, alors ils ne sauraient remettre en cause cette position. A titre d'exemple, les rédactions sont intimement persuadées que les Etats-Unis sont fondés à envahir n'importe quel pays, n'importe quand, quelle qu'en soit la raison. S'il arrive que l'élite américaine désapprouve certaines de ces invasions, personne cependant ne conteste la théorie selon laquelle l'armée américaine – et elle seule, à moins qu'elle ne sous-traite l'opération à quelque allié – a le droit d'intervenir unilatéralement dans le monde entier.

Une autre antienne qui circule parmi les journalistes américains dresse un parallèle entre l'expansion du libéralisme économique et celle de la démocratie. L'élite américaine a toutefois tendance à définir la démocratie à l'aune de sa capacité à optimiser ses propres bénéfices. En somme, le journalisme américain n'a rien à envier, par son dévouement aux pouvoirs en place, à la *Pravda* et aux *Izvestia* de l'ancienne Union soviétique. Ce n'est que lorsque des débats surgissent au sein même de cette élite – ou lorsqu'une question ne présente pas d'intérêt direct pour elle – que le journalisme donne toute sa mesure. Il peut alors se montrer brillant, comme on l'a vu sur certaines grandes questions de société telles que les droits civils, le droit à l'avortement, les affrontements entre républicains et démocrates (dans l'affaire du Watergate, notamment)... C'est moins vrai cependant dès qu'il s'agit du recul de l'impôt progressif, des opérations clandestines de la CIA ou des massacres de masse sponsorisés par les Etats-Unis en Indonésie. Il ne faut pas surestimer la liberté des journalistes vis-à-vis des intérêts de leurs actionnaires. La loi du silence s'impose dès qu'on touche à des individus ou des entreprises riches et puissants.

Dans le même temps, il arrive que la mobilisation populaire contribue à façonner l'exercice du journalisme. Par exemple, celui-ci reste suffisamment flexible pour adapter à la hausse le traitement qu'il consacre aux mouvements sociaux lorsque la pression de la rue se fait plus forte. Il est d'ailleurs notable d'observer l'évolution de traitement de la question sociale dans les médias d'information au cours des dernières décennies. Dans les années 1940, la presse quotidienne comptait des centaines de journalistes qui se consacraient à plein temps au monde ouvrier. Les conflits syndicaux étaient couverts y compris dans les journaux les plus à droite, tel que le *Chicago Tribune*. La grève de Flint, en 1937, qui a été à l'origine de la création du Syndicat des ouvriers de l'industrie automobile (l'UAW), a fait la une dans tout le pays. Quarante ans plus tard, le syndicalisme ne fait plus l'actualité. On ne dénombre guère plus d'une douzaine de spécialistes du monde du travail dans les quotidiens américains (il en reste aujourd'hui moins de cinq dans tout le pays). Le sujet a totalement disparu des gazettes. En 1989, la grève de Pittstown – la plus importante depuis Flint – est pour ainsi dire passée sous silence : personne se saura jamais sur quoi elle a débouché. Confortée par le déclin du mouvement syndical, la presse se désintéresse du sujet au point de l'abandonner tout à fait. Pourtant, des gens continuent de travailler à l'usine. La classe ouvrière n'a jamais été aussi pauvre. Les conflits du travail prennent des proportions inédites. Mais tout cela n'est plus considéré comme de l'information.

Paradoxalement, tandis que le syndicalisme disparaît totalement de l'actualité, la presse américaine essuie les critiques virulentes de la droite, qui l'accuse de se montrer hostile aux entreprises et de prendre parti en faveur des syndicats, des fonctionnaires, des féministes, des pacifistes, des écologistes, des militants des droits civils, des pauvres, etc. Cette critique est relayée par des organisations dont l'inlassable objectif est de laminer les droits des travailleurs, de déréglementer le secteur des affaires et de placer les grands patrons aux commandes de l'Etat. Si bien qu'au milieu des années 1970, ces attaques contre la presse dite libérale font office d'opposition plus générale au journalisme professionnel.

A bien y regarder, ces reproches sont tout à fait

logiques. Ce que déplorent les conservateurs, c'est la relative autonomie dont jouissent les journalistes. Les professionnels qu'ils visent ne sont en rien des gauchistes, mais ils manifestent néanmoins des opinions nettement plus progressistes que celles de leurs patrons, notamment sur les questions sociales. Opposant le bon sens à l'élitisme – qui, de toute évidence, fait partie intégrante de la culture journalistique –, la critique conservatrice portée aux rédactions trouve une résonance particulière auprès d'un grand nombre d'Américains.

Si les conservateurs continuent aujourd'hui de pourfendre les médias, leur critique est infiniment moins convaincante qu'il y a vingt ans. Leur croisade a cependant porté ses fruits puisque, de nos jours, les grands médias commerciaux présentent un éventail d'opinions qui va du centre à la droite radicale. On peut donc s'étonner de voir un Rush Limbaugh s'élever contre un traitement de l'information qu'il juge farouchement pro-Clinton ou pro-Gore, alors qu'en fait, sur la plupart des grandes questions de politique intérieure, Bill Clinton comme George Bush ont pris des positions extrêmement favorables aux entreprises de presse. Il suffit de voir comment le *New York Times* a rendu compte de la campagne de Ralph Nader lors de l'élection présidentielle de 2000 – avec une neutralité qui n'a rien à envier à celle de la *Pravda* lorsqu'elle évoquait le dissident Andreï Sakharov – pour mesurer que les sympathies de gauche, voire radicales, des médias américains restent très relatives.

Plusieurs facteurs ont contribué à donner au journalisme ce coup de barre à droite. Au premier chef, les profonds changements structuraux qu'a connus le secteur des médias au cours des vingt-cinq dernières années, et plus encore dans la dernière décennie. Bénéficiant souvent de dérogations gouvernementales aux lois en vigueur et d'une application plus que laxiste des lois antitrust, les grands groupes de presse et de communication ont réalisé des fusions spectaculaires. Autrefois plusieurs centaines, ils sont aujourd'hui réduits à une galaxie dominée par moins de dix multinationales tentaculaires, autour de laquelle gravitent près d'une quinzaine de très grosses entreprises. Tout en haut de la pyramide, les géants AOL Time Warner, Disney, Viacom, News Corporation, Bertelsmann, Vivendi Universal, Sony, AT&T et General Electric. Le rachat de Time Warner par AOL en 2000, pour quelque 180 milliards de dollars, donne une idée de l'ampleur de ce phénomène. Ce prix est cinq cents fois plus élevé que les plus grosses transactions enregistrées dans le secteur des médias jusqu'en 1979 : jamais une fusion n'avait atteint de telles sommes. Les dix principaux groupes de presse – dont très peu existaient sous leur forme actuelle au début des années 1980 – comptent presque tous aujourd'hui parmi les trois cents plus grosses entreprises du monde. En 1965, quasiment aucune entreprise de presse ne figurait à ce palmarès.

La concentration des principaux médias entre quelques mains entraîne bien des répercussions. Aujourd'hui, les dix premiers groupes de presse détiennent tous les réseaux américains de télévision et la plupart des chaînes, les grands studios de cinéma, les majors de l'industrie du disque, la quasi-totalité des chaînes câblées, une grande part du secteur de l'édition et de la presse magazine... Ils n'ont plus qu'un souci : créer des synergies entre les composantes de leurs empires dans le but d'accroître leurs bénéfices. Aussi les médias se consacrent-ils avec ferveur à la promotion des films, disques, émissions

430

de télévision, produits dérivés, livres, etc., des filiales du groupe qui les détient. La logique du secteur est telle qu'une entreprise n'y peut désormais survivre si elle n'appartient pas à un grand groupe. EMI, la dernière des cinq sociétés indépendantes d'édition de disques aux Etats-Unis, a tenté, en 2000 et 2001, de fusionner avec AOL Time Warner et Bertelsmann. De même, la chaîne NBC, propriété de General Electric, est l'unique grande chaîne de télévision commerciale qui ne soit rattachée ni à un grand studio hollywoodien, ni à une maison de disques, ni à une maison d'édition. Alors, de deux choses l'une : soit General Electric devient un gigantesque groupe multimédia, soit il finira par céder NBC à une entreprise qui intégrera la chaîne à un empire plus vaste, ouvert sur le monde. N'oublions pas que le chiffre d'affaires que réalisent, hors des Etats-Unis, des groupes comme Disney et AOL Time Warner a doublé au cours des dix dernières années – pour atteindre environ 20 % de leur chiffre d'affaires total – et devrait enregistrer une progression soutenue à court terme.

Ces évolutions ont sans doute affecté davantage les journalistes que d'autres professionnels des médias : l'information est désormais, sans exception, dans le giron d'immenses empires industriels dont les actionnaires les ont à l'œil. Le contrat initial prévoyant une séparation entre le rédactionnel et le commercial n'a plus aucune raison d'être pour ces oligopoles. Il reposait sur la parole donnée, et son respect ne tenait qu'au bon vouloir des patrons de presse. Tant qu'il a servi les intérêts des entreprises, il a été honoré. Mais à quel prix ? Charrettes de licenciements dans les rédactions, fermeture de certains bureaux, recours croissant à de la matière libre de droits produite par les agences de communication, traitement prioritaire des sujets bon marché, information axée sur les thèmes qui intéressent les consommateurs et les investisseurs haut de gamme, réduction des reportages à l'étranger... En un mot, on a promu un journalisme qui réponde davantage aux exigences financières des entreprises. La « séparation de l'Eglise et de l'Etat » dont on nous a tant rebattu les oreilles s'est trouvée sacrifiée sur l'autel des bénéfices.

Du coup, le journaliste a de plus en plus de mal à remplir sa fonction. La qualité de ses prestations s'est dégradée dans les domaines dans lesquels il excellait. On décourage systématiquement le journalisme d'enquête – notamment quand il contrarie les intérêts des grandes entreprises ou de la sécurité nationale –, par définition trop coûteux. En revanche, les sujets bateau, ou ne présentant aucun enjeu, ainsi que les faits divers sanglants sont déclinés à l'infini. Ils ne reviennent pas cher, sont faciles à mettre en boîte, et surtout ne menacent en rien les intérêts de l'élite.

Ce sont sans doute les témoignages des journalistes eux-mêmes qui disent le mieux l'actuel effondrement du journalisme d'enquête. La démoralisation gagne les rangs. Il suffit de feuilleter les chapitres de ce livre ou de parcourir les rayons des librairies pour constater que les grands journalistes déplorent le déclin de leur métier, perverti par les pressions économiques. Comme le regrette Jim Squires, l'ancien rédacteur en chef du *Chicago Tribune*, notre génération a assisté à *« la mort du journalisme »*.

Par certains côtés, la situation actuelle ressemble beaucoup à celle de l'époque progressiste, où les médias essuyaient les tirs croisés des journalistes eux-mêmes et de la société civile. Les mêmes lignes de fracture réapparaissent, les mêmes critiques sont lancées : déférence trop marquée à l'égard du patronat, véritable black-out sur les dérives des multinationales et du capitalisme en général, traitement centré sur la vision des riches et des puissants... Dans une société aussi économiquement inégalitaire que les Etats-Unis, la logique voudrait que les médias dominants choisissent de cibler les classes moyennes et supérieures, qui correspondent à leur lectorat privilégié. Or les grands quotidiens d'information semblent avoir renoncé à toucher ce cinquième – voire ce tiers – de la population qui constituait traditionnellement leur lectorat, autrement dit leur marché. Quant aux autres médias, depuis les magazines jusqu'aux chaînes de télévision – en particulier les chaînes tout info –, ils sont encore plus exclusifs. Résultat : l'information s'adresse au tiers le plus riche de la population. La santé de Wall Street, les tuyaux sur les meilleurs investissements, bref, les bienfaits du capitalisme financier sont désormais présentés comme des informations intéressant le public dans son ensemble. Dans leur couverture des sujets économiques, les journalistes recrutent à présent leurs sources dans les cabinets de consultants en entreprise, entièrement tournés vers la recherche du profit.

On a pu mesurer les effets pervers de cette évolution lors des grandes manifestations antimondialisation qui se sont tenues entre 1999 et 2001 à Seattle, Washington, Québec ou Gênes, en réaction aux sommets de l'Organisation mondiale du commerce (OMC), de la Banque mondiale, du Fonds monétaire international (FMI) et d'autres institutions phares du capitalisme mondial. Enfin, les journalistes tenaient là une actualité qui allait leur permettre d'examiner l'un des enjeux politiques les plus brûlants de notre époque. Malheureusement, comparée à leur traitement de l'accident d'avion qui a coûté la vie à John Kennedy Jr, à l'été 1999, celui des manifestations s'est révélé bien inconsistant. L'accent a été mis essentiellement sur les actes de vandalisme commis par certains manifestants, tandis que l'ampleur des brutalités policières était soigneusement minimisée. Quelques reportages remarquables ont bien été diffusés, mais ces exceptions n'étaient là que pour confirmer la règle : ils sont passés inaperçus dans le flot des sujets favorables à l'*establishment*.

A cet égard, il est toujours bon de rappeler que non seulement les médias s'appuient sur des sources favorables aux intérêts des patrons, mais qu'en outre ils figurent parmi les premiers bénéficiaires des accords commerciaux mondialisés (qui permettent d'acheter des actifs à l'étranger et de vendre ses produits avec moins de restrictions). C'est aussi ce qui explique qu'ils aient traité avec un tel enthousiasme ce type de sommet tout au long des années 1990. La triste réalité, c'est que plus un sujet touche au pouvoir et à la domination des entreprises capitalistes dans notre société, moins les médias commerciaux s'avèrent fiables. Depuis ces dernières années, l'intérêt croissant que ces derniers portent à la fraction la plus riche de la population renforce ce préjugé. Des dossiers d'une importance fondamentale pour des dizaines de millions d'Américains sont traités par le mépris. Ceux qui font l'information ne leur consacrent pas une ligne, pas un reportage, sous prétexte qu'ils ne concernent pas les « bons » Américains dans lesquels ils se reconnaissent. C'est comme ça que, depuis vingt ans, le fossé ne cesse de se creuser entre les 10 % d'Américains les plus riches et les 60 % les plus pauvres. Dans les années 1980 et 1990, ces derniers ont vu leur revenu réel diminuer ou stagner, tandis que les actifs et les revenus des premiers accusaient une hausse spectaculaire. En 1998, les 10 % d'Américains les plus riches détenaient – hors propriété immobilière – 76 % des richesses nettes de la nation, quand plus de la moitié de celles-ci étaient aux mains du 1 % le plus riche. Les 60 % les plus pauvres, eux, n'ont reçu que des miettes. Ils vivent dans l'insécurité économique et le surendettement chronique.

Comme le remarque l'économiste Lester Thurow, cette aggravation des inégalités de classe en temps de paix, probablement sans précédent dans notre histoire, constitue l'une des tendances les plus caractéristiques de l'époque, avec des répercussions terriblement négatives sur l'ensemble du tissu social. Les journaux, pourtant, ne l'évoquent que lorsqu'un rapport économique vient, de temps en temps, rappeler cette évidence. Le chœur médiatique, qui chante à longueur de colonnes ou de flashs d'information les louanges du capitalisme contemporain, est incapable de rendre compte de ses défaillances. A ses yeux, cela serait aussi incongru que de défendre que la terre est plate. Le *Washington Post* est allé jusqu'à qualifier notre économie de *« presque parfaite »*. Et de fait, elle apparaît de plus en plus parfaite à mesure que l'on gravit les échelons de la hiérarchie socioéconomique.

On en trouve un exemple frappant dans un phénomène récent, qui n'a pas eu l'heur de passionner les médias : la détérioration de la situation carcérale et l'augmentation spectaculaire du nombre de détenus. Depuis la fin des années 1980, le taux de détention a plus que doublé aux Etats-Unis. Notre pays compte maintenant cinq fois plus de prisonniers *per capita* que le Canada et sept fois plus que l'ensemble de l'Europe occidentale. Les

Américains représentent 5 % de la population mondiale et 25 % de la population carcérale mondiale ! De plus, près de 90 % des prisonniers sont incarcérés pour des délits commis sans violence, le plus souvent en relation avec le trafic de stupéfiants. Mais la plus grosse inquiétude ne tient pas au nombre faramineux d'hommes et de femmes incarcérés : des recherches récentes laissent à penser qu'une large minorité de détenus pourraient bien être innocents des délits et crimes pour lesquels ils ont été condamnés. Ainsi, parmi les prisonniers condamnés à mort dans l'Etat d'Illinois depuis vingt ans, on en dénombre davantage dont l'innocence a été prouvée qu'ayant été effectivement exécutés. L'association Innocence Project, qui a recours à des tests ADN, a déjà fait invalider des dizaines de condamnations pour meurtre ou pour viol.

A cela, il faut encore ajouter les conditions de vie à l'intérieur des prisons, qui heurtent la dignité humaine. Le simple fait de voir tant de concitoyens ainsi dépossédés de leurs droits élémentaires devrait susciter l'indignation et soulever un débat public. On a, par le passé, fomenté des révolutions et renversé des gouvernements pour des atteintes bien moins graves aux droits des citoyens. Pourtant, cantonné au débat politique, le problème carcéral ne donne lieu qu'à une surenchère politicienne entre républicains et démocrates. C'est à qui réprimera le mieux la criminalité, embauchera le plus de policiers, construira le plus de prisons... Du jour au lendemain, ou presque, ce dossier est devenu un vaste enjeu commercial, sur lequel s'est mobilisé un puissant lobby dont le principal objectif est de décrocher toujours plus de financements publics.

Le sujet est d'importance. Depuis trois ans, des universitaires, des avocats, d'anciens prisonniers, des journalistes indépendants dressent, à travers des récits accablants – publiés en général dans des maisons d'édition sans gros moyens –, un état des lieux dramatique de notre système carcéral. Pourtant, cette histoire est inconnue des Américains, lesquels, en revanche, pourraient vous citer la liste des amants de la princesse Diana ou encore le Top Ten des patrons de *start-up* les plus riches du pays. Comment tout cela est-il possible ? Tout simplement parce que la grande majorité des prisonniers sont issus de la fraction la plus pauvre de la population – ce qui ne signifie pas seulement que les pauvres commettent davantage d'infractions mais aussi que la justice s'acharne plus volontiers sur eux. Les délits en « col bleu » sont sanctionnés par de lourdes peines, alors que les délits en « col blanc » – dans lesquels les sommes d'argent en jeu sont nettement supérieures – bénéficient en comparaison d'une grande clémence. A titre d'exemple, en 2000, un Texan a été condamné à seize ans de prison pour avoir volé une barre de chocolat ; dans le même temps, quatre cadres supérieurs d'Hoffman-La Roche ont été jugés coupables d'entente visant à éliminer toute concurrence dans l'industrie des vitamines, dans une affaire dont le ministère de la Justice a estimé qu'il s'agissait peut-être de la plus grande infraction à la loi antitrust jamais enregistrée. Le coût pour les consommateurs et pour la santé publique était incommensurable, et pourtant les quatre hommes s'en sont tirés avec des amendes de 75 000 à 350 000 dollars, écopant de peines allant de trois à quatre mois d'emprisonnement.

La fraction de la population qui atterrit en prison exerce une faible influence politique, vote peu et présente un moindre intérêt commercial pour les propriétaires et les annonceurs des groupes de communication. C'est également, dans son écrasante majorité, une population non blanche, et c'est là que les notions de « classe » et de

« race » se rejoignent pour former ce brouet typiquement américain et particulièrement toxique aux Etats-Unis, 50 % des prisonniers sont afro-américains. En clair, ils cristallisent tout ce que les patrons de presse et leurs journalistes s'efforcent d'occulter afin de ne pas ennuyer leurs consommateurs privilégiés. Comme le remarque l'écrivain Barbara Ehrenreich, les pauvres ont disparu du champ de vision des riches. Et du même coup, ils ont disparu des médias. Dans les rares cas où l'information s'attarde sur eux, les études montrent que c'est pour renforcer les stéréotypes racistes. Les médias accordent une large place à la délinquance et à l'insécurité, mais ils utilisent ces phénomènes comme des marronniers destinés à doper l'audimat. Leur traitement s'effectue en dehors de toute présentation du contexte social ou politique, si bien que dans le meilleur des cas, cela ne sert qu'à accentuer la paranoïa ambiante et à abonder dans le sens des programmes sécuritaires.

Imaginez un instant qu'au lieu d'appartenir au quart le plus pauvre de la population, l'immense majorité des prisonniers de ce pays figure parmi le quart le plus riche. Imaginez que les étudiants de Yale ou de l'université d'Illinois comptent la moitié de leurs amis derrière les barreaux ou, pire, décédés à la suite d'une bavure policière. Imaginez qu'ils sachent pertinemment que beaucoup de ces amis emprisonnés sont en fait innocents. Bien entendu, cela ferait l'actualité. Mais il est plus vraisemblable que la presse aurait depuis longtemps fait en sorte que le problème soit résolu en amont.

Après les attentats du 11 septembre 2001 sur Washington et New York, les Etats-Unis ont lancé une guerre mondiale contre le terrorisme. La décision de déclarer la guerre est sans doute la plus grave qu'une nation puisse prendre. Une guerre, cela veut dire que des milliers de vies, peut-être des millions, seront sacrifiées et que d'immenses ressources économiques affectées à des usages pacifiques viendront alimenter l'effort de guerre. Dans une société démocratique, une telle décision doit se faire avec le consentement de la population. Ce qui exige de la presse qu'elle fournisse aux citoyens les informations et les analyses qui leur permettront de faire un choix éclairé. Pour une presse américaine qui se veut libre et indépendante, le 11 septembre a sonné l'heure de vérité.

Les journalistes avaient toutes les raisons de s'interroger sur le bien-fondé de cette guerre qui a été déclarée dans la précipitation, au lendemain des attentats. Depuis le XIXe siècle, le gouvernement américain a dû, à chaque fois que le pays est entré en guerre, convaincre la population de cette nécessité. Qu'il s'agisse de la Première Guerre mondiale, de la guerre du Vietnam, de la guerre de Corée ou même, plus récemment, de la première guerre du Golfe, l'Etat a systématiquement orchestré des campagnes de propagande très sophistiquées visant à présenter la situation d'une façon suffisamment dramatique pour rallier l'opinion publique à ses desseins – quitte à enjoliver la réalité de quelques pieux mensonges. A chaque fois, les médias ont été un allié précieux pour galvaniser la population. C'est à la lumière de ces précédents qu'il convient d'examiner le traitement médiatique des événements qui ont suivi le 11 septembre. L'expérience nous a montré que nous devions nous attendre à une avalanche de demi-vérités et de vrais mensonges, et c'est exactement ce qui s'est passé. Les médias d'information n'ont tiré aucune leçon du passé.

Au contraire, ils se sont complu dans le manichéisme,

colportant l'imagerie simpliste des autorités : une gentille nation, démocratique et pacifique, a été sauvagement attaquée par des méchants terroristes, à moitié fous, qui haïssent les Etats-Unis en raison de la liberté et du niveau de vie élevé dont jouissent ses habitants. Donc, l'Amérique doit s'empresser de renforcer son armée et ses services secrets afin de localiser les coupables et de les exterminer, eux et leurs alliés. Ensuite, la population doit se préparer à une guerre longue. Car nous nous devons d'éradiquer de la surface de la planète le cancer du terrorisme international. Ceux qui ne participeront pas à cette croisade en faveur de la justice seront considérés comme les complices des terroristes, et ils risquent fort de subir le même sort.

Personne ne s'aventure à remettre publiquement en doute la légitimité de cette guerre, quand bien même les Etats-Unis risquent d'être les principaux bénéficiaires de ce regain de militarisme. Aucune question gênante n'est posée. Aucune exigence n'est formulée pour que soient fournis des éléments prouvant que le conflit permettra véritablement de faire reculer le terrorisme et de juger les responsables des attentats. La presse dominante escamote habilement ces questions fondamentales qu'elle se serait posées si tout autre pays avait ainsi déclenché une guerre mondiale.

Cette distorsion grossière s'explique par la confiance aveugle que les journalistes, fidèles à leur code de déontologie, vouent aux sources officielles. Dès lors que l'ensemble de la classe politique s'aligne sur l'effort de guerre, ceux parmi eux qui seraient tentés de critiquer le patriotisme aveugle de l'administration Bush ont une marge de manœuvre très limitée. Ils sont accusés d'être partisans, ou encore de manquer de professionnalisme.

Les groupes de presse sont pour beaucoup dans ce traitement au rabais. En effet, ils ont considérablement réduit, ces dernières années, les postes d'envoyés spéciaux et de correspondants à l'étranger. Depuis vingt ans, la politique internationale – qui revient cher et ne rapporte pas grand-chose – occupe de moins en moins de place dans l'actualité. Les Américains, qui étaient par le passé mal informés ou sous-informés en la matière, ne sont plus informés du tout. Ils sont scandaleusement ignorants de la situation qui prévaut ailleurs dans le monde. C'est une catastrophe sans précédent, qui porte un grave préjudice au développement d'un débat démocratique significatif sur la politique internationale et souligne une fois de plus les profondes contradictions entre la demande légitime d'informations d'une société démocratique et le souci de rentabilité des entreprises de presse.

Par ailleurs, les médias américains s'inscrivent dans un contexte institutionnel tel que soutenir l'armée leur semble aller de soi. Ces gigantesques multinationales ont tout à gagner de la mondialisation néolibérale – leur chiffre d'affaires hors des Etats-Unis enregistre une croissance rapide – et de l'avènement des Etats-Unis en tant qu'hyperpuissance. Il faut savoir que le gouvernement américain est le meilleur défenseur des groupes de communication lorsqu'il s'agit de négocier des contrats commerciaux ou des accords sur les droits de propriété intellectuelle. Etrange coïncidence : au moment même où les télévisions chantent les louanges de *« la nouvelle guerre de l'Amérique »*, les lobbyistes à leur solde réclament à la Federal Communications Commission une déréglementation radicale des normes d'attribution des ondes hertziennes, des télévisions par câble et des journaux. Une déréglementation qui débouchera forcément sur une nouvelle vague de concentration des médias.

Quelques semaines après le début de la guerre en Afghanistan, CNN (filiale d'AOL Time Warner) illustre clairement la dévotion de l'information au service de la propagande d'Etat. Premier réseau de télévision câblée aux Etats-Unis, CNN est aussi la première chaîne d'information mondiale par câble et satellite. La guerre la place face à un dilemme. Si elle diffuse la langue de bois qu'elle sert aux Américains à un public international, elle risque de voir dégringoler ses parts d'audience et de susciter des réactions négatives. Car l'opinion du monde entier dispose, à travers ses propres médias, d'une vision bien plus critique de la guerre et du rôle des Etats-Unis. Il est donc couru d'avance que personne ne regardera CNN si la chaîne est perçue comme le petit télégraphiste du gouvernement Bush. D'un autre côté, si CNN présente une couverture critique au public américain, elle va froisser la Maison Blanche. Le président de la chaîne, Walter Isaacson, a trouvé la solution. Il a invité la rédaction de CNN à produire deux traitements distincts : l'un, édulcoré, pour les Américains ; et l'autre, plus critique, pour l'international Walter Isaacson a même ordonné au personnel américain de la chaîne de rappeler, chaque fois qu'une information serait de nature à saper l'enthousiasme de la population, que la guerre contre le terrorisme est une réponse aux attentats scélérats du 11 septembre.

Si notre journalisme est en crise, ce n'est pas parce que les gens qui dirigent nos salles de rédaction et nos groupes de presse sont incompétents ou malintentionnés. La question ne se pose pas en ces termes. Ces hommes et ces femmes obéissent aux ordres qu'on leur donne. La solution consisterait à donner d'autres ordres, de telle sorte que chacun ait à cœur de produire du « grand » journalisme.

C'est pourquoi nous devons redoubler d'efforts pour soutenir les médias indépendants. D'aucuns annoncent qu'avec la montée en puissance d'Internet, avec ses milliards de sites offrant plus d'informations que nous ne pouvons en absorber, les médias dominants deviendront des espèces en voie de disparition. On peut en douter quand on voit qu'Internet rejoint peu à peu le giron des médias commerciaux.

Au bout du compte, si nous voulons inverser la tendance qui prévaut aujourd'hui, nous ne devons pas relâcher la pression : il nous faut exiger que les médias servent davantage les valeurs démocratiques et l'intérêt général, et un peu moins les intérêts du grand capital. Le système médiatique américain n'est pas neutre. Eloigné des principes définis par les pères fondateurs, il l'est tout autant du modèle capitaliste dont il se réclame. Il bénéficie de subventions publiques et de réglementations mises en œuvre au nom du public, bien que décidées à huis clos à l'insu de ce dernier. Les plus grosses entreprises de presse et de télévision se sont bâties sur les bénéfices générés par des faveurs provenant de l'Etat. La valeur des actifs qu'elles ont accumulés depuis soixante-quinze ans se chiffre sans doute en centaines de milliards de dollars.

Il est de notre devoir d'inscrire la réforme des médias à l'ordre du jour de notre combat pour la démocratie et la justice sociale. Il est impossible d'envisager un monde meilleur sans affranchir le système des médias de l'emprise de Wall Street et de Madison Avenue.

Nous n'avons plus de temps à perdre.

Robert McChesney